LAAT MIJ DE HERINNERING

BARBARA ESSTMAN

LAAT MIJ DE HERINNERING

DE KERN BAARN

Voor 'Naldo, van Rosie,
en voor Bryan, Beth en Mark.

Ik wilde jullie dingen vertellen,
dingen die zo hadden kunnen zijn.

Dank, zoals altijd, aan Miriam Altshuler en The Group, met
name Jody Brady, en aan Mike Esstman voor zijn niet aflaten-
de zorg voor de kinderen.

Omslagbelettering: Teo van Gerwen
Omslagfoto (schouder): © Picture Box, Photonica, David Perry
Omslagfoto (paarden): © Gordon Stettinus
Copyright © 1997: Barbara Esstman
Copyright © 1997 voor het Nederlandse taalgebied:
Uitgeverij De Kern, Baarn
Zetwerk: Scriptura, Westbroek
Verspreiding voor België: Standaard Uitgeverij, Antwerpen

CIP-GEGEVENS KONINKLIJKE BIBLIOTHEEK, DEN HAAG

Esstman, Barbara

Laat mij de herinnering / Barbara Esstman: [vert. uit het Engels door Jan Smit]
- Baarn: De Kern
Vert. van: Night ride home. - New York, Harcourt Brace & Company, 1997
ISBN 90-325-0577-7
NUGI 301
Trefw.: romans; vertaald

Geofferd worden is een manier om thuis te komen.
Hij die zijn leven verliest, zal het vinden.

Joseph Campbell

Voorjaar 1947
LaCote, Missouri

Er is geen ruimte zo groot als het verdriet,
er is geen universum als een heelal van bloed.

Pablo Neruda

HOOFDSTUK 1

Clea
Mahler

Mijn broer Simon stierf met zijn ogen open, starend naar de blauwe lucht. Uit mijn ooghoek zag ik hem vallen, maar toen ik me omdraaide dacht ik eerst nog dat het een geintje was. Hij lag als een kruisbeeld op zijn rug tussen de margrieten, zonder bloed of kneuzingen. Ik kon niet geloven dat hij gewond was, laat staan dood. De merrie van mijn moeder, Zad, de grijze Arabier waarop hij had gereden om indruk op mij te maken, draaide zich naar hem toe, duwde haar neus tegen zijn hand en snoof. De middag leek haar adem in te houden. Afgezien van het zoemen van de insecten was het zo stil dat ik de paarden hoorde ademen en bewegen in het ruisende, hoge gras.

'Simon', zei ik.

Mijn kleine ruin gooide zijn hoofd in de nek en beet op het bit. De teugels sloegen tegen zijn hals en het zadel kraakte.

'Simon', zei ik weer, een beetje boos omdat hij me ongerust maakte, maar opeens kreeg ik een akelig gevoel in mijn buik omdat ik besefte dat dit misschien geen grap was. Het was net iets voor Simon om me de stuipen op het lijf te jagen als hij was gevallen.

'Simon, doe niet zo raar!' zei ik.

Toen hij geen antwoord gaf, steeg ik af, maar ik kwam niet in zijn buurt, bang dat hij plotseling overeind zou springen of mijn hand zou grijpen. Toen ik eindelijk genoeg moed had ver-

9

zameld en mijn hand uitstak, trok ik hem meteen weer terug omdat Simons huid zo vreemd heet aanvoelde. Zijn hoofd rolde opzij, alsof hij zich omdraaide om me iets te zeggen. Zijn ogen, blauw met gouden vlekjes, staarden omhoog.

Op dat moment wist ik dat hij dood was.

Ik schopte de vos hard en boog me diep over zijn hals, mijn voeten beukend tegen zijn schuimende flanken. Opeens kon ik het ritme niet meer vinden en was ik vergeten hoe ik moest rijden. Ik greep me aan het zadel vast om mijn evenwicht te bewaren. Het enige waar ik op dat moment aan dacht was niet dat ik misschien zou vallen en mijn nek breken, net als Simon, maar dat mijn vingers tussen de deken en de paardenrug zo warm voelden in die holte tussen zijn schouders.

De dag brak in vreemde stukken. Wapperende zwarte manen en vage groene vlekken. De strepen van de zadeldeken en de heldere, hete lucht, als een pot stroop waarin ik traag mijn weg zocht, alsof ik droomde. En voortdurend zag ik Simons starende ogen, vanuit de hemel, vanuit mezelf en vanaf de grond.

Toen ik over de lage velden naar het huis galoppeerde, met Zad in mijn kielzog als een trouwe hond, kwam mijn moeder Nora overeind achter de rozenstruiken die ze stond te snoeien en hield haar hand boven haar ogen. Daarna rende ze me tegemoet, met haar hoofd in haar nek en haar armen pompend als een hardloper. Ze was al bij het hek voordat ik de grendel los had en legde haar handen tegen de achterhand en de schoften van de vos alsof ze me in haar armen wilde vangen om te zien of ik niets mankeerde.

'Waar is Simon?' vroeg ze. 'Heeft Zad hem eraf gegooid?'

Ik knikte. Zad liep opgewonden rondjes. Ze had al één voet in de stijgbeugel.

'Ga hulp halen.' Ze gaf de merrie een klap tegen zijn flank om haar uit die cirkelgang te krijgen en gooide haar been over het zadel.

Ik wachtte tot ze was verdwenen over het pad langs de rand van de wei. Toen rende ik naar het huis en belde eerst mijn vader Neal op zijn werk, en toen Ozzie Kline, onze knecht, die voer was halen. Mijn stem trilde zo dat ik de telefoniste nauwelijks de nummers kon geven of mezelf verstaanbaar kon maken toen ik verbinding kreeg.

'Hou op met snotteren, Clea!' riep mijn vader. 'Is Simon gewond?'

'Ja', zei ik, bang om nog meer te zeggen en het onherroepelijk te maken.

Ozzie en mijn vader, met de dokter bij zich in de auto, arriveerden tegelijkertijd. Achter elkaar stormden ze het pad af. Ik had al een paard gezadeld voor iedereen. Mijn vader aarzelde een seconde voordat hij opstapte, maar hij volgde zwijgend toen ik voorop reed naar de heuvel. Ik reed in een snelle draf zodat niemand, zeker Ozzie Kline niet, me zou kunnen inhalen. Toen we uit de bosrand tevoorschijn kwamen, aan het eind van het pad, zag ik mijn moeder over Simon gebogen staan. Haar lichaam benam ons het uitzicht op het zijne. Ik moest denken aan een foto die ik ooit van een slagveld in de Burgeroorlog had gezien, met lijken die als bevroren dansers in het platgetrapte gras lagen, hun armen wijd gespreid en hun rug gekromd naar de hemel.

De mannen reden langs me heen en ik hield de vos in. Ik wilde niet bij Simon in de buurt komen, maar ik zag dat de dokter zijn hand uitstak en Simons ogen sloot. Toen draaide ik mijn paard naar de rivier, verborgen achter de hoge oevers aan de rand van de wei, met mijn rug naar de stemmen van de mannen, die me in de oren klonken als het geblaf en gejank van een meute.

Maar ik had al te veel gezien en ik kon het me te goed herinneren: Simon en ik op weg naar de rivier om te zien hoe hoog het water stond na de laatste regen en of het al buiten de oevers trad. Simon stelde me vragen waarop ik het antwoord niet wilde weten en het volgende moment had hij me liggen aanstaren vanuit het gras.

Mijn vader had tegen mijn moeder gezegd dat het water dit jaar tot aan het huis zou komen. We zouden nog spijt krijgen dat we hier woonden, op het verdronken land tussen de Missouri en de Mississippi. Hij had ook tegen haar gezegd dat Simon niet op Zad mocht rijden omdat ze veel te lastig was. Maar net als Simon luisterde mijn moeder nooit naar

11

dingen die ze niet wilde horen.

Mijn vader had gelijk dat Simon niet op Zad mocht rijden, maar om de verkeerde redenen. Het lag niet aan Zad. Ze was over een steen gestruikeld en uitgegleden op de natte grond. Ik hoorde haar hoef met een hol geluid tegen de steen slaan en toen ik omkeek, zag ik haar knieën buigen alsof ze wilde knielen in gebed. Zij kon er niets aan doen. Het was Simons schuld geweest, omdat hij de teugels los over haar nek had gelegd en met één knie op zijn zadel zat, als op een hek.

Ik had hem gezegd dat het glibberig was en dat hij moest uitkijken. Maar Simon speelde graag de baas over me. Hij zou me tegen iedereen verdedigen, zelfs als ik dat niet wilde. Als er een jongen aan de deur kwam, moest hij van Simon een kruisverhoor verduren. Als iemand me ten dans vroeg, cirkelde Simon als een lijfwacht om ons heen. Maar hier, als we met ons tweeën waren, was ik een eerlijke prooi en miste hij zelden de kans om te bewijzen dat hij de lieveling van mijn moeder was en de enige die op Zad mocht rijden behalve zij.

Opeens was ik kwaad op haar omdat ze hem dat voorrecht had gegeven en op hem omdat hij zo nodig moest opscheppen – en zelfs op Zad omdat ze gestruikeld was. Ik kon niet geloven dat Simon, die alles altijd zo goed kon, een fout had gemaakt. Mijn hele leven was hij er geweest, altijd twee jaar slimmer en meer ervaren, bereid om alles wat hij wist met mij te delen. Hoe kon hij voorgoed verdwenen zijn?

De zwarte daken van mijn huis en de stal waren zichtbaar tussen de boomtoppen op de heuvel, boven de zandpaden die langs de helling naar de vlakte afdaalden. Het gras stond kniehoog in de wei, nog nauwelijks groen, tussen de boterbloemen. Voor me uit lag nog een rij bomen, die een scheiding vormde tussen de heuvel en de steile helling naar de rivier. Aan de rivier, achter het huis, stond een hut waar we weleens gingen picknicken en waar mijn vader dikwijls sliep als hij voor dag en dauw wilde gaan vissen. Simon en ik gingen erheen als we alleen wilden zijn, of om te praten.

De boerderij was van mijn overgrootmoeder. De familie van mijn moeder woonde er al zeventig jaar. Alles leek nog hetzelfde, behalve het gejammer van mijn moeder, als het huilen van een dier in de nacht.

Het geluid haperde en verstomde toen. Onwillekeurig keek ik om. Simon lag op zijn buik over het zadel van de merrie. Nora liep naast haar, met de teugels in haar ene hand en haar andere hand over Simons hoofd, om het stil te houden. Ozzie Kline kwam met zijn paard naast haar lopen. Mijn vader en de dokter reden aan weerskanten, als een erewacht.

Simons dunne, sluike haar danste bij iedere stap, in hetzelfde ritme als de manen van het paard. Ik herinnerde me hoe blauw en starend zijn ogen waren geweest. Ik gaf de vos de sporen en reed hen voorbij naar het einde van het pad, boven aan de heuvel. Het paard struikelde een paar keer en ik gleed half uit het zadel. Mijn buitenkant leek sneller te vallen, zodat mijn hart tegen mijn borstkas schuurde. Dat moest het laatste zijn wat Simon ook had gevoeld voordat zijn hoofd tegen die rots sloeg. Ik liet mijn vingers weer onder de rand van het zadel glijden, hoewel Nora me wel honderd keer had gezegd dat je alleen op een paard bleef zitten door het tussen je benen te houden.

Ze had Simon en mij leren paardrijden toen we nog maar baby's waren, nauwelijks oud genoeg om voor haar op het zadel te zitten. De paarden waren van haar. Mijn vader had een hekel aan paarden en vond het niet leuk dat ze zoveel reed. Als ze naar hem had geluisterd, zou Simon nu nog leven.

Ik gaf de vos weer de sporen. Blazend en snuivend beklom hij het steile pad en stapte door het hek de bak binnen. Ik liet me omlaag glijden, rende even met hem mee en trok aan de teugels. De vos bleef staan, draaide zijn hoofd naar achteren en keek me aan. Ik maakte zijn zadel en zijn hoofdstel los en liet ze op de grond liggen. Toen gaf ik hem een klap op zijn achterkant. Nee, geen klap. Ik stómpte hem met mijn volle vuist tegen het puntje van zijn ruggengraat.

Het scheen geen pijn te doen. De vos sprong vooruit, deed een paar stappen en boog toen zijn hoofd om een mondvol gras af te scheuren. Ik liep de wei door, die zich eindeloos voor me uit leek te strekken. Ik begon te rennen, eerst rustig en toen sneller, omdat ik thuis wilde zijn voordat de anderen bij de stal waren aangekomen.

Mijn aardrijkskundeschrift lag open op de keukentafel, naast Simons natuurkundeboek en een schrift met een spiraalrug, waarin een half uitgewerkte opgave stond. Nog geen twee uur geleden had hij zijn pen neergelegd en gezegd: 'Ik heb geen zin meer. Laten we gaan rijden.' Ik was blij dat ik weg kon, maar nu durfde ik niet naar het schrift te kijken waarin nooit meer een oplossing zou staan. Ik kon me niet voorstellen dat hij en ik niet meer samen ons huiswerk zouden maken – samen dollen, en over dingen praten die we niet tegen onze ouders zeiden. Snel borg ik de boeken en schriften in onze schooltassen en ging naar mijn eigen kamer.

Al gauw kwam de ziekenwagen, in een wolk van stof en steentjes. Het leek onzinnig om een ambulance te laten komen, maar dat was de enige manier om Simon te vervoeren. We konden hem moeilijk achter in Nora's pick-up truck leggen, of voor in de auto van mijn vader, met zijn blauwe ogen starend uit het raampje.

Ik was vergeten dat ze zijn ogen hadden gesloten. Ik ging op mijn bed liggen, met de richels van de chenille-sprei tegen mijn gezicht. Ik kneep mijn ogen nog stijver dicht tegen de beelden die ik op de achterkant van mijn oogleden zag. De gebogen knieën van de merrie toen ze door haar benen zakte. Simons ogen.

Mijn deur sloeg dicht door de tocht van de zolderventilator. Toen ik erheen rende om hem weer open te doen, zat hij klem omdat hij door het vocht was uitgezet. Ik begon er in paniek aan te rukken, bang dat Simon hem dichthield. Toen ik in de badkamer een glas water ging drinken om het stof uit mijn mond te spoelen, durfde ik niet in de spiegel te kijken uit angst dat ik hem achter me zou zien.

Ten slotte vertrokken ze allemaal met de ambulance, maar toen de avond viel, wilde ik niet uit mijn kamertje naar de keuken gaan om te eten.

Het werd pas laat donker. Het licht bleef nog lang hangen, bleek en onheilspellend in de eerste week van de zomertijd. Toen het eindelijk begon te schemeren, kwam mijn vader thuis. Alleen. Ik hoorde dat hij de motor afzette en zijn portier dichtgooide. Daarna de klap van de buitendeur en de geluiden toen hij beneden door het huis liep. Als ik niet zo goed geluisterd had, zou ik niet hebben gehoord dat hij de wapenkast openmaakte, een van de geweren laadde en met een harde klik de dubbele loop weer sloot.

Ik had er wel rekening mee gehouden, maar ik vond het net zo onwezenlijk als Simons dood. Toch stapte hij naar buiten en trok de hordeur achter zich dicht. Hij liep naar de stal en ik sloot mijn ogen. De echo's van het schot kaatsten hard en gemeen tegen mijn borst. Ik deed het gordijn dicht en trok het kussen over mijn hoofd. Zo bleef ik de hele nacht liggen, zwetend en benauwd.

De volgende morgen kon ik me niet bedwingen om toch naar buiten te kijken. De kier tussen het kozijn en het bruine gordijn was voldoende om het erf te zien. De merrie lag op de grond alsof ze sliep, net zoals Simon in het hoge gras had gelegen, en net als bij Simon kon ik niet echt geloven dat ze dood was.

Die dag durfde ik me vaak niet om te draaien. Of ik keek juist bliksemsnel over mijn schouder om te zien wat er achter me was. Ik lag weer uren op bed, met het kussen over mijn hoofd en mijn spieren verstijfd, alsof ik bang was dat ik bij de geringste beweging haar neus of zijn hand zou aanraken.

Toen ik in slaap viel, droomde ik van Simon die op Zad de heuvel afreed. Ze deinde in draf en zwiepte met haar staart.

'Zad is de allerbeste, Clea', lachte hij.

'Moe is ook goed', zei ik en klopte mijn ruin op de nek.

'Ja, maar lopen is iets anders dan vliegen. Ik wil je wel leren om beter te rijden, dan merk je het zelf.'

De zon viel gevlekt tussen de bladeren door.

'Hé, Clea', begon hij, 'is het je ooit opgevallen...'

Hij zwaaide zijn been over de zadelknop, in een nonchalante houding, zoals altijd als hij nadacht over een probleem.

Ik kon niets zeggen om hem tegen te houden. Ik zag Simon en Zad weer vallen. Mijn broer glipte door mijn vingers, met alles wat hij wist.

De droom bleef dicht aan de oppervlakte toen ik wakker

werd. Het leek of ze juist uit het gezicht waren verdwenen, achter het spectrum van het licht of een flinterdun laagje lucht, en of hun geluiden een wat hogere frequentie hadden gekregen, die alleen dieren kunnen horen.

Drie keer in die week voor de begrafenis zag ik de hond, die met zijn kop op zijn poten lag, plotseling overeind komen, starend naar iets op het erf dat ik niet kon zien. Eén keer begon hij zelfs te rennen, maar bleef toen aarzelend staan omdat hij niet kon vinden wat hij had willen begroeten. Ook de katten werden soms plotseling wakker en tuurden met knipperende ogen in de lege ruimte, alsof iemand iets tegen ze had gezegd.

Mijn moeder zag ik nauwelijks. De eerste nacht bleef ze in het ziekenhuis en pas de volgende morgen haalde mijn vader haar weer op. Ze keek naar het erf waar de merrie had gelegen, maar Ozzie Kline had haar al met kettingen naar de open plek bij de rivier gesleept en een gladde baan door het zand achtergelaten, vanaf de donkere plas bloed. Mijn moeder kon toen nog niet weten wat mijn vader had gedaan, maar ze keek alsof de afwezigheid van de merrie haar genoeg vertelde.

Hij bracht haar naar boven, naar haar kamer. De dagen daarop kwam de dokter regelmatig langs om haar een injectie of pillen te geven. De buren kwamen het eten koken en brachten haar een blad. Ik bleef op mijn kamer en deed alsof ik las of sliep, maar soms sloop ik de gang door om door de kier van haar deur te kijken, waar ze in de schemering ineengerold op bed lag, met haar haar piekerig op het kussen als de manen van een ziek dier.

Vlak voor de volgende injectie werd ze opeens energiek en begon te praten, toen te schreeuwen. Ze klonk niet meer gewond, zoals vlak nadat ze Simon had gevonden, maar bitter en kwaad. Toen ik het geluid van brekend glas uit haar kamer hoorde, zei mijn vader dat de medicijnen haar verdoofden en dat ze per ongeluk een glas of een lamp had omgestoten. Maar daarvoor klonk de klap te hard en te doelbewust, zoals flessen explodeerden als Simon ze van een rots af schoot.

Hoe erger mijn moeder tekeerging, des te rustiger werd mijn vader. Ik had het gevoel dat ze elkaar in evenwicht hielden –

mijn moeder die haar emoties de vrije loop liet en mijn vader die alles onderdrukte, alsof ze voortdurend de spanningsboog probeerden aan te passen.

De tweede avond na Simons dood bleef mijn vader in de deuropening van mijn kamer staan en vertelde me de feiten die ik moest weten.

Simon was op slag dood geweest door een schedelbasisfractuur.

Mijn moeder was hysterisch en werd onder de middelen gehouden.

Het was eindelijk gelukt om mijn grootmoeder Maggie te bereiken en zij zou meteen terugkomen van haar reis door Mexico.

Na een wake van drie nachten zou Simon worden begraven op het kerkhof, niet op de begraafplaats op ons eigen land, waar de familie van mijn moeder lag.

Mijn vader huilde niet. Maar één keer hoorde ik zijn stem trillen toen hij zei dat Simon 'geen pijn had gevoeld', alsof dat geen goed maar slecht nieuws was. Ik hoorde het gefluister van de buurvrouwen die ons eten brachten en het huis schoonmaakten, en de gesprekken van de mannen toen ze de volgende dag de rest van de paarden inlaadden om ze terug te brengen naar hun eigenaren of naar de veiling, zelfs mijn Moe. In hun ogen was Neal Mahler een man op tegenop te kijken, terwijl mijn moeder Nora 'niet helemaal goed' was.

Ik probeerde me net zo te gedragen als mijn vader, maar dat lukte me alleen door uit de rouwkamer te blijven waar Simons kist stond en door zo hard op mijn wang te bijten dat het bloed eruit spoot. Ik sloot me op in een hokje van het damestoilet en probeerde alle beelden van mijn broer, alle verhalen en herinneringen, uit mijn gedachten te bannen, want als die weer boven kwamen, voelde ik een gapend gat in mijn borst.

Ik was bang voor mezelf, bang dat ik zo vreselijk zou moeten huilen dat ik zou oplossen of uiteen zou vallen in stukjes die niemand meer zou kunnen terugvinden en oprapen. Daarom hield ik me zo stil mogelijk en herhaalde in gedachten steeds het Onze Vader, totdat mijn hele hoofd ermee gevuld was.

Ik bleef die week zoveel mogelijk bij iedereen uit de buurt en ze lieten me allemaal met rust, behalve Ozzie Kline. Ze waren net zo beleefd als mijn vader, zonder ook maar iets persoonlijks of reëels over Simon te zeggen. Ze meden zelfs zijn naam en beperkten zich tot 'Wat vreselijk van je broer.' Toen mijn grootmoeder de dag voor de begrafenis arriveerde, sloeg ze haar armen om me heen, maar ik verstijfde en ze deed het niet nog een keer.

Maar voordat Ozzie Kline na afloop van de begrafenis vertrok, sloot hij me zo stevig in zijn armen dat zijn botten tegen de mijne drukten en ik bijna geen adem meer kreeg. Hij rook vaag naar paarden, maar ook als een man die pas een bad had genomen en weer in de hitte was gestapt. Hij hield me zo stevig en zo lang vast dat ik er bang van werd.

'Pas goed op je moeder voor me', zei hij.

Ik legde mijn handen plat tegen zijn borst, maar hij liet me niet los. Toen ik naar zijn roodbehuilde ogen keek, was het alsof ik hem naakt zag.

'Zul je je oma vragen of ze blijft helpen als Nora dat nodig heeft?' vroeg hij, terwijl hij me door elkaar schudde. 'Beloof je me dat?'

Ik wrong me uit zijn armen, rende naar huis en keek niet om toen hij me nariep.

De weken daarna werd ik iedere nacht een paar keer wakker. Ik kon bijna raden hoe laat het was als ik mijn moeder hoorde roepen, als een drenkeling die opeens weer boven water komt. Ik vroeg me af waar mijn vader nog meer toe in staat was, behalve wat hij met Zad had gedaan, en overdag had ik een gevoel alsof ik door een pikdonkere kamer liep waar alle meubels waren verschoven.

Ik wist niet wat ik moest doen, maar ik huilde niet. Niet één keer. Ik wilde niet dat mijn vader ook boos op mij zou worden. Maar ik voelde een geweldige ruimte om me heen, zo groot dat ik niet geloofde dat iemand me nog ooit zou kunnen aanraken, zelfs niet zo licht dat ik er niet bang voor hoefde te zijn. Die ruimte voelde veilig. Het was de enige plek waar ik wilde zijn.

HOOFDSTUK 2

Nora
Mahler

Simons vingertoppen waren koud en ik wreef ze tussen mijn handen zoals ik dat vroeger ook had gedaan als hij thuiskwam van het sleetje rijden. Ik drukte mijn vingers tegen zijn hals en zijn polsen en legde mijn hoofd tegen zijn borst, maar de afstand tussen ons werd snel groter. Nooit was hij zo oud geweest als op het moment van zijn dood, terwijl ik verder leefde in een toekomst waarin hij geen plaats meer had.

Ik raakte in paniek nu ik hem moest achterlaten omdat de tijd me meesleurde. Ik wilde stoppen, al was het maar één moment, maar ik kon de minuten evenmin vastgrijpen als ik me aan het water had kunnen vastklampen wanneer ik door een rivier zou zijn meegesleept, stroomafwaarts.

Ik stapte uit mezelf en hoorde mijn eigen jammerkreten als van een andere vrouw, ver weg in het veld. Neal trok me overeind, bij Simon vandaan, toen Ozzie en de dokter hem naar Zad droegen en hem over het zadel legden. Neal wilde dat ik op zijn paard zou stappen, maar ik rukte me los en pakte Zad bij de teugels. Toen Ozzie naast me kwam lopen, stak hij heel even zijn hand uit om mijn arm aan te raken met de achterkant van zijn vingertoppen.

'Nora', zei hij.

Ik zag het allemaal vanuit de lucht, beneden me, zoals ik op weg naar het ziekenhuis ook mijn eigen armen zag, geschaafd en onder de modder, met mijn handen in mijn schoot en het

19

vuil van de tuin onder mijn nagels. Ik voelde bijna niets meer – niet de druk van de atmosfeer op mijn huid, maar slechts de gewichtloosheid van een luchtledige kalmte.

Een arts, niet onze eigen dokter, kwam Neal en mij vertellen dat Simon dood was. Hij droeg een witte jas die tot boven aan zijn stropdas was dichtgeknoopt en zijn dunne haar lag keurig over zijn schedel gekamd. Hij trok een stoel bij en we zaten ineengedoken in de wachtkamer, met onze knieën tegen elkaar aan.

'Een zware klap tegen de schedel', zei hij. 'Uw zoon...' hij keek van Neal naar mij en toen op zijn papieren, '... was op slag dood.'

Hij zei het heel ernstig, alsof dat een onaangename verrassing was. Ik begon te lachen. Ik kon er niets aan doen. Hoe kon ik lachen om het nieuws dat mijn zoon dood was? Maar het was sterker dan ikzelf en ik kon het niet tegenhouden, hoe ik mijn lippen ook op elkaar klemde. Ik wist niet wat er zo geestig was. De gewichtige dokter met zijn dramatische houding? De overbodigheid van het ziekenhuis? De arrogantie van de moderne geneeskunde die denkt dat wij zelf niet kunnen zien wanneer iemand dood is?

Mijn lachbui maakte alles los wat ik met een haastig touw had vastgesnoerd. Ik hapte naar lucht, terwijl ik al die tijd mijn adem half had ingehouden om te kunnen horen of Simons hart nog klopte. Die extra zuurstof bracht me weer terug bij mezelf. Opeens hield ik op met lachen en zag dat de dokter en Neal me zaten aan te staren.

'Natuurlijk is hij dood, klootzakken', zei ik.

Ze knipperden met hun ogen als demente uilen.

'Wat is dit voor onzin?' vroeg ik nog luider.

De dokter stond op en Neal keek naar me alsof ik een dronken zwerver was.

Er kwam nu zoveel in me los dat het wel een lawine leek. Mijn gewrichten verslapten en mijn botten werden vloeibaar. De gedachten tolden door mijn hoofd. Als het paard niet was gestruikeld, als die steen ergens anders had gelegen, als Simon zich een seconde eerder had kunnen herstellen... Zoveel pech op een rij, een ongeluk gemeten in millimeters en fracties van seconden.

Waarom moest het juist mijn kind zijn, zo bemind en vol belofte, dat door de dood was weggenomen, terwijl er op deze wereld nog zoveel zielige mensen waren die graag wilden sterven of door niemand zouden worden gemist?

Verder kan ik me niet veel herinneren. Pas dagen later kwam het weer in fragmenten bij me boven, alsof ik zwaar gedronken had en niets meer wist. Toen ik midden in de nacht wakker werd, in het donker, versuft door de medicijnen, waren het slechts flarden en losse beelden die zonder enige samenhang door mijn hoofd spookten. Dat Neal mijn handen vastgreep en de dokter me vroeg om me te beheersen. Dat ik probeerde de mannen te slaan en te stompen, zodat ze *echt* zouden reageren op wat er was gebeurd.

Ik deed het licht aan en stond blind heen en weer te zwaaien in een witte omgeving. Ik rook het al voordat ik het zag: een ziekenhuiskamer met glad grijs linoleum onder mijn blote voeten. Ik trok mijn nachthemd dicht en hield het in een vuist op mijn rug geklemd toen ik naar een balie wankelde waar een kleine sproetige verpleegster van haar papieren opkeek.

'Terug naar bed', zei ze. 'Dat moet van de dokter.'

'Maar ik heb nooit gezegd dat ik hier wilde blijven.' Mijn tong voelde dik en onhandig aan in mijn mond.

'U was nergens meer toe in staat.' Ze stond op en liep om de balie heen naar me toe. 'We hebben u pillen gegeven waarop u tot morgenvroeg had moeten slapen.'

Een andere, grotere verpleegster kwam uit een kamer verderop in de gang en liep haastig naar ons toe, terwijl de eerste zuster steeds dichterbij kwam en zachtjes tegen me praatte als tegen een hond die ze een halsband wilde omdoen.

'Ik wil naar huis', protesteerde ik.

Maar de grote verpleegster nam een sprong en trok me tegen zich aan, terwijl de ander haar armen om mijn schouders sloeg.

'Rustig aan maar', zei ze.

· Zo, tussen hun borsten en buiken ingeklemd, walsten ze me naar mijn kamer terug. Onderweg gingen ze nog op mijn tenen staan met de rubberranden van hun verpleegstersschoenen.

'U bent nog niet goed genoeg om 's nachts al rond te lopen', zei de kleinste van de twee, wat vriendelijker nu ze me in haar macht had. 'Morgen is het vroeg genoeg om erover te praten.'

'Dan kunt u wel naar huis', beaamde de ander.

De kleinste hield me vast terwijl haar collega de lakens gladstreek. Ik leunde tegen de verpleegster aan en liet me willoos in bed leggen. Toen kwam de ander met een injectienaald en draaide me op mijn zij. De alcohol was koel op mijn heup.

'Het doet geen pijn', zei ze.

Dat deed het wel, maar het kon me niet schelen.

'Denk maar nergens aan', zei ze. 'Probeer te slapen en laat de rest maar aan ons over.'

'Precies', zei de ander. 'Vannacht kunt u toch niets doen.'

Ik sloot mijn ogen. De lakens zakten met een zucht over mijn benen en de handen van de zusters bewogen zich als nachtvlinders over me heen. Hun schoenen kraakten toen ze de kamer uit liepen en ik hoorde hen fluisteren op de gang. Ik probeerde te verstaan wat ze zeiden, maar de klanken vloeiden in elkaar over en het kostte me te veel moeite. De warmte van het medicijn kroop door me heen en ik vroeg me af of Simon zich ook zo donker en slaperig had gevoeld – áls hij nog iets had gevoeld. Dat wilde ik weten, zodat ik me hem meteen voor de geest zou kunnen halen als ik aan hem dacht, zoals ik vaak had gedaan als hij op school zat of met vrienden op stap was.

Ik wilde kwaad zijn op wat hem was overkomen. En kwaad op Neal. Maar het leek of ik in een witte wattendeken lag die al het andere buitensloot. Ik probeerde mijn arm op te tillen, maar ik zakte weg en viel in slaap. De zusters moesten alles maar regelen. Ik hoorde hen nog vaag, als treurduiven in de struiken na een regenbui.

HOOFDSTUK 3

Neal
Mahler

Ik heb eens een hond aangereden op de hoofdweg, een zwarte straathond die recht voor mijn auto opdook. Ik had hem niet kunnen ontwijken zonder de berm in te sturen of me pal voor een aanstormende vrachtwagen te storten. Ik wist zeker dat het beest dood moest zijn, maar het kwam weer overeind, steunend op zijn voorpoten en zwaaiend met zijn heupen.

Ik stopte en liep terug. De hond gromde, met kwijl en bloed om zijn bek. Op dat moment kwam er nog een auto over de heuvel die hem raakte en tegen het grind wierp. Hij keek me aan met een gouden oog, zo strak dat ik niet eens zag wanneer hij stierf. Ik bleef nog een paar minuten onnozel naar het dier staan staren.

Ik weet niet waarom ik was gestopt of wat ik had willen doen. Uit gewoonte, denk ik, omdat ik getrouwd was met Nora, die zichzelf en iedereen in de auto liever zou opofferen dan een eekhoorn te overrijden.

Zo nu en dan denk ik nog weleens aan die hond, die weer moeizaam overeind kwam en mij beschuldigend aankeek omdat ik hem niet hard genoeg had geraakt om hem meteen te doden. Dan lopen de rillingen me over de rug.

In het ziekenhuis keek Nora me net zo aan toen de dokter ons de details over het ongeluk vertelde. Hij probeerde het zo voorzichtig mogelijk te brengen, maar Nora begon te tieren en sprong zo snel op dat ze haar stoel omver gooide. Hij wilde haar nog zeggen dat Simons dood Gods wil was, maar Nora zwaaide met haar armen alsof ze zich door een dichte struik heen vocht.

Ze stond te wankelen op haar benen en keek me aan alsof Simons dood en Gods wil allemaal mijn schuld waren. Ze huilde nu zo hard dat we geen woord meer konden verstaan en toen ik haar bij haar arm wilde pakken om haar terug op haar stoel te duwen, rukte ze zich los als een waanzinnige. Ik zei dat ze zich moest beheersen en terug naar huis moest om Clea op te vangen. 'Clea kan me niet schelen!' zei ze. 'Niemand van jullie kan me nog iets schelen.'

We konden niets met haar beginnen, daarom kwam er een verpleegster met een injectiespuit. Ik klemde Nora's arm tegen haar lichaam terwijl de dokter een watje met alcohol pakte. Ze trok haar hoofd tussen haar schouders en worstelde met me als een wild dier, waardoor de naald afbrak in haar arm.

We riepen twee broeders voor assistentie en daarna werd ze wat rustiger. Ze zat naar ons te kijken, van de een naar de ander, alsof ze niet begreep wat we met haar deden. De dokter zocht een groot pincet en was even bezig voordat hij de gebroken naald te pakken had. Daarna gaf hij haar een injectie in haar andere arm.

Toen ik haar de volgende ochtend kwam halen, was ze gekalmeerd. Ik ging naar kantoor om de dringendste zaken te regelen, maar toen ik thuiskwam, hoorde ik van de buurvrouwen dat ze weer problemen maakte. Ik vroeg hun de dokter te bellen om haar nog een injectie te geven, voor alle zekerheid.

Hoe zij zich gedraagt verandert niets aan wat er met Simon is gebeurd. Ze moet proberen flink te zijn om de begrafenis te kunnen doorstaan en daarna het leven weer op te vatten. Ik weet wel dat hij haar lieveling was. Als ik op dit moment dood zou neervallen, zou ze niet eens met haar ogen knipperen, denk ik, maar Simon was alles voor haar. Misschien kwam dat door de bevalling. Hij was een grote baby, ruim negen pond, en Nora was vrij tenger, zeker toen ze nog jonger was. De bevalling duurde bijna twee dagen, zo lang dat de zusters mij naar huis stuurden. Nora en de jongen waren zo gemangeld en uitgeput dat het kantje boord was of ze het zouden overleven. Ze was er zo kapot van dat het ruim een jaar duurde voordat ze weer seks wilde hebben. Het feit dat ze allebei zo dicht bij de dood waren geweest, schiep een heel bijzondere band tussen hen, neem ik aan. Tenminste, dat dachten ze zelf.

En ze waren allebei gek op paarden. Clea rijdt ook, omdat ze erbij wil horen, maar ik hou er niet van. Nora kan er niet genoeg van krijgen. Toen Simon nog maar een baby was, zette ze hem al voor zich op het zadel. Daar werd ik kwaad om, maar ze hield hem met één arm vast en had de teugels in haar andere hand, zodat het paard onder controle bleef.

'Als je nog dichterbij komt, schrikt ze misschien', waarschuwde ze lachend, en ik bleef op afstand.

Toen hij drie was, gaf ze hem een pony. Ik wist niet dat er zulke kleine paardjes bestonden. Ik wilde er geen kopen, had ik gezegd, dus kocht ze hem zelf, met het laatste geld dat haar grootmoeder Grace haar had nagelaten. Dat is altijd een van Nora's problemen geweest, dat ze zoveel bezit: het huis, de grond, een klein kapitaal waarvan ze rente trekt, en het inkomen van de paarden die ze traint en in pension heeft. Ze heeft mij niet nodig.

Ze hoeft dus niet naar me te luisteren als ze iets wil, zoals die keer dat ze een pony kocht voor Simon. Hij vond het prachtig. Hij wilde steeds met haar gaan rijden – dat wil zeggen dat hij rondjes om haar reed, terwijl zij de pony aan een lange lijn hield. Er kon niets gebeuren, beweerde ze, maar ik vond het knap gevaarlijk.

'Ik ben maar drie meter bij hem vandaan', zei ze.

Zolang ze haar arm niet om hem heen hield, wierp ik tegen, zou ze niets kunnen beginnen als de pony steigerde of hem eraf gooide. Dan moest ik er zelf maar naast gaan lopen, vond ze, maar ik antwoordde dat zij verantwoordelijk was voor zijn veiligheid.

'O', zei ze, 'dus wat van mij is, is ook van jou, maar wat van jou is, is alleen van jezelf.'

'Wat bedoel je daarmee?' vroeg ik.

'Precies wat ik zeg.'

'En van wie heb je dat?'

'Van Grace', zei ze.

Weer die grootmoeder.

Simon groeide op en de pony's groeiden mee, tot hij groot genoeg was voor een kleine pinto die volgens Nora het formaat had van een paard. Nora kon het nooit over haar hart verkrijgen om de dieren te verkopen die te klein voor hem waren geworden. Ze gebruikte ze nog als lespaarden voor Clea en daarna mochten ze blijven tot ze van ouderdom stierven, de laatste een paar jaar geleden. Ik vond het niet praktisch om zoveel dieren de kost te geven als we niets meer aan ze hadden, maar zij zag ze graag grazen in de wei. Ze waren zo leuk, zei ze, die kleine groepjes, en ze herinnerden haar aan de leeftijden waarop Simon en Clea erop gereden hadden.

'Bovendien verdien ik genoeg met de andere paarden', merkte ze op. 'Ik kan het me wel veroorloven.'

Ik probeerde haar ervan te overtuigen dat ze het extra geld beter in effecten kon beleggen.

'Dit is heel kostbare kunstmest om in te investeren', zei ik, maar ze keek me met grote ogen aan, alsof ik iets in een andere taal had gezegd.

Als die pony's stierven, mocht ik ze niet eens naar de vilder laten brengen voor een paar dollars. Ze hadden ons goed gediend, zei ze, en ze verdienden een fatsoenlijk einde. Als het zomer was, kwam er iemand met een schep om een graf te graven. Daar vroeg hij geen geld voor. Nora gaf zijn dochter gratis lessen. Als de grond bevroren was, liet Nora hem het didr weghalen en verbranden. Het volgende voorjaar werden de botten dan in een ondiep graf gelegd. Ik had de pest aan die brandlucht op het erf, waar het anders zo schoon en fris rook. Een rottende stank, zei ik tegen Nora, maar ze wilde niet luisteren.

'Het zijn mijn paarden', zei ze. 'Ik heb ze betaald en ik zorg ervoor. Ik vraag helemaal niets van jou, behalve dat je me met rust laat.'

Ik vond het ook míjn zaak als Simon erop reed, omdat hij mijn zoon was, maar het was net zo moeilijk om Simon bij de paarden vandaan te houden als wanneer we naast een snoepwinkel hadden gewoond en ik hem had verboden om zoetigheid te eten. En hoe beter hij reed, zei Nora, des te kleiner de kans op ongelukken. Dus liet ze hem paardrijden. Toen hij vijf was en leerde springen, viel hij eraf en kwam op zijn hoofd terecht. Die nacht stond Nora ieder uur op om te controleren of hij geen hersenschudding had. Toen hij negen was, viel hij van zijn paard en brak zijn arm, zodat hij die hele zomer niet kon gaan zwemmen met zijn arm in het gips. Toen hij dertien was, kreeg hij een trap van een paard en dachten we dat hij zijn been gebroken had. En nu, op zijn zeventiende, was hij dood. Een zinloos ongeluk.

Ik had het bijna zien aankomen. Simon was zo'n jongen voor wie alles te gemakkelijk gaat. Hij was knap, goed gebouwd, met blauwe ogen en blond haar, wat veel voorkwam in Nora's familie. Op school haalde hij goede cijfers zonder zich bovenmatig in te spannen – anders dan Clea, die er hard voor moet werken. Hij maakte snel vrienden. Nou ja, meer volgelingen dan vrienden. Het leven lachte hem toe en dat maakte hem onvoorzichtig. Ik probeerde hem duidelijk te maken dat niet alles zo gemakkelijk ging. Maar tevergeefs. En Nora sprak me altijd tegen. Zij zei alleen maar wat hij wilde horen.

'Toe maar, probeer het maar', zei ze. 'Ik zal je wel laten zien hoe het moet.'

Hij was een roekeloos kind, het tegendeel van Clea, die eerst tien keer nadacht voordat ze iets nieuws probeerde. Simon ging overal op af, terwijl Clea pas naar de bushalte liep als ze wist hoe laat de bus kwam en wat ze moest doen als hij niet zou komen. Over haar maakte ik me nooit ongerust. Vanaf haar vroegste jeugd was ze altijd voorzichtig geweest en had ze veel aanmoediging van Nora nodig gehad.

Maar Simon deed meteen wat Nora voorstelde en nog duizend dingen daarnaast. Natuurlijk leidde dat regelmatig tot problemen. De week voor het ongeluk vertelde een vriend me op kantoor dat hij Simon in mijn auto over een afgelegen weg had zien scheuren met honderdvijftig kilometer per uur. Een paar dagen later hoorde ik van iemand anders dat hij Simon en een meisje bij zijn tractor had betrapt terwijl ze met elkaar bezig waren. Die berichten waren de laatste van een lange rij. De vraag was niet of Simon uiteindelijk een ramp zou veroorzaken, maar of er ook anderen bij betrokken zouden zijn – en hoeveel.

In zekere zin mochten we van geluk spreken dat er geen andere slachtoffers waren gevallen, geen onschuldige passagiers in zijn auto, geen nietsvermoedende tegenligger, geen meisje die haar toekomst kon vergeten omdat ze zwanger was geraakt. De schade was beperkt gebleven, zoals dat in militaire termen heet. De verliezen waren minimaal.

Ik had ook graag tijd voor mezelf genomen om het allemaal te verwerken. Maar er waren zoveel dingen om te regelen, en zelfs als ik een paar minuten in mijn eentje op kantoor zat, had ik het gevoel dat ik mijn gezin tekort deed. Dus probeerde ik me te concentreren op de praktische dingen. Nadat ik Nora die eerste avond in het ziekenhuis had achtergelaten, belde ik verschillende mensen. In LaCote belt er niemand na negen uur 's avonds als het niet erg dringend is, zodat iedereen schrikt als de telefoon gaat. Daarom probeerde ik de belangrijkste mensen vóór die tijd te bellen. Ik vroeg mijn vrienden om het bericht door te geven, maar veel mensen wisten het al. Ik belde de pastoor om de kerk te reserveren voor de dienst en het rouwcentrum om te zeggen dat we langs zouden komen om de begrafenis te bespreken. Ik probeerde berichten achter te laten voor Nora's moeder, die op reis was en ons haar route had doorgegeven, maar in het buitenlandse hotel dat ik belde was niemand die Engels verstond. Heel langzaam riep ik: 'Mama van mijn vrouw bij u?' en 'Amerikaanse dame, mevrouw Rhymer, daar gekomen?' maar de verbinding was slecht, met veel ruis, en ze begrepen me niet.

Ik probeerde alles zo goed mogelijk te regelen. Nora was nergens toe in staat en bovendien vond ik het mijn taak tegenover Simon. Iets wat alleen ík voor hem kon doen, anders dan toen we nog leefden. Daarna voelde ik me wat minder machteloos.

Maar toen ik over Highway 94 naar huis reed, werd ik gepasseerd door een auto vol met jongelui, met de raampjes open en de radio op volle sterkte, zodat ik ze van verre hoorde aankomen. De jongens en zelfs een van de meisjes riepen en lachten toen ze voorbij kwamen, en zwaaiden uit de raampjes. Opeens werd ik kwaad dat zij die lange, vrije zomer nog voor zich hadden en beledigd dat ze konden lachen en gek doen op de avond dat Simon was gestorven.

De dieren in de velden stonden rustig in de schemering. Slechts een paar koeien en paarden graasden nog – donkere silhouetten tegen de groenzwarte achtergrond. Stomme beesten. Ik zag een grote kudde Angus-koeien, stevige donkere schimmen, en een groepje Charolais, schemerend wit tegen de glooiing van een heuvel. Het liefst zou ik ze allemaal tot biefstuk hebben verwerkt. Alles op de juiste plaats.

Toen ik stopte, kwam het paard me begroeten als een uit zijn krachten gegroeide hond. Dat had Nora haar geleerd. Ze bleef staan met haar hoofd over het hek, zwaaiend met haar manen en hinnikend alsof ik haar niet gezien had. Ik liep naar haar toe, maar bleef halverwege staan. Ze keek me aan met die grote koeienogen, alsof ze een appel of een suikerklontje verwachtte. Niet anders dan een valse wasbeer of een dolle hond die vernietigd moest worden om mijn gezin te beschermen.

Toen ik naar buiten kwam met het geweer, was ze zo dom om achter me aan te lopen naar het midden van de bak. Ze probeerde niet eens te vluchten, zelfs niet toen ik de loop tegen de zijkant van haar hoofd zette. Ik deed gewoon wat ik Nora had zien doen. 'Sta, Zad!' En ik hief mijn hand op als een Indiaan die 'How!' zei. Ze gehoorzaamde en ik schoot haar dood, voor Simon.

De rekening leek gedeeltelijk vereffend. Ik gooide mijn kleren – mijn witte overhemd en mijn op één na beste werkbroek – weg, maar ik kon het bloed wel van mijn schoenen wassen. Daarna ging ik naar boven om te zien hoe het met Clea ging. Haar deur zat op slot. Ik vroeg of ze oké was. 'Ja', riep ze terug. 'Als je iets wilt, zeg het dan', zei ik. 'Wat dan ook.' Ik wist niet wat ik anders moest zeggen.

De volgende dag, toen we Nora uit het ziekenhuis hadden gehaald en de medicijnen stopzetten om te zien hoe ze zich zou redden, ging ze weer helemaal door het lint. Nog erger dan de vorige avond. Ik overlegde met de dokter wat we moesten doen als het niet beter zou gaan. Ik weet niet waarom ze zo tekeer-ging, vloekend en schreeuwend, maar ik denk dat ze altijd al de neiging had gehad om aan haar gevoelens toe te geven. Toen ik verliefd op haar werd, vond ik het leuk dat ze een eigen wil had. Ze was intelligent en energiek, maar zelfs als ze haar zin kreeg, leek ze soms toch boos en ontevreden. Ik heb altijd tegen haar gezegd dat ze niet wist wat ze werkelijk wilde. Maar zij vond dat ik er niets van begreep.

Na het ongeluk kostte het me al mijn krachten om ons er doorheen te slepen. Nora leek zo breekbaar als oud porselein, vol met haarscheurtjes die ieder moment konden barsten. Ik zag de scheuren voor mijn ogen groter worden, niet alleen bij haar maar ook bij mij en zelfs bij Clea, totdat alles nog maar nauwelijks bij elkaar gehouden werd.

De avond nadat Nora uit het ziekenhuis was gekomen, wilde ik haar in mijn armen nemen. Als ik haar stil kon krijgen, zou het misschien beter met haar gaan. Toen dat niet lukte, had ik de neiging haar te slaan. Ik had gehoord dat Patton dat eens had gedaan in de oorlog. Toen een soldaat begon te huilen en te schreeuwen dat hij niet dood wilde, had de generaal hem zo'n klap verkocht dat de jongen heel even bewusteloos was geraakt. Ik wist niet wat ik moest doen totdat de dokter kwam. Ik had nog nooit een vrouw geslagen, nog nooit. Maar op dat moment kon ik me nauwelijks beheersen.

Nadat de slaapmiddelen hun werk hadden gedaan, stond ik in onze donkere kamer en keek hoe ze sliep. Het huis was stil en Nora lag plat op haar buik, met haar armen en benen gespreid, zoals de kinderen ook sliepen toen ze nog baby's waren. Ik hoopte dat het na de begrafenis beter zou gaan en dat ze zich weer om Clea zou kunnen bekommeren. Ik wilde haar laten merken dat het me diep raakte. Dat ik alles wilde doen om ervoor te zorgen dat ze weer zo rustig zou kunnen slapen, iedere nacht, voor de rest van haar leven.

HOOFDSTUK 4

Maggie Rhymer

Zo vaak als ik kon, ging ik op reis. Toen ik voor het eerst van huis ging, waren Clea en Simon nog baby's. Ik vertrok voor twee weken naar Europa en bleef er drie maanden. Ik was meegegaan met een georganiseerde reis voor dames met blauwe spoelingen in hun haar, die per bus naar de Eiffeltoren, de Tower van Londen of de scheve toren van Pisa werden gesleept en nog een tochtje met een gondel mochten maken voordat ze weer naar huis moesten. Maar dat had ik al gauw gezien en dus nam ik de Oriënt Expres naar Istanbul en zat op de piazza's van Venetië als een figuur uit de boeken van Thomas Mann. Ik nam een kamer in een pension in Montmartre en deed alsof het kleine winkelmeisje naast me *La Bohème* was. Ik liep door Londen in de hoop de geest van Anna Boleyn te horen die fluisterend aan de Franse beul vroeg om haar met de eerste klap van zijn zwaard te doden. Ik ging naar alle plaatsen waarover ik had gelezen toen ik nog aan LaCote gekluisterd was en genoot van de vrijheid in een wereld waar ik iedereen kon zijn die ik wilde, in plaats van de dochter van Grace Hartson of de vrouw van Frank Rhymer.

Neal zeurde dat ik met georganiseerde cruises of busreizen mee moest gaan omdat die veiliger en fatsoenlijker waren voor een vrouw alleen, maar ik volgde liever mijn gevoel en kwam graag in contact met de plaatselijke bevolking. Om langer te kunnen blijven boekte ik de goedkoopste reizen, logeerde bij vrienden of huurde kleine kamers. Soms gaf ik Engelse les om in mijn onderhoud te voorzien. En ik hield van de mannen die ik tegenkwam en met wie ik veel plezier had tijdens een etentje of een vrolijke, vluchtige affaire van een paar dagen, en die weer uit mijn leven verdwenen voordat ze hun aantrekkelijkheid konden verliezen. Zo hervond ik mijn evenwicht, want het was in alle opzichten het volstrekte tegendeel van mijn vorige leven.

Tijdens die maand in Mexico dacht ik nauwelijks aan thuis, dat vervaagde tot een afgesloten zomerhuis waar alle meubels met lakens waren afgedekt. Ik logeerde twee weken in San Luis Potosi, bij een familie die ik een jaar eerder in Rome had ontmoet, en daarna ging ik een week naar het stierenvechtersfestival in Santa Maria del Rio en naar nog meer stierengevechten in Monterrey. Ik zoog het zout en de limoen van mijn hand terwijl ik tequila dronk met een Amerikaans echtpaar dat nog nooit eerder in het zuiden was geweest. Ze leken wat provinciaals, maar ik vond het prettig dat ik weer eens mijn eigen taal kon spreken, zonder te hoeven nadenken over specifieke uitdrukkingen en dingen die alleen Yanks meteen begrepen.

We bekeken een koloniale kerk waar de beelden waren uitgedost met wollen kleren, purperen mantels en kroontjes met juwelen. De vrouw wendde zich af van een kruisbeeld waarop Christus' gipsen verwondingen waren beschilderd als gescheurd vlees en blootgelegde spieren, en ze weigerde absoluut om naar de *corrida* te gaan kijken.

'Die stieren hebben geen enkele kans', zei ze.

Ik antwoordde dat de dapperste dieren het er levend van afbrachten, maar zij hield vol: 'Hoe vaak gebeurt dat? Wat is die kans? Eén op de vijf miljoen?' Daarom ging ze winkelen.

Haar man en ik gingen samen naar het gevecht en ik legde hem uit waar hij op moest letten: hoe dicht de matadors bij de stieren kwamen en hoe sierlijk ze vochten. Een goede stierenvechter moet toesteken op het moment dat de voorpoten van het dier evenwijdig staan, zodat de ruggengraat niet door de schouderbladen wordt beschermd. Het enthousiasme van de menigte werkte aanstekelijk en ik zag het gevecht met dezelfde ogen als de Mexicanen: als een gestileerde dans waarin de mannen roze zijde droegen en de stieren mooie linten, als zomerkoninginnen.

Toen de laatste stier was weggesleept naar de wagen van de slager, worstelden wij ons samen met het publiek naar buiten en gingen terug voor een biertje bij Sanborn's, waar het koeler en rustiger was dan in de plaatselijke cafés. Ik praatte over de finesses van het gevecht, maar de man reageerde nauwelijks. Ik dacht dat hij last had van de hitte, maar ten slotte zei hij dat hij nog nooit een vrouw had ontmoet die zo mannelijk was.

'Maggie', zei hij, 'de meeste Amerikaanse vrouwen zouden hun handen voor hun ogen hebben geslagen of zijn flauwgevallen.'

'Flauwgevallen? Dat denk ik niet', zei ik.

'Jij bent niet voor een kleintje vervaard, dat moet ik zeggen.'

Toen we terugkwamen in het hotel, zat zijn vrouw met haar inkopen te wachten in de lobby. De linten van een *pinata* staken uit een van haar tassen.

'De receptie heeft een boodschap voor je', zei ze, bijtend op haar lip. 'Een internationaal telefoontje.'

Ik was in gedachten zo ver van huis dat het bericht van Simons dood uit een ander leven leek te komen. Eerst dacht ik dat de receptionist het verkeerd begrepen had of dat de boodschap voor een andere *gringa* was bedoeld. Maar toen ik Neal had teruggebeld, had ik nog uren het gevoel of het de dood betrof van een kind uit een andere familie, misschien wel van het echtpaar waarvan ik zojuist afscheid had genomen. Later, in mijn kamer, toen het nieuws door mijn hoofd bleef malen, kon ik me niet voorstellen dat mijn eigen Simon dood kon zijn.

Ik had tegen Neal gezegd dat het wel een paar dagen kon duren voordat ik terug was en dat ze niet op mij moesten wachten met de begrafenis. Maar hij zei dat Nora mijn steun hard nodig zou hebben en dus stapte ik op de eerste trein door Nuevo Leon en het grimmige landschap rond Monterrey – bruine bergen zonder bomen, kale hellingen en dorre aarde met laag struikgewas. Het was een onvruchtbaar maar dapper gebied, alsof de bergen zo oud waren dat ze alleen nog belang hechtten aan het naakte bestaan.

Toch vond ik het prachtig toen ik achter het raampje van de derdeklascoupé zat en de steriele, verwaaide omgeving voorbij zag glijden. De lucht van ongewassen boeren, geiten en kippen, en baby's met natte luiers vermengde zich met de hete lucht en het stof dat in mijn gezicht waaide. Mijn botten schraapten over de houten zitting, kiezels sprongen onder de trein vandaan en de wielen knarsten.

Simon, Simon, Simon.

Een kind mocht niet eerder sterven dan zijn ouders, niet eerder dan de moeder van zijn moeder. Niet voordat zijn eigen kinderen geboren waren. Het was een verschrikkelijk drama en zijn dood bracht me weer thuis.

Tijdens die hele moeizame reis, met taxi, bus en trein over de grens, probeerde ik Simons beeld op te roepen, zoals hij werkelijk was voordat de rouw en de trieste herinneringen hem zouden veranderen.

Hij was een jongen op de grens van de volwassenheid, een student, een zoon, een kleinzoon, een broer. Hij had gehoopt dat hij zou slagen, verliefd zou worden, een gezin zou stichten en goede paarden zou fokken.

Ten slotte gaf ik mijn pogingen op, omdat ik zo lang en zo vaak weg geweest was dat ik niets anders deed dan gissen. Ik dacht aan hem en aan mijn moeder Grace, die een maand voor zijn geboorte was gestorven en zag hen in mijn fantasie samen met Nora, op wie hij zoveel leek – één moment verenigd op de boerderij waar ze alledrie van hielden. Dat beeld van hen drieën, op dat tijdloze moment, sprak me aan en daarom beschermde ik het tegen de realiteit, zelfs toen Neal erop stond de kist te openen om mij Simon te laten zien, gewikkeld in dun satijn, als een nieuwe, afschuwelijke pop in een dure doos.

Het kwam me allemaal zo onwezenlijk voor. In mijn hart was ik te lang weg geweest en te snel teruggekomen uit de woestijn naar het Midden-Westen, waar alles zo groen was na de overvloedige regen, met dichtbegroeide oevers op de plaatsen waar de rivier nog niet was overstroomd. Opeens was ik niet langer een exotische verschijning met blauwe ogen, maar gewoon een oudere vrouw die naar huis was gekomen voor een tragische begrafenis. Ik kon mezelf in deze omgeving nog niet accepteren en ik was blij dat de anderen me voorlopig met rust lieten.

Mijn dochter kwam even bij bewustzijn, maar zakte toen weer weg. Haar haar lag als slap gras op het kussen. Neal had het druk met zijn werk en Clea dwaalde aan de rand van het huishouden als een transparante schim. De buurvrouwen, die als bedienden rond de keukentafel cirkelden, vertelden me dat Neal diezelfde ochtend nota bene nog met de schadeclaim van mevrouw Horst bezig was geweest en het dak van de Cloyds had moeten inspecteren omdat het door hagelbuien was beschadigd. Ze schudden bewonderend hun hoofd en klakten met hun tong. Bijna nonchalant merkten ze op dat Nora wel zou opknappen, net als Sis Hollrah, toen haar man was gesneuveld op Omaha Beach, of moeder Bryant, toen haar dochtertje van drie was verdronken tijdens de picknick bij Dardene.

Ik bezweek onder het gewicht van hun collectieve mening. Ik had nog nauwelijks de tijd gehad om na te denken, en hun versie van de gebeurtenissen verspreidde zich als een olievlek over het water waarin ik iets probeerde te zien.

Neal had mijn bagage de trap op gedragen en was voor Nora's deur blijven staan. Daar zette hij de koffers voorzichtig aan weerskanten naast zich neer en gaf me een verslag van wat er was gebeurd voordat ik aankwam. De huilbuien, de scheldpartijen en de hysterie. Het uitzinnige verdriet. Door de kier zag ik dat ze lag te slapen, ineengerold, met haar hand onder haar wang.

'Ze is nu eindelijk rustig', zuchtte hij. 'Laten we haar maar niet storen.'

Ik zag zijn mond bewegen, maar ik hoorde niet wat hij zei. Zijn gezicht, zo recht en regelmatig. Hij was een knappe jongen geweest en zag er nu nog beter uit, zoals veel mannen van in de veertig, met wat meer vlees op de botten. Hij bleef me aankijken, behalve op de momenten dat hij aarzelde en zijn zinnen in de lucht liet hangen.

35

'Ze lijkt wel een...'

Hij schudde zijn hoofd.

'Misschien moeten we...'

Zijn spieren spanden zich en zijn kaak verstrakte. Hij staarde over mijn schouder naar een punt in het niets, zoals Gary Cooper als sergeant York, of Frederick March toen hij de zee in liep.

'Heeft ze echt zoveel medicijnen nodig?' vroeg ik.

'Je hebt haar niet gezien toen ze nog geen middelen kreeg', zei hij.

Hij had gelijk en de anderen hadden gelijk. Ik was er niet bij geweest en ik had nog steeds niet het gevoel dat ik erbij was. De hele situatie leek eerder het gevolg van te veel *peyote* of te weinig slaap. Later, nadat ik beleefd een tijdje met de buurvrouwen had gepraat, ging ik naar Simons kamer om te rusten, omdat ik niet meteen terug wilde naar mijn eigen huis in de stad. Maar ik was te moe om te slapen en ik lag wakker, met allerlei beelden die aan de rand van mijn bewustzijn bleven zweven. Ik dacht aan Simon in zijn blauwe trappelzak toen Nora hem had thuisgebracht uit het ziekenhuis; toen hij een bosje veldbloemen voor mijn verjaardag had geplukt; toen hij en Nora stonden te praten bij het hek van de bak, allebei met een voet op de onderste spijl, zachtjes lachend met elkaar, Simon wat nonchalanter dan Nora, maar net zo kundig en beheerst.

Ik kon me niet voorstellen dat Nora kalmeringsmiddelen nodig had, zelfs niet in dit geval.

Maar ik herinnerde me ook hoe Frank, mijn overleden man, vaak naast me lag, met de gesp van zijn riem tegen mijn heup.

'Maak er geen punt van', zei hij tijdens onze discussies. 'Je kent alle feiten immers niet.'

Dan streek het donkere plukje haar onder zijn oksel langs mijn schouder en sloeg hij zijn armen om me heen, als inleiding tot de ruwe vrijpartijen op zondagmiddag, waar hij zo van hield toen we pas getrouwd waren.

Cynisch vroeg ik me af waarom híj nooit alle feiten hoefde te kennen om een mening te hebben. Waarom ik boos was op een dode man.

Opeens kwam Clea binnen, maar net zo snel verdween ze weer. Ik riep haar, maar ze kwam niet terug. Later vond ik haar op de bank in de huiskamer, waar ze zat te lezen en vroeg haar of ze mee ging wandelen. Ze schudde haar hoofd en keek niet op.

Buiten was het net zo drukkend, maar op een andere manier dan de verstikkende sfeer in huis. De lucht was zwaar en agressief, de hemel groenachtig geel en de bladeren lagen omgekeerd, met hun witte onderkant naar boven. De hoge staldeuren en de wat kleinere ramen zaten dicht en ik vroeg me af waar Ozzie de paarden naartoe had gebracht. Om die tijd stonden ze meestal aan de watertrog of grazend naast de stal.

Misschien had hij ze meegenomen naar een verre wei. Ik liep de verlaten weg af en keek achterom naar het huis. De auto's van de buurvrouwen stonden met hun neuzen tegen het hek geparkeerd in een vreemde, perverse houding. De hemel werd opeens veel donkerder, bijna zwart, alsof er drie uur waren verstreken binnen één seconde. In gedachten zag ik Simon komen aanrijden om hallo te zeggen. Ik zag hem door de wei galopperen of het erf oversteken voor het avondeten, altijd met een glimlach als hij me zag. Ik kon niet bevatten dat hij voorgoed verdwenen was en schaamde me voor mijn onvermogen.

Toen sloeg de eerste bliksem in, als een zilveren drietand, even later gevolgd door de klap, alsof er een granaat achter me explodeerde. Daarna nog een flits, en nog een. Ik rende terug naar het huis toen ik de eerste dikke druppels voelde. De vrouwen liepen snel de benedenverdieping langs om alle ramen tot op een kier te sluiten.

'Waar komt al die regen vandaan?' vroeg een van de vrouwen in het voorbijgaan.

'De rivier begint weer te stijgen', zei een ander.

Ze vertelden me dat het voortdurend had geregend toen ik weg was. Dat de bliksem in bomen was geslagen en dat er soms binnen een kwartier vijfentwintig millimeter water was gevallen. En daarbij kwam nog het smeltwater van de sneeuw uit het noorden. Heel even vroeg ik me af wat de paarden in de lage weiden deden als de rivier zo hoog stond, maar toen sloeg er een deur dicht door de wind, met een klap die extra luid klonk door de vochtigheid van de lucht, en ik riep naar de vrouwen dat ik de ramen boven dicht zou doen.

Ik liep alle kamers door. Toen ik Simons raam sloot, had ik het gevoel dat ik een mausoleum op slot deed. Nora's kamer bewaarde ik voor het laatst. Ze was niet meer dan een heuveltje onder het laken, dat ze half over haar gezicht had getrokken. Maar de wind kwam van haar kant van het huis en de gordijnen wapperden bijna horizontaal. Het begon al behoorlijk in te regenen. Het water stond op de vensterbank en trok donkere strepen over het behang onder het raam. Maar de wind was koel en de regen verfrissend. Ik bleef even staan, met mijn voorhoofd tegen de spanjolet, en verlangde ernaar om staande te kunnen slapen, met de regen in mijn gezicht en de bliksem zo fel dat ik hem door mijn gesloten oogleden kon zien.

'Als je achter een open raam staat, kun je getroffen worden door de bliksem, zegt Neal.'

Haar stem klonk zacht en traag vanuit het schemerdonker.

'Dat is onzin', zei ik.

'Neal zegt van niet.'

Ik zette het raam op een kier en kwam naast haar zitten op het bed.

'Hoe zou de bliksem dat moeten doen?'

'Hij weet je te vinden. Echt waar.'

'Heb je honger?' vroeg ik.

'Dat weet ik nog niet', zei ze.

Door het noodweer was het zo donker in de kamer dat ik moeite had haar te zien, behalve als het bliksemde. Haar gezicht was zo bleek dat ik haar nauwelijks herkende.

'Wil je iets anders?' vroeg ik.

'Mam?' Ze stak haar hand uit en raakte mijn arm aan. 'Ik wist niet of je het echt was of dat ik nog sliep.'

Ik wilde zeggen hoe erg ik het vond van Simon, maar het leek me te snel nadat ze wakker was geworden en te lang nadat het was gebeurd. Vier dagen en een ander land geleden. Ik was te ver weg geweest om te helpen.

'Een beetje water', zei ze. 'Mijn tong voelt donzig.'
De woorden die ze als kind altijd had gebruikt. Op een afschuwelijke manier rukten ze de tijd uit zijn verband. Ze was weer een klein meisje en haar tong voelde donzig. Simon nog niet eens geboren en nu al dood.

Ik haalde een glas water uit de badkamer. De dikke porseleinen knoppen van de kranen voelden vertrouwd en geruststellend onder mijn handen. Ze probeerde liggend te drinken, maar het water liep haar neus in en ze hapte naar adem. Ik hielp haar overeind en ze ging op de rand van het bed zitten. Ze trilde en ik hield mijn hand onder haar kin om het gemorste water op te vangen.

'Herinner je je de kaarsen voor de Heilige Blasius?' vroeg ze toen ze me het glas teruggaf. 'Iedere februari als de priester de kaarsen bij onze keel hield en de zegen uitsprak? Dat moest ons beschermen tegen de verstikkingsdood door een visgraat, of zoiets. Jouw hand tegen mijn hals herinnerde me daar weer aan. Ik kreeg er kippenvel van.'

'Kippenvel?'

'Een hele lieve aanraking, als van een engel.' Ze glimlachte.

Ze zakte met haar volle gewicht tegen me aan.

'Ik kan niet geloven dat hij er niet meer is.' Ze kneep haar ogen dicht, sloeg haar handen voor haar gezicht en liet zich achterover op het bed vallen, eerst met haar voeten nog op de grond, terwijl ze met haar vuisten tegen de matras sloeg als een worstelaar die machteloos in een houdgreep ligt. Eindelijk draaide ze zich om, tegen me aan. Ik kwam naast haar liggen en hield haar vast. Buiten rolde de donder als een levend wezen langs de horizon. Ik volgde het lage gerommel, zo nu en dan onderbroken door felle bliksemschichten, dichtbij.

'Mijn kindje', fluisterde ik, 'dit is het ergste wat er ooit had kunnen gebeuren.'

Ten slotte viel ze weer even in slaap. De regen nam af tot een gewone bui en ik stuurde Neal en Clea naar het rouwcentrum zonder mij. Ik wist wat de parochie zou zeggen: dat Simon nu in de hemel was en dat God hem bij zich had genomen omdat hij zo goed was. Ik wist dat ik niet in staat was hun handen te pakken en hen naar de kist te brengen om te bidden voor zijn ziel.

Ik vond ook dat de buurvrouwen al te veel voor ons hadden gedaan en stuurde hen naar huis. Ze noteerden de doses voor de medicatie en plakten het etiketje op de dop van het buisje, maar ik gooide het weg. Later zat Nora in de lichtcirkel van het beddenlampje en at wat koude soep met toost. Ik had haar gevraagd of ze de pillen wilde, maar ze zei nee. Ik was blij dat ze wat beter leek, maar toch hield ik haar in de gaten als een hond die onverwachts kon happen en bijten.

Eén keer liet ze per ongeluk haar lepel vallen. Toen ze hem wilde vangen, morste ze wat soep uit de kop die ze in haar hand hield. Ik schrok alsof ze met de borden ging gooien. Eerst zei ze niets, maar toen merkte ze op dat ik overal wat achter zocht. Ik voelde me nogal stom dat ik haar behandelde als een krankzinnige, alleen omdat Neal zo overdreven had. Ze was gewoon mijn Nora, die de moeilijkste tijd van haar leven doormaakte.

Ze vroeg me of ik de paarden had gezien. 'Ik heb ze al twee dagen niet gehoord', zei ze. 'Ze zijn zeker weg?'

Ik aarzelde omdat ik zelf niet wist wat er met ze was gebeurd. Ten slotte antwoordde ik dat ik ze niet gezien had maar ze ook niet had gezocht.

'Ik hoor hun geluiden niet meer', zei ze.

Ik probeerde alle smoezen die ik kon bedenken – dat ze naar een andere wei of zelfs naar een andere boerderij waren gebracht om niet in de weg te lopen tot na de begrafenis. Maar Nora zei: 'Hij heeft haar gedood. Neal heeft Zad doodgeschoten. Hij zegt van niet, maar ik weet dat het zo is.'

Haar stem klonk effen en zakelijk. Ik zei haar dat ze zich niet druk moest maken. Ze kon het gewoon aan Neal vragen, dan zou hij het haar wel vertellen. Er moest een logische verklaring zijn. Toen deed ik het licht uit en zei dat ze wat moest slapen. Later, om een uur of twee, hoorde ik dat ze opstond en naar de badkamer liep. Ik viel weer in slaap totdat ik stemmen hoorde van beneden, waar Neal in het zijkamertje sliep om haar niet te storen. Het geluid werd gedempt door het ruisen van de regen, maar ik hoorde Nora schreeuwen.

Ik liep de trap af, wachtte even en liep toen naar de deur van de kamer. Neal zat op de rand van de slaapbank. Toen hij me zag, hief hij zijn handen naar het plafond. Nora rukte boeken uit een kast en liet elke stapel plat op de grond vallen.

'Ik wil het weten!' zei ze, tussen de berg van boeken. 'Daar heb ik recht op.'

Neal trok zijn wenkbrauwen naar me op. 'Haar pillen?' vroeg hij. 'Ze heeft je blijkbaar wijsgemaakt dat ze die ingenomen had.'

'Ik heb geen pillen nodig', zei ze. 'Ik wil weten wat je met de paarden hebt gedaan. Het zijn míjn paarden en je had het recht niet!'

Vermoeid wreef hij met zijn hand over zijn gezicht en liep de kamer door naar de keuken. Ze rende achter hem aan, probeerde zijn armen te grijpen en zich tussen hem en de telefoon te werpen.

'Vertel het me', zei ze weer.

'Neal...' begon ik.

'Besef je wel', vroeg hij hoofdschuddend terwijl hij het nummer van de dokter draaide, 'wat je Clea aandoet? Wil jij naar haar toegaan, Maggie? Om te kijken of ze wakker is en huilt?'

Neal trok Nora's arm bij de telefoon vandaan en legde zijn eigen hand er als bescherming overheen. Toen ze probeerde de hoorn van zijn oor weg te rukken, gebruikte hij zijn schouder als buffer.

'Ik wil het niet meer', huilde ze. 'Dat kun je me niet aandoen.'

'Je moet het jezelf niet aandoen', zei hij. 'En ons allemaal.'

Ik probeerde Nora mee te nemen, maar ze schudde zich los, met haar armen gekruist voor haar borst en zwaaiend met haar schouders, totdat ik haar losliet. Toen wierp ze zich weer op Neal, sprong hem op zijn rug als een paard en schopte naar zijn benen toen hij zich voorover bukte om de telefoon buiten haar bereik te houden.

Weer vroeg Neal me om bij Clea te gaan kijken. Toen ik bovenkwam, wierp het nachtlampje een zacht wit schijnsel over haar gezicht. Ze leek te slapen, maar ze had haar ogen te stijf dicht en ze ademde te regelmatig. Ik ging in een oude schommelstoel zitten en herinnerde me hoe ik ze vroeger allemaal in slaap had gewiegd, Nora, Simon en Clea. Ik had ze op schoot genomen, in een schemerige kamer, en hun zoete lucht opgesnoven als ze pas uit bad kwamen, hun buikjes vol met melk. Ik had ze in mijn armen gewiegd, liedjes voor ze gezongen en gebeden dat ze een lang en gelukkig leven zouden krijgen. Dat leek al zo lang geleden – in een ander leven, een ander land.

De volgende morgen maakten we ons in stilte gereed voor de begrafenis. Onze hakken zakten weg in de sponsachtige grond toen we naar het graf liepen. Een hulpje van de begrafenisondernemer hield een zwarte paraplu boven ons hoofd, als de grote glanzende veren van een kraai. We gingen op metalen klapstoeltjes zitten, onder een tentzeil. De natte, verse aarde had de scherpe geur van een pas geploegde akker. De pastoor las het *Te Deum, Uit de diepten roep ik U aan* en de regen viel in kralen op de kist.

Ik probeerde aan andere dingen te denken. Aan een wandeling over het San Marco-plein terwijl de late zon de bronzen paarden goud kleurde. Of aan een zwemtochtje in de Egeïsche Zee, zo ver uit de kust dat Griekenland nog slechts een witte streep was tussen de hemel en de zee. Alles was beter dan het beeld van Simon, daar diep in de grond. Ik dacht maar steeds dat hij zou stikken of in paniek zou raken in het aardedonker. En ik maakte me zorgen over wat hij moest eten.

Al die tijd kneep Nora me zo hard in mijn hand dat ik alle botjes voelde. Ze staarde recht voor zich uit en zat zo stil als een hert. Een groep vrienden van Simons school, zijn vriendinnetje, de buren en de mensen uit het stadje verzamelden zich rond het graf. Ik probeerde me te concentreren op het gekletter van de regen op het tentdoek en de paraplu, om maar niet het geluid te horen van de eerste kluiten aarde die op het deksel van de kist vielen.

Toen ze de kist naar de diepte lieten zakken, draaide Clea zich naar Neal toe en begroef haar gezicht in zijn jasje. Hij klopte haar op haar arm, trok haar dicht tegen zich aan en liep terug naar de auto. En daarmee was het afgelopen, het officiële gedeelte van Simons afscheid. Nora zakte tegen me aan alsof alle draden die haar overeind hielden opeens waren doorgesneden.

Later zat ze nog een uurtje in de huiskamer en nam beleefd de condoléances in ontvangst voordat ze naar boven ging om te rusten. Ondertussen zetten de buurvrouwen schalen klaar met kip, gehakt, casseroles, aardappelsalade, pudding, koekjes, taartjes en chocola – genoeg voor twee hele legers, zoals iemand opmerkte. De mannen koelden de drank in een vertinde badkuip op de veranda en droegen de klapstoeltjes naar binnen die ze uit het parochiehuis hadden geleend. De begrafenisgangers kwamen rechtstreeks van het kerkhof en na een tijdje gingen de fluisterende gesprekken langzaam over in gedempte gezelligheid.

Ik liep tussen hen door terwijl ze van de hapjes genoten en bier dronken uit flessen met lange halzen, of frisdrank in allerlei kleuren. Ze vertelden verhalen en hun kinderen renden de trappen op en af. Boeren met gebruinde koppen en witte voorhoofden, vrouwen met een te strakke permanent en spelende jongens in zondagse kleren, met hun overhemd uit de broek. Ik zag hun opluchting dat de dood niet nog dichterbij was gekomen en ik voelde dat het huis weer tot leven kwam.

Ik vroeg een van de mannen naar zijn paard, dat meestal bij Nora in de kost was. Hij zei dat Neal iets anders had geregeld totdat de familie over de eerste schok heen zou zijn. Gelukkig had Neal hem niet in de kou laten staan, daar was hij hem dankbaar voor. Later vroeg ik een vrouw naar de schimmel van haar dochter, en zij vertelde me hetzelfde. Neal had zelfs het transport betaald, zei ze verwonderd. Maar niemand wist waar Zad of Nora's andere paarden waren of waarom Ozzie Kline, de knecht, maar zo kort op de begrafenis was geweest.

De hele middag circuleerde Neal van het ene groepje naar het andere en aan het eind van de dag zag ik nauwelijks meer enig verschil tussen hem en de andere gasten. Hoe had hij een paard kunnen doden dat zoveel voor Nora betekende, zelfs in deze omstandigheden?

Het regende nog steeds. Tegen de avond was er al tien centimeter gevallen. De auto's lieten diepe voren na langs het pad en sommige moesten uit de modder worden geduwd. In Alton brak een dijk en de rivier bij Portage de Sioux was al bijna tot de hoogste stand gestegen. 's Avonds zaten Neal en ik aan de keukentafel, nadat we de kliekjes in plastic dozen op het aanrecht en in de koelkast hadden opgestapeld, en luisterden naar het weerbericht op de radio. De voorspelling voor de rest van de week luidde regen, met zware stormen in de Dakota's, stroomopwaarts.

Neal haalde nog eens koffie.

'Het was een goede opkomst', zei hij, terwijl hij de suikerpot naar me toe schoof.

'Ja, er waren heel wat mensen', beaamde ik. Waarom vond hij dat zo belangrijk?

'Nu het achter de rug is, kunnen we het normale leven weer oppakken.'

Zijn mond was een grimmige rechte streep en hij roffelde even met zijn vuist op de tafel. Ik roerde in mijn koffie en keek naar het wolkje melk om zijn blik te ontwijken.

'Neal', zei ik ten slotte, 'wat is er met de paarden gebeurd?'

'O, ik heb ze ergens anders heen gebracht. Dat wist je toch?' Hij ging rechtop zitten en hield zijn hoofd scheef.

'Ja, de pensionpaarden. Maar Nora's eigen paarden?'

Hij kneep zijn ogen halfdicht en liet zijn tong langs zijn bovenlip glijden.

'Die zijn weg', zei hij. 'We konden ze niet houden na wat er was gebeurd.'

'Weg? Waarheen?' vroeg ik.

'Dat maakt niet uit. Ze hebben mijn zoon gedood en ik wil ze niet meer in de buurt van mijn dochter hebben.'

Ik wilde protesteren dat er ook andere oplossingen waren en dat hij Nora moest vertellen wat hij had gedaan, maar hij gaf me de kans niet.

'Mijn zoon is dood', zei hij. Opeens boog hij zich naar me toe, zo heftig dat ik er bang van werd. 'Oog om oog. Nee, zelfs dat niet eens. Waardeloze dieren tegenover het leven van een jongen. Je wilt toch niet beweren dat dat een eerlijke ruil is?'

Weer sloeg hij met zijn vuist op tafel. Ik sloeg mijn ogen neer. Ik kon hem niet tegenspreken. Dat wilde ik ook niet, op de dag van Simons begrafenis. Een stem diep in mijn binnenste hield vol dat zijn logica niet klopte, maar ik kon niet uitleggen waarom, en de redenen waren ook niet belangrijk op een dag waarop er al zoveel was gebeurd.

Ik pakte onze kopjes, waste ze af en zette ze in het afdruiprek. Ik vroeg Neal het licht uit te doen toen hij wegging en keek naar buiten, waar de regen grote plassen had gevormd. Het erf en de bak stonden bijna blank. Verder was alles stil, afgezien van de regen en het geluid van de waterleiding toen Neal boven een douche nam. De rusteloze atmosfeer in het huis werd nog verder verstoord door zijn woede en de wanhoop van Nora die lag te woelen in haar slaap.

HOOFDSTUK 5

Nora
Mahler

De ochtend na Simons dood kwam Neal me uit het ziekenhuis halen en reed me naar huis, zo voorzichtig alsof ik een breekbaar eitje was. Een verpleegster had me twee pillen gegeven voordat ik vertrok, en ik had ze zonder nadenken geslikt. Ik had nog maar een vaag idee hoe ik Clea zou moeten troosten. Ik legde mijn hoofd tegen het raampje toen we langs de paarden reden, die in kleine groepen stonden te grazen, met daarachter de verbleekte roze-rode verf van de stal in de zon.

Neal sloeg een arm om me heen alsof ik invalide was en ondersteunde mijn elleboog. Ik weet niet precies waardoor hij zich verraadde. Misschien kwam het door zijn dwingende greep of de haast waarmee hij me half optilde en over het erf duwde, druk pratend over kleine dingen die nog in en om het huis moesten gebeuren. Ik keek naar de bak. Als Zad niet te ver weg was, zou ze als een kind komen aanrennen bij het horen van de auto of de pick-up en haar hoofd over het hek steken. Dat gebeurde niet altijd, maar haar afwezigheid maakte me ongerust.

Tegen de tijd echter dat ik op mijn kamer was, voelde ik me zo zwaar en slaperig dat ik enkel nog mijn kleren wilde uittrekken en op de sprei gaan liggen. Het rook muf en benauwd in de kamer, maar Neal wilde geen raam opendoen. In plaats daarvan zette hij een ventilator op de toilettafel, recht op mij gericht, zodat hij met zijn zwenkende beweging mijn hele lichaam koelde, van mijn hoofd tot mijn voeten en weer terug. De buurvrouwen hadden zich in de gang verzameld en me nagekeken toen ik de trap op liep. Het was traditie in LaCote dat de vrouwen kwamen helpen bij een sterfgeval. Ze kookten het eten en deden het huishouden. Rose Hanson, van twee boerderijen verderop, redderde om me heen, deed de gordijnen dicht en hing mijn jurk op. Ze probeerde me naar de zijkant van het bed te duwen, zodat ze de lakens kon terugslaan.

'Dan lig je prettiger', zei ze steeds, maar ik bewoog me niet en gaf geen antwoord.

'Ze is nog niet zichzelf', zei Neal tegen haar.

Ik wilde roepen dat ik dat *wel* was, en dat ik me zo zwaar voelde dat ik me niet tegen de zwaartekracht kon verzetten, zelfs niet om mijn ogen open te houden. Daarna sliep ik als een blok, zo diep dat ik niet eens droomde. Neal had de klok meegenomen en toen ik wakker werd, kon ik alleen maar gissen dat het laat in de middag was omdat het licht schuin de kamer binnenviel en ik beneden de lucht van gebraden vlees rook. De vrouwen waren met het eten bezig. Ik lag wat te doezelen, te moe om mijn gedachten langer dan één seconde vast te houden. Ze kwamen en gingen als gezichten die even om de hoek van de deur keken. Simon dood. Clea alleen. Iets met Zad, dat ik niet mocht weten van Neal.

Maar verder kwam ik niet. Het was me veel te ingewikkeld, versuft als ik was door de kalmeringsmiddelen. Toen Rose Hanson me mijn eten bracht, had ik wel honger maar geen trek, zeker niet in de bouillon waarvan de damp me al misselijk maakte. Dus at ik alleen het groene puddinkje, lepel voor lepel. Ik proefde het ijs op mijn tong en at de perziken en de kwark, glad en koud, terwijl Rose toekeek.

'Nu moet je je pillen nemen', zei ze.

'Daar word ik beroerd van.' Ik ging wat rechter tegen het hoofdeinde zitten. Door het eten had ik meer energie gekregen en kon ik wat beter nadenken. Ik veegde mijn mond af met het servet, liep naar de badkamer en trok het gordijn open. Ik kon de bak niet zien, alleen de tractor met de ketting, die naast de paardentrailer stond en niet in de stal, waar hij hoorde.

Ik liep wat rond over de bovenverdieping, terwijl Rose wachtte. De bedden van Simon en Clea waren opgemaakt en hun kamers opgeruimd. Ik deed Simons deur weer dicht en stapte Clea's kamer binnen. Ik pakte wat spullen van haar toilettafel, haar sieraden, een flesje eau-de-cologne en een kleine teddybeer die opeens heel dierbaar leek. Ik wist niet waar ze was – of Neal haar naar school had gestuurd of naar een vriendinnetje, of dat ze ergens rondliep over het terrein.

Ten slotte sloot ik me op in de badkamer, ging in het lege bad staan en opende het raam met het melkglas, dat uitkeek over de stal en het erf. Clea's kleine ruin en een pinto waarop Simon vaak reed, stonden bij de trog onder de moerbeiboom. Wat verderop langs de heuvel graasde een groepje veulens die ik mak moest maken.

Ik plensde koud water over mijn gezicht en drukte een koud washandje tegen mijn hals en de binnenkant van mijn polsen. Toen trok ik mijn gekreukte slipje uit, waste me vluchtig aan de wastafel en haalde een kam door mijn warrige haar. Toen ik terugkwam in mijn kamer, hield Rose Hanson de pillen en een glas water voor me klaar.

'Ik kan niet goed nadenken als ik die dingen slik', zei ik.

'Je kunt nu ook beter niet nadenken.'

'Ja, nadenken is altijd goed', zei ik.

'Ik had je man beloofd dat je ze zou innemen', zei ze.

'Hoe kun jij beloven wat ik zal doen?'

Ik ging in de stoel bij het raam zitten, bij haar vandaan.

'Dat zal hij niet leuk vinden', zei ze, toen ze eindelijk de kamer verliet.

Later kwam Neal binnen. De vrouwen praatten tegen hem terwijl hij de trap op liep. Toen hij in de deuropening stond, zag ik zo'n flits die ik wel vaker had – dat deze man, met wie ik al twintig jaar samenleefde, opeens een onbekende was, alsof een deel van hem dat hij altijd had verborgen, nu opeens zichtbaar werd als een opstijgende sprinkhanenzwerm.

Toch was ik blij dat hij eindelijk gekomen was. Ik wilde dat hij me vast zou houden, dat ik tegen hem aan kon liggen, om overnieuw te beginnen. Maar hij leunde tegen het bureau en sloeg zijn armen over elkaar.

'De vrouwen zeggen dat je je pillen niet wilt slikken. Hoe denk je ooit beter te worden als je niet doet wat de dokter zegt?'

Daarna leken we op hardlopers in een handicap-race, die al meteen op elkaars voeten hadden getrapt.

Van beneden klonken de geluiden van de buurvrouwen die afwasten en schoonmaakten, het regelmatige ruisen van het water bij de afwas. Ik slikte en likte mijn lippen. Toen streek ik het haar uit mijn nek en draaide me naar de ventilator om het zweet te laten drogen.

'Ik ben niet ziek.'

'De dokter vindt dat je die medicijnen moet nemen totdat alles achter de rug is.'

'Totdat Simon is begraven, bedoel je?'

'Totdat je eroverheen bent.'

'Eroverheen?'

Hij zei niets.

'Waar is Clea?' vroeg ik.

'Ze redt het wel', zei hij. 'Maak je geen zorgen.'

'Wat betekent dat?'

'Precies wat ik zeg. Ze redt het wel.'

'Ik wil haar zien.'

'Als je belooft dat je haar niet van streek zult maken.'

'Hoe bedoel je dat?' vroeg ik.

'Zoals gisteren.'

Ik draaide mijn handpalmen naar boven en haalde mijn schouders op.

'Als jij je pillen neemt, zal ik haar halen', zei hij.

Ik dacht bijna dat hij een grapje maakte.

'Ik heb ze niet nodig', zei ik.

'Dan raak je weer over je toeren.'

'Ik kan er niets aan doen dat ik om hem moet huilen, als je dat bedoelt.'

'Ik heb ook niet gehuild, Nora. Ik mag de anderen niet van streek maken, dus doe ik dat niet.'

'Maar het gaat nu wel weer', zei ik.

'Dat weten we niet zeker.'

Zo ging hij nog een uur door, totdat hij alles wat ik na Simons dood had gevoeld en gedaan in kleine stukjes had gehakt, die ik niet eens meer herkende. Als ik hem naar Zad vroeg, zei hij alleen maar dat ze weg was. Toen ik naar Clea vroeg, zei hij weer dat hij haar zou halen zodra ik mijn pillen had genomen.

'Dan ga ik haar zelf wel zoeken', zei ik, maar voordat ik de deur kon openen, stond hij achter me, met één arm om mijn middel en zijn andere hand om mijn pols geklemd, met een kracht die mannen meestal alleen tegenover andere mannen gebruiken.

'Luister, Nora', zei hij, 'we moeten proberen hier doorheen te komen.'

Hij verstevigde zijn greep en ik liet me met mijn rug tegen zijn borst zakken. Dit – maar dan anders – was het enige wat ik nu van hem wilde. Heel even sloot ik mijn ogen en genoot ervan dat hij me vasthield.

'Neem die pillen', zei hij. 'Dat is prettiger voor je.'

'Goed', zei ik. 'Geef ze maar.'

Hij gaf me een kneepje en kuste me op mijn wang. Ik liep de kamer door, trok het gordijn open en bleef bij het raam staan. De tractor met de ketting stond er nog steeds.

Toen Neal terugkwam, vroeg ik hem ernaar. Hij stak me de pillen en het glas toe.

'Eerst innemen.'

'Nee, ik wil het eerst weten.'

'Je had het beloofd.'

'Wat is er met haar gebeurd?'

'Slik eerst een pil.'

Ik nam er een, hield hem tussen mijn kiezen en mijn wang en deed alsof ik hem met water wegspoelde. Daarna draaide ik me naar het raam en spuwde de pil in mijn hand.

'Ze is dood, Nora. Ze is gewoon in elkaar gezakt.'

'Dood? Hoe dan, Neal?' Ik draaide me naar hem om.

'Haar hart gaf het op.' Hij keek naar de grond en rolde de andere pil tussen zijn vingers. 'Ik wilde het je niet zeggen, omdat je al genoeg verdriet hebt.'

Ik bleef onnozel staan, starend naar de groene pil die tussen zijn vingers bewoog. 'Dus ze had een hartaanval?' vroeg ik.

'Dat zei de veearts, ja.'

'Ze is zomaar in elkaar gezakt?'

'Blijkbaar.' Hij gaf me de tweede pil. 'Hier.'

Ik pakte hem aan, met het glas water, en vroeg of hij Clea wilde halen. Toen hij verdwenen was, keek ik nog eens naar de trekker met de ketting. Als kind had ik wel gezien hoe de knechten gestorven of afgeschoten paarden hadden weggesleept. Ze brachten ze naar een open plek bij de rivier en verbrandden ze daar. Bij een bepaalde windrichting waren de benzine en de rook en de lucht van verbrand vlees in het huis te ruiken. Toen ik nog heel klein was, haatte ik die stank, totdat Grace me zei dat we zo het paard konden inademen en altijd bij ons houden. Ze nam mijn hand en liep met me naar het erf, waar we met ons gezicht naar de rivier gingen staan en diep ademhaalden. Dat vond ik een fijne gedachte, dat ik het paard bij me kon houden.

Ik vroeg me af of Ozzie haar had begraven of verbrand. Maar die gedachte was me al te veel. Ik verstopte de pillen in de la van mijn nachtkastje (een ervan had een groene veeg in mijn hand achtergelaten, als een kleverig snoepje) en trok een blauwe ochtendjas aan om op Clea te wachten. Ik overwoog om naar beneden te gaan, maar ik wilde niet met de buurvrouwen praten. Ik pakte een boek waarin ik twee dagen geleden nog gelezen had en sloeg het open bij de bladwijzer, maar die had Simon jaren geleden voor me gemaakt van linten en karton. Meteen klapte ik het boek weer dicht. Ik begon heen en weer te lopen, maar steeds als ik langs het raam kwam, keek ik naar buiten. Daarom ging ik maar op bed liggen, met mijn handen over mijn borst gevouwen, en zag in gedachten hoe Simon was gevallen, en toen Zad, en ten slotte wij allemaal, één voor één, als gevangenen voor een vuurpeloton.

De stilte vloog me naar de keel. Misschien was het toch verstandiger om die pillen in te nemen. Ik probeerde aan prettige dingen te denken – Simon als baby, zijn handjes uitgestoken naar het speelgoed dat ik omhoog hield, en zijn eerste stapjes, waarna hij met een klap op zijn dikke luier viel. Maar die val bracht me weer bij die andere val en ik begon zo hard te huilen dat ik geen adem meer kreeg.

Toen ik Neal de trap op hoorde komen, probeerde ik me te beheersen, ter wille van Clea. Maar de tranen bleven stromen alsof ze een eigen wil hadden. Neal deed of er niets aan de hand was, pakte Clea bij haar schouders en zette haar voor me neer. Ik boog me naar voren, nam haar hand en draaide me half naar haar toe op het bed. Ik streek met mijn vingers over de frisse huid van haar wangen, langs haar wimpers en de rand van haar oogkassen. Ik huilde nog steeds, maar nu van opluchting omdat zij er was.

Ik wist dat ik er vreselijk uitzag, met gezwollen, rode ogen en een betraand, verkrampt gezicht. Ik klemde haar veel te hard tegen me aan, alsof ik haar in leven zou kunnen houden door mijn vingers in haar armen te begraven en haar stevig in mijn armen te klemmen.

'O, Clea', zei ik, 'ik wil je nooit meer loslaten.'

'Je moet slapen', zei Neal tegen me.

Clea wreef mijn tranen van haar gezicht, wrong zich uit mijn omhelzing en liep terug naar Neal.

'Het spijt me', zei ze voordat ze de kamer verliet en Neal de deur achter haar sloot. 'Het spijt me wat er is gebeurd.'

Zijn hand bleef nog even op de zwarte porseleinen deurknop rusten. De donkere haren op zijn knokkels leken overdreven lang.

'Stel dat ze zichzelf de schuld geeft?'

'Doe niet zo raar, Nora. Waarom zou ze?'

'Nou, ik vond het niet voldoende, in ruil voor een pil', zei ik.

'Wat bedoel je?' Hij liep de kamer door, trok het gordijn dicht en veranderde de richting van de ventilator.

'Ik heb haar nauwelijks gesproken', zei ik.

'Ik zei je toch dat je anderen niet van streek mag maken?' Hij sloeg de kussens op en legde ze op elkaar. 'Het is al ellendig genoeg zonder dat we het allemaal nog moeilijker maken.'

Hij opende de kast en schoof de hangers één voor één opzij.

'Heb je ook iets zwarts?' vroeg hij. 'Voor de begrafenis.'

Hij rukte de hangers over de roe heen, alsof hij al wist dat hij niet zou vinden wat hij zocht en niet erg tevreden was met wat hij zag.

'Ik heb een paar van de vrouwen gevraagd om boodschappen te doen.' Hij zweeg even om het label in het jasje van een combinatie te bekijken. 'Maat achtendertig? Ja, dat dacht ik al.'

Ik weet niet waarom ik juist daar zo kwaad om werd. Ik had inderdaad iets nodig om aan te trekken. Ik was nu niet in de stemming om te gaan winkelen. Maar ik vond het vreselijk zoals hij nu ook mijn kleren bepaalde voor Simons begrafenis. Ik had het vreemde gevoel dat wij als gezin samen met Simon gestorven waren en ik was te moe en te verward om weer greep te krijgen op het gewone leven. Te verward om me te bezinnen op onze situatie.

Ik greep het waterglas van het nachtkastje en smeet het met volle kracht naar Neal, die nog steeds in mijn kast stond te graaien. Ik wilde hem niet echt raken, maar hem alleen laten schrikken, zodat hij zou stoppen met wat hij deed.

Ik zat in een lastige houding, op de rand van het bed. Het glas raakte zijn arm en viel op de grond. Neal keek eerst omlaag en toen naar mij.

'Wat krijgen we nou, Nora?' vroeg hij.

Ik zag dat zijn mond de woorden vormde en zijn adamsappel de klanken produceerde. Ik vroeg me af waardoor hij werd bestuurd, welke kracht hem voortbewoog. Ik wilde hem openbreken om de oorzaak te vinden. Zou dat het wezenlijke probleem zijn tussen ons? Dat hij nog heel was en ik gebroken, als een knopendoos waarin alles door elkaar lag?

Ik stond op, met de achterkant van mijn benen tegen het bed om niet te vallen. Ik schuifelde naar de toilettafel zonder hem een moment uit het oog te verliezen. De bolle roze fles was veel zwaarder dan het glas en gemakkelijker te richten. Neal bukte toen de fles over zijn hoofd suisde en ontweek ook de bijpassende pot die er achteraan kwam. Haarspelden vlogen alle kanten op. De pot stuiterde en barstte, maar de fles Wind Song spatte uit elkaar en vulde de hele kamer met een muskusgeur.

Ik dacht dat hij me zou aanvliegen, maar er gleed een onnoze-le, verbaasde uitdrukking over zijn gezicht. Hij draaide zich om en liep de kamer uit, knerpend over het glas. De deur viel met een klap achter hem dicht.

Toen de buurvrouwen kwamen om de rommel op te vegen, deed ik alsof ik sliep. Toen de dokter kwam voor een injectie, liet ik hem begaan. Ik wilde hier vandaan, weg van alles, al was het maar even. Het was bijna donker buiten en ik dacht dat de injectie zonder de pillen voldoende was om me te laten slapen. Ik kreunde even toen de naald erin ging. Daarna gaf ik me over aan de medicijnen.

Om vier uur in de nacht sloop ik het donkere huis door en keek even bij Clea naar binnen om te zien of ze sliep. In de keuken en de kamers die ze hadden schoongemaakt, hadden de buurvrouwen de spullen net iets anders teruggezet dan ik gewend was. Het erf werd verlicht door een schijnwerper op het dak van de stal. Ik klom over het hek van de bak. Een straf-fe bries draaide de bladeren met hun witte onderkant naar boven. Ik bleef even op het hek zitten staren, alsof ik kon bedenken wat er was gebeurd door te kijken wat er ontbrak.

De regelmatige evenwijdige planken van de stal, die nu zwart leken in plaats van rood. Een donker groepje paarden onder een verre boom in de wei. Een kat die ineengedoken op een baal stro zat, met goud glinsterende ogen toen hij zijn kop omdraaide.

Eerst viel de donkere cirkel me niet op. Ik dacht dat het een schaduw was in het midden van de wei, voordat ik zag dat het een vlek was. Ik sprong van het hek, onderzocht de grond en vond het brede gladde spoor dat begon tussen de chevrons van de bandensporen.

Toen ik met mijn vingers door het zand streek en ze bij mijn neus hield, meende ik de roestige geur van bloed te ruiken.

Het bliksemde al tussen de wolken en de eerste regen begon te vallen. Ik rende terug naar binnen, bang dat het bloed was en geen water. De volgende morgen en de dag daarna kwam de dokter om me nog meer injecties en pillen te geven. Ik sliep met tussenpozen, tot aan de ochtend van de begrafenis. Tegen die tijd wist ik zeker dat alle paarden verdwenen waren. Mijn dromen weergalmden van hun geluiden, waardoor mijn wakende uren nog stiller leken. Maar ik was te moe om weer ruzie te maken met Neal en ik had de energie niet meer om voor ze te zorgen. Misschien was het maar beter dat ze waren weggehaald. Dat ze dood waren.

HOOFDSTUK 6

Ozzie

Kline

Toen Simon was verongelukt liet ik Nora alleen, zoals ik haar ook alleen had gelaten toen we negentien waren en zij niet met me wilde trouwen. Ik zwierf zomaar wat rond, zoals zo vaak in het verleden. Ergens door de leegte van Canada, waar ik de rust kon vinden om te verwerken wat er was gebeurd en alles in me op te nemen, net als mijn herinneringen aan de oorlog.

Twee winters eerder, in Pennsylvania, was het een vrouw geweest die me naar LaCote had teruggedreven, ook al had ze alles willen doen om me te houden. Die avond, toen we voor de tweede keer met elkaar hadden gevreeën, stond ik op en liep de vertrouwde kamer door, met onze kleren over de stoelen en op de vloer. Het had gesneeuwd en er stonden ijsbloemen op de ruiten, die van achteren werden verlicht door de straatlantaarns, als een glazen grot waar ik zat opgesloten met een vrouw die me met haar liefde verstikte en verdrietig maakte.

Ze vroeg of ik naar bed kwam om warm te worden, maar ik zei dat ik de kou wel prettig vond, alsof ik daardoor mijn eigen grenzen beter voelde. Na een tijdje zei ze uit het niets: 'Als we met elkaar vrijen, heb ik altijd het gevoel dat je hoopt dat ik in iemand anders zal veranderen.'

Haar stem leek een deel van de duisternis. Heel vaag zag ik de witte vlek van haar arm en schouder boven de dekens. Ik wilde haar uitleggen dat mijn verlangen geen bepaalde vorm had, niet meer dan een vroege ochtend in LaCote, als er een dichte mist kwam opzetten vanaf de rivier. De lichtbundels van mijn pick-up verdwenen in de nevel en je zag niet meer dan fragmenten van de dingen die je passeerde: de knik van een boom, de kruk van een autoportier, de rand van een straatnaambordje. Alles vaag, alles verborgen, ook de rest van die dingen.

Toen ze dat tegen me zei, wilde ik naar huis. Dat was het enige wat ik zeker wist en het enige wat ik kon zeggen. Daar kon ik me tenminste bewegen zonder na te denken of aan iedereen te worden voorgesteld die ik ontmoette. Daar lag een fragment van wat ik zocht, hoewel ik dat nooit scheen te beseffen totdat ik ver genoeg weg was om terug te kijken.

Bovendien werd ik te oud om te zwerven. De rit naar huis – zelfs het feit dat ik weer naar het westen reed – was al een opluchting. De Appalachen en de Alleghenies maakten me claustrofobisch. Het land leek er neergegooid als een verfrommelde doek. Ik merkte pas hoe onrustig ik daarvan werd toen ik in Ohio kwam en het landschap eindelijk vlakker werd. Vanaf dat moment, toen de hemel en het land zich steeds verder naar de horizon uitstrekten, kon ik me weer ontspannen en voelde me niet meer zo opgefokt.

Ik dacht ook weer regelmatig aan Nora, voor het eerst sinds ik uit dienst was gekomen. Ik vroeg me af hoe het zou zijn om weer bij haar in de buurt te wonen. Hoe zou haar leven zijn geworden? Was ze nu gelukkig? Maar al gauw verdrong ik die gedachten.

Twee weken later, op weg naar Graces boerderij om Neal Mahler te spreken over de vacature die hij had, dacht ik onwillekeurig dat ik weer met Nora's vader ging praten en wat een tijdverspilling dat zou zijn. In gedachten repeteerde ik het oude verhaal dat ik nooit tegen Frank Rhymer had gehouden – de redenen waarom hij me toch met zijn dochter moest laten trouwen. Ik gaf een klap op het stuur. Veertig jaar was ik nu, en nog steeds probeerde ik een dode man ervan te overtuigen dat ik goed genoeg was voor een vrouw die me niet eens wilde. Hou toch op met die onzin.

Het was al erg genoeg om terug te zijn in LaCote terwijl ik

niet eens wist waarom ik precies naar huis was gekomen. Niet dat LaCote zo'n gat is, maar ik had zo fanatiek geprobeerd om er weg te komen. Het ligt aan de oever van de Missouri, vijftig kilometer van St. Louis, en het was ooit gesticht door kolonisten die er grootse plannen mee hadden voordat ze beseften dat ze de verkeerde rivier hadden gekozen. De meeste vroege Fransen trokken verder naar het noorden en het westen, voordat de Duitsers kwamen, die voor alles wetten en regeltjes hadden. Ze hadden mij ook in een keurslijf willen dwingen, maar vanaf mijn negentiende had ik me meer gedragen zoals de vroege Fransen.

Al gauw nadat ik terug was hoorde ik van een oude vriend dat ik met Neal Mahler moest gaan praten. Wat hij letterlijk zei, was: 'Je vroegere vriendinnetje zoekt een paardenknecht. Je kunt je melden bij haar man.' Deze keer zei ik niet onmiddellijk nee bij de gedachte haar weer terug te zien, en toen ik naar de boerderij reed, vroeg ik me af of zij ook een fragment was van wat ik werkelijk wilde.

Toen ik Neal Mahler voor het eerst ontmoette, stond hij tegen een baal stro geleund met een kop koffie, terwijl hij door de open deur naar Simon keek. Mahler zag er goed uit, maar een beetje te netjes gekleed voor een stal, en behoorlijk arrogant. Ik had altijd gedacht dat Nora zou trouwen met een vent van haar eigen kaliber, en het was een teleurstelling dat ik me had vergist.

Hij knikte in de richting van zijn zoon. Zijn adem en de stoom van de koffie vormden witte wolkjes die verdwenen in de koude februarilucht.

'Ik kan me werkelijk niet voorstellen wat ze in die dieren zien.'

Daarna gaf hij me een hand, overdreven krachtig, en zei dat ik hem Neal moest noemen. Nora zeurde al een jaar dat hij iemand in dienst moest nemen om te helpen bij het trainen van de paarden, zei hij. Hij had het steeds uitgesteld, omdat de meeste mannen in de oorlog vochten. Maar sinds de wapenstilstand gold dat excuus niet meer, en Nora nam steeds meer pensionpaarden.

'Je moet de zaak niet groter maken dan je zelf aankunt, zeg ik tegen haar, dat is verstandiger. Maar ze wil niet luisteren en nu heeft ze het zo druk dat er geen tijd meer overschiet voor haar gezin.' Neal veegde zijn hand af aan zijn broek. 'We hebben er altijd ruzie over. Als ik de boekhouding doe, stel ik het voor alsof ze verlies maakt, want dat is fiscaal voordeliger. Maar dan wordt ze woedend. Het schijnt niet tot haar door te dringen hoeveel gunstiger het is als het lijkt alsof ze rood staat.

"Mijn manege levert geld op", houdt ze vol. "Ja", zeg ik dan, "maar wat hebben we eraan dat de fiscus dat ook weet>"

En het kost natuurlijk veel tijd en inspanning, daarom is ze altijd moe.' Zijn stem kreeg een overdreven toontje. Hij spartelde met zijn handen als een vis, om zijn woorden te onderstrepen. 'We kunnen niet eens meer rustig met vakantie. Of een avondje uit, als een van die vervloekte beesten een veulen moet werpen of verkouden is of god-mag-weten-wat.'

Hij glimlachte. Maar hij had het over Nora, en ik vond het vreemd dat hij haar zo slecht kende. Ik voelde me schuldig om al die keren dat ik me over een vrouw had beklaagd en me net zo had gedragen als deze man, die ik op het eerste gezicht niet mocht.

Neal Mahler liep naar de staldeur en leunde met één hand tegen de deurpost. 'Simon is ook al besmet met het virus, maar het houdt hem van de straat. Anders zou hij maar in snelle auto's rondrijden. Dus vooruit...'

Simon was in de bak en draaide rondjes op een kleine vos. Toen ik hem zag, moest ik meteen aan Nora denken, die dezelfde porseleinkleuren had gehad toen ze zo oud was: asblond haar, donkere wimpers en blauwgroene ogen, niet bleek en flets zoals de meeste blonde mensen, maar fel en scherp.

Hij ging goed om met de merrie, die even compact en goed gebouwd was als haar berijder. Ze reden in een ontspannen korte galop en hun adem steeg op in de lucht boven de vlakke wei erachter. Ik was jaloers op dit rustige bestaan dat Nora voor zichzelf had opgebouwd, met haar paarden en haar kinderen, en vroeg me weer af of ik wel had moeten komen.

Neal Mahler sloeg de stro van zijn zitvlak en liet me de stal en het erf zien alsof hij het land zelf had aangelegd en er dik aan had verdiend. Hij wist niet hoe vaak ik als kind hier was geweest om paarden op te halen of af te leveren voor Nora's grootmoeder Grace, die waardering had voor de manier waarop ik met paarden omging en hoe ik haar schoonzoon Frank irriteerde. Alles leek nog zo op vroeger dat de veranderingen – het nieuwe bloemperk en de garage – uit de toon vielen, net als mijn eigen herinneringen. Ik had het gevoel dat de Ozzie Kline van zeventien, die de paardentrailer achteruit reed of een merrie uit de stal haalde of op zoek was naar Nora Rhymer, het beeld vertroebelde, als een dubbele opname op een niet doorgedraaide film.

Neal vertelde me mijn werkuren, het salaris en het werk dat hij van me verwachtte. Hij wilde nogal veel en hij betaalde slecht, maar ik vond het leuk om terug te zijn op het land van die lieve Grace, waar Frank Rhymer me nooit had gewild. Ik bedacht dat ik Simon alles zou kunnen leren wat zijn vader niet over paarden wist, en uit mijn ooghoek keek ik al of ik Nora zag, net als zoveel jaar geleden.

Die dag zag ik haar niet, maar 's avonds lag ik wel te woelen in bed toen ik terugdacht aan onze jeugdige lijven, Nora die haar gezicht naar me toe draaide voor een kus, met wangen zo roze als het oor van een paard als de zon er doorheen schijnt en je het bloed erin kunt zien.

Ze was zo klein dat ik mijn armen helemaal om haar heen had kunnen slaan en me groot had kunnen voelen bij haar. Toch was ze sterk en ik was nooit bang geweest dat ik haar pijn zou doen. Die oude, volmaakte herinneringen waren nog intact gebleven – Nora Rhymer die bereidwillig naar me toe was gekomen wanneer ik maar de kans had om haar in mijn armen te nemen, en altijd stilletjes was weggegaan zonder me mijn hoop te ontnemen. Behalve die laatste keer.

Toen ik de volgende morgen in de stal kwam, leek ze niet eens verbaasd om me te zien. Ze was bezig een emmer met voer te vullen en richtte zich lachend op.

'Hallo, Oz', zei ze. 'Die kleine vos in de eerste box is een beetje kreupel. Wil je haar benen masseren en haar enkels zwachtelen?'

Ze deed alsof ik terugkwam van een paar dagen vakantie. Ik had haar bijna niet herkend. Niet dat ze zoveel was veranderd, toen ik wat beter keek, maar ik had een meisje verwacht en ik zag een vrouw. Ze leek zwaarder, hoewel dat grotendeels kwam door het wijde mannenjack dat ze droeg, en haar haar – dat ze in haar nek had gebonden – was een paar schakeringen donkerder, zoals bij veel blondines voordat ze door het grijs weer lichter worden. Dom van me om te denken dat ze er nog net zo uit zou zien als ik me haar herinnerde. En nog dommer om te hopen dat ze nog steeds naar me zou verlangen, terwijl dat misschien altijd al een illusie was geweest.

'Ik kon het niet geloven toen Neal zei wie hij had aangenomen.'

Ze lachte alsof het de beste grap was die ze ooit had gehoord.

'Hoeveel Ozzie Klines zijn er?' Ik hield mijn buik in en had spijt dat ik geen beter overhemd had aangetrokken. Of bezat. Of een andere baan had aangenomen, ergens anders, omdat Nora in levenden lijve zoveel meer was dan ik me al die jaren had voorgesteld.

Ze lachte nog eens. Ik wilde de emmer van haar overnemen, maar ze trok hem weg.

'Wie dacht je dat hier de emmers had gesjouwd, al die jaren dat jij bent weggeweest?'

Ik haalde mijn schouders op en maakte mijn blik los van haar armen, die in een V naar het hengsel van de emmer liepen, zodat haar borsten tegen elkaar werden gedrukt en de lijn ertussen zichtbaar was bij de kraag van haar blouse. Ze vroeg hoe het met me was gegaan.

'Oké', zei ik. Daar gingen alle verhalen die ik zo zorgvuldig had gerepeteerd.

'Nee, ik wil het echt weten.'

Ze kwam naar me toe en ik was bang dat ze het zou merken als ik loog. Ik zei weer dat alles goed ging.

'Maar wat heb je gedaan?'

Twintig jaar samengevat in één zin. *Ik was getrouwd, en toen ze stierf, heb ik overal gewerkt, daarna de oorlog en toen weer overal gewerkt.*

Nora vroeg me hoe mijn vrouw gestorven was. Bij een auto-ongeluk, zei ik, maar het klonk lamlendig. Te simpel om te verklaren wat er met het lichaam van mijn vrouw was gebeurd, en te dramatisch voor dat andere moment in mijn leven waarvoor ik was gevlucht.

'Het is oké', zei ik. 'We waren jong en het is al lang geleden.'

'Leeftijd en het verstrijken van de jaren maken een sterfgeval nog niet oké.' Nora zette de emmer neer.

'Nou ja, ik bedoel ook niet oké. Ik wil alleen niet dat je medelijden met me krijgt.'

'Waarom niet?'

Ze vroeg het alsof het een filosofisch probleem was dat we samen moesten oplossen. Ze bukte zich, zodat de stof van haar jack langs mijn hand streek. Ik voelde opeens een heftig verlangen om haar gezicht aan te raken. Verder niets. Haar alleen maar aan te raken.

Maar ik deed een stap terug en mompelde wat onnozels, dat ik er niet over wilde praten of zoiets. Ik bracht het gesprek snel op de paarden. Het was al erg genoeg dat we precies van elkaar wisten wat we dachten als het om dieren ging. Iemand wordt je dierbaar als je allebei van dezelfde dingen houdt. Nora en ik hadden die gevaarlijke dingen gemeen, plus ons onvoltooide verleden met de restanten van mijn verlangen.

Maar in de maanden die volgden probeerde ik haar als mijn werkgever te zien en verder niets. Vriendschappelijk omgaan met een getrouwde vrouw die ik ooit in mijn armen had gehouden en gekust, hoe lang geleden ook, leek toch een vorm van overspel. Niet dat ik zoveel respect had voor Neal Mahler. Volgens mij beschouwde hij de paarden als een verzetje voor zijn gezin op momenten dat hij hen niet zelf nodig had.

Maar toch was ik de man iets verschuldigd, ter wille van zijn vrouw. Ik probeerde een oude vriend voor haar te zijn, maar het verleden stak in allerlei kleine, vreemde details toch weer de kop op. Als ik Nora aan het werk zag, herinnerde ik me de zalmkleurige trui die ze vroeger had gedragen, zo zacht en

63

donzig; een gegraveerd medaillon met vervlochten letters; een blauwe jas met knopen die lastig los te krijgen waren. Ik liep alsof mijn ene voet twintig jaar bij de andere achterbleef en was bang om mezelf bloot te geven door terug te denken aan wie zij vroeger was geweest. Midden in de nacht schrok ik wakker en wist dat ik had gedroomd dat ik haar borsten streelde, dat mijn hand over haar middel naar haar heupen gleed. Ik voelde nog de druk van haar tong, lang nadat ik wakker was geworden, en ik bleef me van haar bewust.

Afstand houden was gemakkelijker dan greep te krijgen op al die gedachten in mijn achterhoofd of die verlangens in mijn onderbuik. Maar soms, als we een paard borstelden, een gezwollen knie betastten of de teugels overgaven, raakten onze handen elkaar. Eén keer, toen ik probeerde het been van een ruin te zwachtelen, zaten we zo dicht naast elkaar dat onze lichamen elkaar raakten vanaf de dijen tot de schouders. We leunden tegen elkaar aan om de kous goed te krijgen, maar al gauw stond ik op en liep ik weg. Als de tijd opeens zo'n kloof overbrugde en die momenten van vroeger onverwachts voor mijn neus opdoken, was het gemakkelijker om bij haar weg te lopen dan haar te confronteren.

Maar ze deed er zelf ook aan mee. Eerst dacht ik nog dat ik het me verbeeldde, maar hoe langer ik daar werkte, hoe meer tijd ze in de stal rondhing en hoe vaker ze een excuus vond voor een praatje. We waren net twee oude dames, die elkaar zeiden wat een mooi weer het was, of hoe somber of hoe regenachtig.

Als ik een hoef zat bij te vijlen of een zadel herstelde, en ik keek op, zag ik dat ze peinzend naar me staarde. Na een tijdje kreeg ze de gewoonte om haar hand op mijn arm te leggen als we praatten – maar net even te lang. En als ze me een hoofdstel of een roskam gaf, raakten haar vingers de mijne en gleden langs mijn knokkels, terwijl dat niet echt onvermijdelijk was. Ze leunde tegen de flank van het paard dat ik stond te kammen, of hing soms om zijn hals, zoals ze vroeger ook bij mij had gedaan, om me te plagen. We deden allebei of er niets aan de hand was, maar ik hield Neal Mahler in de gaten om te zien of hij het merkte.

Maar Neal gedroeg zich alsof hij nergens iets van wist en ik begon erover te fantaseren om alles terug te winnen wat ik had verloren of achtergelaten of opgegeven. Ik stelde het me ongeveer zo voor: Ik zou haar hand pakken als ze voorbij liep of achter haar gaan staan als ze zich over de rekeningen boog en mijn armen om haar middel slaan. Dan konden we weer opnieuw beginnen en zou ik kunnen goedmaken wat ze al die jaren had gemist.

Maar die gedachten hield ik voor mezelf, hoewel ze alle moeite deden om zich een weg naar buiten te banen. Nora was Neal Mahlers vrouw en die wetenschap verlamde me – tot die novembermiddag, ongeveer zeven maanden sinds ik bij hen in dienst was gekomen. Al dagenlang dreigde er slecht weer, maar ten slotte had Nora er genoeg van om binnen te zitten en was ze met Zad een eind gaan rijden. Ze waren kilometers ver langs de rivier toen de temperatuur opeens zo snel zakte dat je het bijna kon voelen. De wind wakkerde aan en een muur van regen stortte zich omlaag. Tegen de tijd dat Nora terugkwam, was ze tot op de draad doorweekt en zat te klappertanden. Zelfs het paard liep te rillen. Voor het eerst zag ik haar angstig.

Ze nam niet de tijd om eerst haar eigen kleren te drogen, dus gooide ik mijn jasje over haar schouders en stak het heteluchtkanon aan het eind van de stal aan, terwijl zij Zad afroste en dekens over hem heen gooide. Ik zei dat ik het wel zou doen, terwijl zij naar binnen ging om droge kleren aan te trekken, maar Nora vond dat we allebei eerst het paard moesten verzorgen. Ze verwarmde de doeken als melk in een babyflesje en riep tegen mij dat ik het voer ook moest opwarmen. Nora probeerde alles tegelijk te doen en toen ze op de grond knielde om Zads benen voor de derde keer droog te wrijven, hurkte ik achter haar en wilde de handdoek van haar overnemen.

'Wacht nou even, liefje.'

Toen verloor ik mijn evenwicht en viel achterover, met Nora in mijn schoot. We bleven zitten op de vloer en ze begon te huilen, eerst nog snikkend, maar toen met lange uithalen. Ik hield haar vast, met mijn armen om haar schouders en mijn buik tegen haar rug. Ik wilde dat ze ophield, omdat ik haar niet graag ongelukkig zag, maar ik was ook blij met een excuus om haar in mijn armen te houden.

'Ssst, het komt wel goed', fluisterde ik, hoewel ik niet eens wist waarom ze eigenlijk huilde.

Ik draaide haar half naar me toe, zodat ze nu dwars op mijn schoot zat, met haar benen over mijn dijbeen en een elleboog onder mijn borst. Toen ze weer was bedaard, vertelde ze me dat het zo hard was gaan regenen dat ze niets meer had kunnen zien en dat Zad steeds was uitgegleden in de modder. Ze was bang geweest dat het paard zou vallen en een been breken, of dat ze in het noodweer zouden verdwalen.

'Ik had zo'n afschuwelijk gevoel', zei ze. 'Mijn nekharen stonden overeind en er kwam een geweldige kou op me af, niet van de regen of de wind, maar vanuit het paard naar mij.'

Ze wist niet hoe ze het moest uitleggen, maar toen dacht ze aan Black Beauty. Heel raar. Hoe Black Beauty een keer nat naar binnen was gekomen en de staljongen niet had geweten hoe hij hem moest verzorgen, zodat het paard bijna was gestorven.

'Maar ik weet toch hoe ik Zad moet verzorgen?' fluisterde ik, terwijl ik Nora's natte haar achter haar oor streek en naar de angst in haar ademhaling luisterde.

'Dat is het enige waar ik aan kon denken, dat ik terug moest naar de stal om haar af te drogen. Ik moest die kou tegenhouden, maar hoe?'

Ik wist niet wat ik moest zeggen. Nora was de kalmste, verstandigste vrouw die ik kende, zelfs in die bange hoekjes waarvan de meeste mensen het bestaan liever ontkenden. Haar grootmoeder Grace was spoken, dromen en de dood altijd tegemoet getreden als het weer of als lastige bezoekers, en Nora had die houding van haar geërfd. Ik wist niet waarom ze nu zo angstig was, maar ik probeerde haar te helpen de oorzaak te vinden. Vermoeidheid, depressie, te veel problemen aan haar hoofd.

Dankbaar greep ze die strohalm. 'Het wordt me gewoon te veel', zei ze. 'Ik kan het niet allemaal alleen af.'

'Dat begrijp ik.'

'Niemand zorgt voor míj', zei ze.

'Ik wel.'

Ze draaide zich om en we keken elkaar aan, zonder te bewegen, maar met een hint van een bevestiging, een onuitgesproken *ja*. Daarna klemden we ons aan elkaar vast alsof we de zwaartekracht waren die de ander op de aarde hield. Als verliefde tieners, maar met de wanhoop en de dankbaarheid van onze leeftijd en ervaring. Het paard schuifelde met haar hoeven, snoof zacht en verspreidde wolkjes stallucht, muf en vochtig in de warmte van het heteluchtkanon.

Nora was zo doorweekt, dat ik binnen een paar minuten ook kletsnat was. Maar we lieten elkaar niet los. Mijn hand gleed langzaam over haar ribben, tot ze hem vastpakte en over haar borst legde. Hoe ik er op dat moment ook naar verlangde om met haar te vrijen, toch had ik evenveel behoefte om haar gewoon vast te houden, dicht tegen me aan, totdat we iets hadden goedgemaakt van die eenzame, hongerige tijd die we van elkaar gescheiden waren geweest.

Simons pick-up reed het erf op en we kwamen haastig overeind. Ze had een blos op haar wangen en ik stond heen en weer te zwaaien omdat het vreemd was weer op mijn eigen benen te staan nadat ik haar had vastgehouden. Nora's haar was nog half nat en stak alle kanten op. Haar spijkerbroek plakte tegen haar benen. Ze pakte de natte handdoeken op toen Simon binnenkwam. Hij floot zacht en vroeg: 'Wat is hier gebeurd, verdomme?'

In de week daarop hoorde ik Zad niet één keer niezen, maar Nora had een flinke kou gevat. Ze bleef twee dagen in bed en zelfs toen ze voldoende was opgeknapt om weer naar de stal te komen, schuifelde ze rond als een invalide, met een bleek smoeltje en een rode neus. Ik vroeg haar of Simon nog iets had gezegd. Nee, zei ze. Maar later, toen ik naar haar staarde terwijl ze Zad stond te borstelen, keek ze me waarschuwend aan.

Daar stond ik dan, met mijn pogingen om de wetten van de fysica, de zwaartekracht en de liefde te herschrijven. Ik herinnerde me de macht van Nora Rhymer om een man het gevoel te geven dat hij over het water of door de lucht kon lopen, alleen om háár te plezieren. Ze kon je volledig geloven en je vertrouwen als je loog hoe sterk je was, in de hoop haar liefde te winnen.

De onschuld waarmee ze de beloften van iedere man geloofde, zoog me weer naar haar toe en daagde me uit mijn eigen grootspraak waar te maken. Ik wilde haar man zijn en haar beschermen tegen alles wat haar kon bedreigen – angst, dood en de onzekerheid van het menselijk bestaan. Maar ook nu ik veertig was, kon ik nog steeds niet voor haar zorgen, evenmin als toen ik negentien was geweest. Zelfs tegen een gewone verkoudheid was ik niet opgewassen.

Dus richtte ik mijn aandacht op Simon. Nora had me verteld dat ze als kind vaak ging oppassen bij een familie verderop, en dan deed alsof het haar eigen kinderen waren. Ik deed hetzelfde met Simon. Ik bracht hem alles bij wat ik had geleerd in al die jaren die ik in stallen, bij springwedstrijden en op renbanen had doorgebracht. Ik leerde hem de trucs die ik zelf had geleerd van oude rotten zoals zijn overgrootmoeder Grace. Alsof hij mijn eigen zoon was. Na een tijdje kwam hij iedere dag na schooltijd naar de stal, terwijl ik daar bezig was, of ging hij op het hek zitten als ik met een paard oefende.

'Ze heeft een aarzelende gang', zei hij als ik hem iets vroeg om hem te testen. Of: 'De vos dreigt kreupel te worden.'

Op andere momenten had hij behoefte om te praten. Hij vertelde dat hij met zijn vriendinnetje Janie naar de steengroeve reed en op een heuvel parkeerde, met uitzicht op de groeve. Ze gingen er vaak naartoe en lagen soms samen op de achterbank naar de sterren te kijken, door de achterruit. Dan waren ze zo verliefd dat ze elkaar betastten en wisten ze niet hoe ze zich moesten beheersen om niet te doen wat hun verboden was.

'Ik lig weleens over haar heen', zei Simon, 'en dan voel ik me als de hemel.'

Hij kreeg een blik in zijn ogen die me zo deed denken aan Nora op die leeftijd, als ze haar hoofd had teruggetrokken om naar me te kijken tussen onze kussen door, met een merkwaardig nuchtere maar toch heel intense uitdrukking op haar gezicht. Simon zei dat hij met Janie wilde trouwen als ze oud genoeg waren en dat hij al een ring had uitgekozen, waarvoor hij nu aan het sparen was. Toen hij me vroeg of ik op zijn leeftijd ook verliefd was geweest, zei ik ja. Maar ik was niet met dat meisje getrouwd en ik had haar nooit kunnen vergeten of echt van iemand anders kunnen houden.

Twee weken later vroeg hij me of ik condooms voor hem wilde kopen. Hij was bang dat de drogist zou begrijpen voor welk meisje ze bedoeld waren.

'En als ik ze koop, interesseert dat toch geen mens?' lachte ik.

'Jij hebt zoveel vrouwen', grijnsde hij terug.

Ik was trots dat hij mij iets vroeg wat hij nooit aan zijn vader zou hebben gevraagd. Maar het was een nog diepere – of hogere – voldoening dat de lijn van het verleden naar de toekomst via mij in Simon was verankerd.

Wat de reden ook mocht zijn, ik begon van hem te houden. Toen hij was verongelukt, stond ik achter Nora over zijn lichaam gebogen en kon geen adem meer krijgen. Paniek en machteloosheid grepen me bij de keel en ik hapte naar lucht. Net als in de oorlog, toen ik orders gaf waarvan ik wist dat sommige mannen ze niet zouden overleven.

Wat was ik vergeten hem te zeggen of te leren? Zelfs als surrogaatvader was ik mislukt. En onvermijdelijk bracht zijn dood me weer terug bij de dood van mijn vrouw. Ik had haar niet gezegd om voorzichtig te zijn toen ze de deur uitging en haar niet geleerd hoe ze een slippende auto onder controle moest houden. Ik was niet met haar meegegaan, zoals ik ook niet met Simon was meegegaan om hem te kunnen waarschuwen toen hij gevaar liep.

Toen ik zag hoe Neal Mahler zich gedroeg na Simons dood, wat hij als zijn rechten als vader en echtgenoot beschouwde, wist ik dat ik maar één keus had. Ik moest Nora verlaten of hem vermoorden. Een paard doodschieten uit wraak is boosaardig. Om er een vrouw mee te kwetsen is nog erger.

Ik wilde hem niet helpen bij de verkoop van Simons en Clea's paarden of het transport van de pensionpaarden naar hun nieuwe onderkomen, maar ik noteerde wel waar ze naartoe gingen, voor het geval Nora dat ooit zou willen weten. Ik begroef het paard en nam de hond mee, uit angst dat Neal Mahler hem ook zou doden. Ik kon niet bij Nora komen, maar ik hoorde haar schreeuwen en huilen toen ik onder haar raam stond, en aan Simons open graf. Ik had haar zo graag willen helpen.

Maar die middag na de begrafenis vond ik Clea, tussen de auto's van de begrafenisgasten, die schots en scheef langs de weg tussen het huis en de stal geparkeerd waren. Ze stond in de motregen, met haar armen slap langs haar zij, alsof ze vanaf een andere planeet op aarde was geworpen. Ik kende haar eigenlijk niet. Ze reed weleens mee, maar ze zei nooit veel. Ze leek meer geïnteresseerd in haar vriendinnen dan in haar familie en ze was vaak weg. Maar nu was ze naar buiten gekomen, uit het huis met die etende en pratende mensen, na de begrafenis van haar broer. Ze staarde om zich heen zoals ik soldaten had zien kijken als ze na een granaataanval weer bij hun positieven kwamen.

Ik vroeg haar hoe het met haar moeder ging, maar ze haalde haar schouders op. Ik was bezorgd om Nora en wat er met haar kon gebeuren.

'Pas goed op je moeder voor me', zei ik tegen Clea.

Ik pakte haar bij haar schouders en schudde haar stevig door elkaar. Ik zei dat ze Maggies hulp moest vragen als het nodig was. Maar ze scheen me niet te horen en ze leek zo op haar vader dat ik me moest beheersen om haar niet te slaan.

Daarna pakte ik mijn spullen en vertrok. Neal Mahler mocht met zijn gezin doen wat hij wilde. Ik kon alleen maar toekijken. Ik had niet het geld, de macht of het recht om Nora van hem af te nemen, dus nam ik de hond mee, stapte in de pickup en reed naar het noorden. Ik had geen duidelijk plan, behalve dat ik ergens naartoe wilde waar ik rustig zou kunnen nadenken. Ik had ook geen plan nodig. Het grootste deel van mijn leven had het me niets kunnen schelen waar ik heenging.

Acht uur na de begrafenis reed ik al over de hoofdweg, onder de geelroze hemel van de late dag. Ik reed naar de horizon, terwijl de lucht voortdurend veranderde – blauw, paars en rood, in lange strepen boven de einder, zo mooi dat ik er bijna om moest huilen. Wat een vreselijk verlies dat Simon Mahler die hemel, en alle schoonheid erna, niet meer zou kunnen zien. Dat hij niet lang genoeg had geleefd om voor onze ogen volwassen te worden. Dat hij geen kind van Nora en mij was geweest.

Ik had een vreemd gevoel dat al langer aan de rand van mijn bewustzijn zweefde: dat de kou die Nora had gevoeld toen ze met Zad door de regen was overvallen, de voorbode was geweest van wat er komen ging.

Ik zette de radio aan, keihard, en zong mee om niet te hoeven nadenken. Ik gaf gas en de warme lucht die door de open raampjes blies vormde een soort straalstroom waarop ik me voortbewoog. Die sensatie van snelheid en afstand – wegvliegen, ver hier vandaan, zodat niemand die ik kende me nog zou kunnen vinden – was het enige wat me ervan weerhield om te stoppen. Ik reed door tot de kleurige strepen aan de hemel veranderden in zwarte vegen en ten slotte in egaal zwart, de hemel en de aarde één duister vlak, met zo nu en dan de koplampen van een tegenligger, als de ogen van een dier dat me tegemoet kwam.

ZOMER

Van tijd tot tijd en van een afstand
moet je baden in je eigen graf.

Pablo Neruda

HOOFDSTUK 7

Maggie Rhymer

De avond na de begrafenis ging ik voor het eerst weer naar mijn eigen huis. Er was een maand niemand geweest en het rook er bedompt. Ik liep de kamers door, langs de foto's van Simon die hier en daar hingen of stonden: Simon in de derde, de vijfde of de achtste groep, in verkennersuniform, smoking of jeans. Alsof we met Simon ook het kleine leger jongetjes hadden verloren van wie hij de som vormde.

Ik lag uren wakker, starend naar de lichtbundels van passerende auto's over het plafond, afbuigend langs de muren. Het afgelopen jaar was Simon vaak na schooltijd even langsgekomen. Gewoon voor een bezoekje en een praatje. Omdat hij me had gemist of wilde weten wat ik ergens van vond. Alsof hij en ik vrienden waren. Weer werd ik kwaad dat hij was weggenomen juist op het moment dat ik hem begon te kennen als de volwassene die hij zou zijn geworden.

Ik had nog maar een paar uur geslapen toen Neal me vroeg in de ochtend belde om te vragen of ik op de boerderij wilde blijven totdat Nora zich weer wat beter voelde. Hij klonk zo smekend en ik was blij dat ik iets nuttigs kon doen. Dat ik een excuus had om dicht bij haar te zijn en op haar te letten.

Ze at bijna niets en ze zei nauwelijks een woord, alsof het ons verboden was om te praten. Daarna zwierf ze wat rond of sliep veertien of vijftien uur aan één stuk. Om de paar dagen ontwaakte ze uit haar verdoving als uit een honderdjarige slaap en ging woedend tegen Neal tekeer. Ze beschuldigde hem ervan dat hij haar paarden had gestolen en Zad had gedood. Hij liep weg alsof hij doof was en zij rende schreeuwend achter hem aan.

Om haar te kalmeren zei ik dat het zo'n schok voor Neal was geweest dat hij niet had geweten wat hij deed.

'Waarom heeft hij nu dan geen spijt?' vroeg ze.

Ik probeerde haar uit te leggen dat mannen hun diepste gevoelens liever verbergen.

'Hoe kán hij dat, in dit geval?'

Al mijn goedbedoelde gissingen werden verkeerd uitgelegd, dus concentreerden we ons maar op praktische zaken. Nora en ik deden met Simons bezittingen wat mijn moeder Grace ook met de spullen van mijn broertjes had gedaan toen ze stierven. Ik was oud genoeg om me nog te herinneren dat ze na Charlies dood zijn foto naast die van Frankie op de toilettafel in haar kamer had gezet, met zijn favoriete tol en een kleine steen die hij haar ooit had gegeven. De rest van wat ze bewaarde ging in een doos in de onderste la, zodat ze er niet bij toeval op zou stuiten.

De herinneringen lieten zich niet zo gemakkelijk wegstoppen. Vooral in het begin, maar ook nog jaren later, kon ze opeens in tranen uitbarsten als ze een bord op tafel zette of de deur van de gangkast opendeed.

'Ik zag net een glimp van hem', zei ze tegen me. Dan had ze opeens het beeld van Frankie of Charlie gezien terwijl ze bruine suiker in hun pap strooiden of hun wanten uit een la haalden. Regelmatig zag ze hen ergens opdoemen en bleef ze staan, met ingehouden adem. Dan sloeg ze haar armen om zich heen en begon te huilen, alsof ze een klap in haar gezicht had gekregen.

Ze vertelde me altijd dat Charlie graag met zijn speelgoed in de vensterbank in de huiskamer zat te spelen, waar de middagzon een donkergouden glans wierp over zijn haar. Of dat Frankie een keer met hulp van zijn hond een heel bed van rode tulpen had omgeploegd. Dan verkrampte haar gezicht alsof er diep in haar binnenste een scherpe schroef werd aangedraaid

76

en lachte ze verdrietig voordat ze haar tranen wegveegde en verderging met haar werk.

Toen ik jong was, dacht ik dat mijn broertjes nog steeds bij ons woonden en dat alleen Grace hen kon zien, alsof ze röntgenogen had. De jongens waren altijd aanwezig, als onzichtbare huisgeesten, vlak boven de deur of onder de dakbalken. Als Grace koekjes bakte, vertelde ze dat Charlie en Frankie graag van het deeg snoepten en de koekjes zo heet mogelijk opaten. Ze liet er altijd twee op de schaal liggen, totdat ze moesten worden weggegooid. Als ze kerstcadeautjes kocht, wees ze aan wat de jongens leuk zouden hebben gevonden als ze acht, twaalf of twintig waren geweest, alsof ze in haar gedachten meegroeiden.

'Charlie zou een groot lezer zijn geworden', zei ze, wijzend naar een serie klassieke kinderboeken, of 'Frankie was zo sportief', terwijl ze een honkbal in de lucht gooide. Ik vroeg me af wat ze over mij zou hebben voorspeld.

Maar ik praatte ook met hen en legde uit wat er op school gebeurde, omdat ze nauwelijks de schoolgaande leeftijd hadden bereikt. En toen ik ouder werd dan zij, zag ik mezelf als hun grote zus. Soms, als Grace met de paarden in het veld was, pakte ik hun dozen en probeerde me een beeld van hen te vormen uit de dingen die Grace had bewaard – van kanten doopjurken en onbeholpen tekeningen tot briefjes in een hoekig, moeizaam handschrift. Soms legde ik de spullen op de grond in de figuur van een poppetje, alsof uit hun bezittingen alles viel af te leiden en ik, als ik maar precies wist hóe, die collage tot leven zou kunnen brengen om hen heel even te zien.

In het begin viel ik zelfs op Frank Rhymer omdat hij net zo heette als mijn broer. Dat zei ik hem ook toen we aan elkaar werden voorgesteld. Hij zag er ongeveer zo uit als ik me Frankie op die leeftijd had voorgesteld en zoals Grace hem had beschreven: aardig, verstandig, geestig en sterk.

Het was net zo'n domme gedachte om te veronderstellen dat Nora er weer bovenop zou komen, net als Grace, door Simons spullen uit te zoeken. Zodra we ermee klaar waren, viel Nora terug in haar oude patroon. Iedere aanval op Neal putte haar nog verder uit en toen mei ten einde liep, was iedereen in huis doodmoe van haar stemmingen.

Op een avond na het eten, toen Clea de afwas deed, vroeg Neal me om hem te laten zien wat ik in de moestuin had gedaan. Ik had zelf al jaren geen tuin meer, omdat ik zoveel reisde, maar bij gebrek aan iets anders had ik me maar op deze tuin geworpen, in eerste instantie om uit het huis weg te zijn en daarna omdat het me ontspande. Toen we langs de rijen liepen en Neal de eerste groene blaadjes van de sla bewonderde, zei hij dat het beter zou zijn als hij en Clea een tijdje in mijn huis in de stad zouden gaan wonen, totdat Nora weer zichzelf was.

'Als je met haar zou praten en haar zou uitleggen waarom je dat met de paarden hebt gedaan, zou het misschien beter gaan.'

'Er valt niets uit te leggen. Het was gewoon een reflex, zoals je een ratelslang doodschiet.'

'Maar het heeft je dagen gekost om die andere paarden weg te halen. Een reflex duurt maar een seconde.'

'Goed. Maar ze zijn nu weg, Clea heeft verdriet en Nora zou nog niet eens voor een goudvis kunnen zorgen.'

'Toch moet je het uitleggen.'

'We hebben wel belangrijkere zaken aan ons hoofd.'

Hij was bang dat het huis gevaar zou lopen als de rivier overstroomde, hoewel ik tegenwierp dat dat nog nooit gebeurd was omdat het huis op het hoogste punt van de omgeving stond. Maar in elk geval had hij door het stijgende water zoveel extra werk dat hij vaker op kantoor moest zijn. En het viel niet te ontkennen dat Clea grote problemen had.

'Ze gaat heel vroeg naar school, komt zo laat mogelijk thuis en sluit zich dan met haar huiswerk op haar kamertje op', zei Neal. 'Zo wordt ze een kluizenaar, en dat is geen leven.'

Ik kon hem niet tegenspreken. Zelf lukte het me ook niet om tot haar door te dringen, op hoeveel verschillende manieren ik het ook probeerde.

'Ik weet dat jij je hier wel redt', zei hij tegen me. 'En het is maar voor een tijdje.'

Later, toen ik ging slapen, kwam ik langs zijn kamer, waar

hij bijna klaar was met koffers pakken. De volgende morgen verhuisde hij met Clea naar de stad, terwijl Nora als een norse spookverschijning toekeek. Twee weken later vroeg hij me om bij hem langs te komen op kantoor en opperde hij dat we misschien de boerderij moesten verkopen om allevier in de stad te gaan wonen.

'Zo gaat het toch veel beter, vind je niet?'

'Voor jou, misschien.'

'Voor Clea ook.'

'De boerderij is van Nora', zei ik. 'Dat doet ze nooit.'

'Hij is van ons samen', zei Neal. 'Mijn naam staat ook op de eigendomsakte.'

En daarna liet hij me zien waar Nora en ik een fout hadden gemaakt. We hadden Neal altijd volmacht gegeven om al onze zaken te regelen, leningen af te sluiten en hypotheken te nemen. En dat had hij gedaan, op zijn eigen naam.

Veel te veel werk, die papierwinkel, hadden Nora en ik gedacht. Terwijl Neal het juist leuk vond om de boekhouding te doen en naar financiële voordeeltjes en mazen in de belastingwet te zoeken. Nora had alleen de boeken voor de stal bijgehouden en ik was uitsluitend geïnteresseerd in het geld voor mijn volgende buitenlandse reis, dat ik altijd van Neal kreeg, als een soort toelage. Grace had óns toch de boerderij nagelaten? We hadden er nooit een moment aan getwijfeld dat het ons bezit was.

'We hebben een eigen plek nodig', had ze wel duizend keer tegen me gezegd. 'Jullie moeten het land houden.'

Ik had Graces liefde voor de grond niet geërfd, zoals Nora, maar ik had er wel op gerekend dat alles zo zou blijven. Een plek waar ik kon thuiskomen. Daar woonden immers de geesten van mijn ouders, mijn broers en nu ook van Simon. Daar lag mijn verleden en alleen daarom was het al heel belangrijk.

Toen Nora was getrouwd en Grace een jaar later was overleden, was ik naar de stad verhuisd. De aanbetaling en de aflossing van de hypotheek voor mijn huis in LaCote kwamen van Neal, in ruil voor een afspraak over de boerderij. Om het verschil in waarde goed te maken, beloofde hij me een jaarlijkse uitkering van het kapitaal dat zijn ouders hem hadden nagelaten toen ze stierven – genoeg voor mijn reizen en andere kosten.

Het leek een goede regeling voor iedereen. Ik had nooit om een schriftelijke bevestiging van mijn toelage gevraagd of de contracten over de boerderij en mijn huis gelezen. Formaliteiten, had Neal gezegd. Hij was mijn schoonzoon. Familie. En tot dan toe had hij zich altijd aan zijn beloften gehouden.

Maar die middag spreidde Neal de papieren op zijn bureau uit en liet me de relevante bepalingen lezen. Als echtgenoot had hij net zoveel recht op Nora's bezittingen en als hypotheeknemer op mijn huis was hij ook de wettige eigenaar. Maar als ik hem zou steunen in zijn plannen voor een verhuizing, bood hij me een compromis aan. Als hij mijn huis de rest van de zomer mocht gebruiken, zou hij voorlopig nog niets doen met de boerderij. Maar hij hield vol dat het voor iedereen beter zou zijn om afstand te nemen van al die herinneringen aan Simon.

Ik vroeg of we hem konden uitkopen, maar nu hij mijn uitkering uit zijn fonds had opgeschort tot onze toekomstplannen duidelijk waren, zou ik dat onmogelijk kunnen betalen.

'Vooral', zei hij, 'omdat je als vrouw in je eentje geen lening krijgt. En het zou onverantwoordelijk van mij zijn om jou te helpen bij iets wat volgens mij helemaal verkeerd is voor onze familie.'

Hij vroeg me om redelijk te blijven. Als ik me verzette, zou het uitdraaien op een pijnlijk juridisch gevecht.

'Waarom doe je dit nú?' vroeg ik.

'Die boerderij is niet goed voor ons. Ik begrijp werkelijk niet dat je eraan vast wilt houden', zei hij. 'Na wat er is gebeurd.'

Ik wilde hem zeggen dat dat juist een van de redenen was, maar hij gaf me de kans niet. Als 'dit' allemaal achter de rug was, zei hij, zou hij ervoor zorgen dat ik altijd genoeg geld zou hebben voor mijn vakanties.

'Dan kun je zo vaak rond de wereld reizen dat je duizelig wordt en eraf valt.'

Hij vertelde me zelfs dat hij van plan was om terug te gaan naar Chicago, waar hij was geboren en opgegroeid, en dat er binnenkort een functie als divisie-manager vrij kwam, waarvoor hij de belangrijkste kandidaat was. Hij was alleen hier naartoe gekomen voor Nora. Het was geen levenslange gevangenisstraf. Hij had hier lang genoeg gewoond om haar tevreden te stellen, nu was het zijn beurt om te bepalen waar ze gingen wonen. State Farm, zijn bedrijf, zou hem al in de herfst willen overplaatsen en ook voor Clea waren er veel meer mogelijkheden in de grote stad: musea, scholen, concerten. Alsof je die in St. Louis niet had. Nora zou met een schone lei kunnen beginnen, zonder roddels over haar zenuwinzinking. En ik zou zelf een kamer krijgen waar ik altijd kon komen logeren. Hij smeekte me om niet zo koppig te zijn en te begrijpen dat dit het beste was voor ons allemaal. Hij ijsbeerde door zijn kantoor en sloeg met zijn vuist in zijn hand als een honkballer die een handschoen test, met gekromde vingers en gestrekte armen. Ik probeerde me te concentreren op zijn argumenten om de fout in zijn logica te vinden – want die moest er zijn – maar ik merkte dat ik hem veel te graag wilde geloven.

Hij leek zo op Frank, die bij een meningsverschil altijd zei: 'Waarom kun je niet redelijk blijven?' Alsof ík de oorzaak was van alle problemen. En hoofdschuddend liep hij dan weg.

'Ik ken je niet meer als je zo egoïstisch bent, Margaret.'

Het leek wel alsof ik hem de weg naar het paradijs of het Beloofde Land versperde, en net als bij Frank voelde ik me volledig overrompeld door Neals argumenten. Hij begon zijn offensief in de stijl van: *Het gaat jou toch ook om het welzijn van onze hele familie?* En zoals alle vrouwen had ik al *Natuurlijk* gezegd voordat ik goed en wel wist wat hij zich daarbij voorstelde. Hij construeerde zijn hele redenering om míj heen, bediende zich steeds van termen als *het gezin, wij samen* en *ons geluk*, en veegde alle tegenwerpingen van tafel. Ten slotte stemde ik erin toe dat hij mijn huis mocht gebruiken, als hij me beloofde dat Nora voorlopig niet hoefde te verhuizen of er zelfs maar over hoefde na te denken.

'Over dit soort dingen moeten wij toch geen discussie hebben, Maggie?' zei hij, terwijl hij mijn handen in de zijne nam. 'Ik vind het vreselijk als we het niet eens zijn.'

'Het is een grote stap', antwoordde ik. 'We moeten er goed over nadenken.'

'Maar wat zijn je bezwaren dan?'

Ik dacht aan Nora, rijdend door de velden in de vroege ochtend; aan Grace en Simon, en mijn broertjes, zo dichtbij dat ik hen bijna kon aanraken als ik door de gang liep of het erf op stapte; aan het land dat alle stormen en emoties onverzettelijk had doorstaan. Ik kon geen woorden vinden om Neal uit te leggen hoe belangrijk dat was voor ons allemaal. Het leek maar zo'n vaag argument tegenover zijn cijfers en logica.

'Nora draait wel bij', zei hij. 'En tot die tijd zou je ons geweldig helpen door bij haar te blijven.'

Ik staarde naar mijn handen en trok de losse huid strak over mijn knokkels. Toen ik vertrok, riep hij met een glimlach: 'Na het eten spreek ik je nog wel.'

Met een klap trok ik de hordeur achter me dicht. De zon was zo fel dat mijn oogkassen er pijn van deden. Ik haalde diep adem om voldoende lucht binnen te krijgen in de verzengende hitte. Main Street leek verbleekt, als een kiekje met die nieuwe kleurenfilms die zo snel vervaagden, en in mijn verwarring nam ik de verkeerde kant toen ik terugliep naar mijn auto, die ik voor de Rexall had geparkeerd. Ik wilde niet dat Neal me weer langs zijn kantoor zou zien lopen, daarom liep ik verder, sloeg rechtsaf bij de juwelier, naar het steegje met de ondergelopen rails van de hijskranen, evenwijdig aan de rivier.

Ik wilde twee keer rechtsaf slaan om weer terug te komen in Main Street, waar mijn auto stond. Voorbij de verkeerspaaltjes aan het einde van de steeg liep ik door het smalle gangetje tussen de rivier en de loodsen van de houtopslagplaats en de graansilo. Het pad lag vol met rivierslib, dat in grote klonten aan mijn schoenen kleefde. Het water kabbelde over de rails en stond al hoog tegen de pijlers van de brug. Ik bleef even staan en hield mijn hand boven mijn ogen, alsof ik vanaf de oever over een uitgestrekt meer tuurde. Ik had het gevoel dat ik na

Simons dood zelfs de gewoonste dingen niet meer herkende. Ik was plotseling kwaad op hem, alsof hij zelf had gekozen om te sterven, en toen kwaad op mezelf omdat ik hem de schuld gaf, terwijl ik me door Neal Mahler, als een gifslang tussen de herfstbladeren, had laten wijsmaken dat zijn eigen belang hetzelfde was als dat van ons allemaal.

Voorzichtig liep ik het straatje door. Roze stokrozen groeiden tegen een schuur met haver, en een schurftige oranje kater keek op toen hij me zag naderen. Ik schoof langs een plas in een diepe kuil aan de linkerkant. Het water sijpelde in mijn schoenen en mijn kousen plakten als een natte huid om mijn benen. Neals redenering spookte nog steeds door mijn hoofd, als een wiskundeprobleem waarvoor ik de formule niet kende.

Een opening tussen de gebouwen, waar een oude loods was ingestort of gesloopt, kwam uit bij de achterkant van de winkels in Main Street. Bakstenen muren met houten trappen naar de voorraadkelders. Vuilnisemmers in grillige rijen, met hun deksels schots en scheef. Stapels lege dozen naast de achterdeuren. Onkruid met hier en daar wat wilde bloemen.

Ik leunde tegen de deur van de volgende schuur. De rivier stond hoog tegen de oever en het water verborg de struiken en het afval dat er normaal rondslingerde. Ik had maar een vage herinnering aan de omgeving en wist me de details niet meer voor de geest te halen toen ik daar stond, tussen het ruwe hout van de loods en het grijze water van de rivier.

'Dit kun je Nora niet aandoen. Dat kan niet.'

Maar in dat verlaten steegje kon ik nog steeds geen argumenten bedenken waarom, evenmin als Nora zou kunnen bewijzen dat de rivier niet hoger zou komen dan tot de voet van de heuvel waarop haar huis stond.

De schuurdeur, die met wieltjes aan een rail hing, schoof plotseling open en ik gaf een kreet van schrik. Een oude zwerver stak zijn hoofd naar buiten. Het vuil vulde zijn rimpels als aderen in een stuk marmer. Zijn haar was piekerig en zijn broek glom van het lichaamsvet. Hij stapte langs me heen het straatje in, terwijl hij met een hand op zijn gulp zijn genitaliën verschikte.

'Je stond in jezelf te praten, dame', zei de zwerver en grijnsde zijn slechte tanden bloot.

Hij stonk naar drank, urine en vreemd genoeg ook naar de talkpoeder die ik voor Nora, Clea en Simon had gebruikt toen ze nog baby's waren.

'Heb je wat geld voor me?' Hij stak zijn hand uit alsof hij mijn mouw wilde pakken en ik draaide mijn schouder weg.

'Je hebt toch wel wat over?' vroeg hij.

Ik lachte, nerveus en angstig. Hij boog zich wankelend naar voren en spuwde op de grond.

'Vooruit dan', zei hij weer. 'Ik weet dat je genoeg hebt.'

Ik zocht in mijn portemonnee, verborg snel een briefje van vijf in mijn zak en liet wat muntjes in zijn hand vallen. Hij telde het geld.

'Ik dacht dat het water ook bij mij naar binnen zou komen, maar het is net op tijd gestopt. Zie je?' Hij tikte met de neus van zijn schoen naar de hoogste waterlijn, een paar centimeter onder de schuur. 'Maar het is wel vochtig binnen en die rivier stinkt.'

Onwillekeurig snoof ik de geur van verrotting en schimmel op.

'Ik zag twee dode varkens en een muilezel voorbij drijven', zei hij. 'Zelfs een paar doodskisten die het water had opgewoeld. Je maakt van alles mee bij zo'n overstroming en het is nog niet voorbij.'

Abrupt deed hij een pas opzij om me door te laten.

Haastig liep ik naar mijn auto, deed het portier op slot en draaide het raampje pas omlaag toen ik vier straten verder was. De wind droogde het zweet op mijn gezicht, rood van de hitte, toen ik door Blanchette Park en over Elm Point Road naar de buitenwijk van nieuwe kleine bungalows reed. Ik probeerde mijn gedachten op een rij te zetten, maar het lukte niet. Nog steeds zag ik de graaiende hand van die zwerver voor me. Ik schaamde me dat ik hem niet opzij had durven duwen. Waarom had ik hem niet kunnen afpoeieren of gewoon nee gezegd?

Ik reed naar mijn huis en liet mezelf binnen met de sleutel

die ik al een maand niet had gebruikt. Ik liep door de kamers beneden, nog steeds niet vertrouwd met mijn eigen spullen na zo'n lange afwezigheid. Vier keer liep ik het huis door, zwaaiend met mijn armen en stampend met mijn voeten om mijn woede af te reageren. Hier in LaCote gedroeg ik me weer zoals iedereen het van me verwachtte. Hier gehoorzaamde ik als een goed afgerichte hond!

Clea boog zich over het traphekje. Met ronde ogen en blosjes op haar wangen veegde ze haar haar uit haar gezicht.

'Oma?' Ze ging op de bovenste tree zitten en keek door de spijlen heen. 'Ik dacht dat het pappa was.'

Haar schoonheid overviel me. Haar huid was roomblank, als witroze bloemblaadjes. Sinds mijn vakantie had ik haar nog niet goed bekeken.

'Je vader zei dat je was picknicken.'

'Kramp in mijn buik', zei ze en kwam nog wat verder de trap af. 'Ik ben naar bed gegaan met een kruik.' Ze wees naar haar kamer. 'Ik zal me wel aankleden.'

Ze trok aan haar gekreukte blouse, die half uit haar short hing. Met blote benen, lang en slank, sprong ze de trap op, met twee treden tegelijk.

'Zo terug!' zong ze.

Toen viel de deur van haar kamer dicht en hoorde ik haar bed kraken. Zachtjes liep ik de trap op en bleef staan met mijn hand op de balustrade. Ik hoorde wat gemompel en het zachte geritsel van kleren, met daartussen de stilte, alsof het huis zijn adem inhield onder het geratel van de zolderventilator.

Ze deed de deur weer open, nu gekleed in een witte mouwloze blouse en een lange rok met gele bloemen. Druk pratend vertelde ze me over haar zomer en bood me ijsthee of ijskoffie aan in de keuken – alles om me bij die verdachte deur vandaan te krijgen.

Toen ik door de gang naar haar kamertje liep, hóórde ik bijna dat haar adem stokte. Heel even bleef ik voor de dichte deur staan, alsof ik er doorheen kon kijken. In gedachten zag ik hem gebukt achter de deur zitten, die jongen, slank als een veulen.

Ik stelde me voor dat ze op het bed hadden liggen vrijen en ik dacht aan Grace die bij het aanrecht had gestaan om de aarde van de versgeplukte wortelen te wassen toen ik op een avond met Frank zou uitgaan.

'De koran', had ze gezegd, zonder op te kijken, 'zegt dat je ook verantwoordelijk bent voor die toegestane geneugten waaraan je niet hebt deelgenomen.' Ze hield een wortel omhoog, zwaaiend met het loof, en inspecteerde hem bij het licht van de keukenlamp.

'Hoe weet jij wat de koran zegt?' vroeg ik.

'Omdat ik er een groot deel van heb gelezen toen ik zwanger was van jou.'

Ik verzekerde haar dat Frank wilde wachten tot onze huwelijksnacht.

'Alle mannen hebben hun gebreken', zei mijn moeder.

Nu ik meer dan oud genoeg was, vroeg ik me af welke geneugten Grace zichzelf had toegestaan. Hadden de knechten haar zo aanbeden om wat ze had gegeven of om wat ze hun altijd had geweigerd? Ik dacht aan de pleziertjes die ik mezelf had gegund, lang na Franks dood. Maar hoeveel genot mocht Clea kennen nu ze pas vijftien was?

Ik zei dat ik een boek kwam halen uit de kamer van haar vader. Niet *mijn* kamer, maar die van Neal. Ze keek opgelucht toen ik terugkwam door de gang met het excuus onder mijn arm en ik voelde even iets van spijt om het verlies van Clea's jeugd, als water dat door mijn vingers stroomde.

'Ik moet met je praten', zei ik tegen haar. 'Over waar we allemaal gaan wonen.'

'O ja?' vroeg ze.

'Wat wil jij?'

'Het lijkt me wel leuk om de herfst hier in de stad te blijven.' Ze keek me met grote ogen aan.

In gedachten zag ik haar na schooltijd, iedere dag, verstrengeld met die verborgen jongen, veilig op haar kamer omdat Neal nooit eerder dan om vijf uur thuiskwam van kantoor.

'Ik heb het over Chicago', zei ik.

'Chicago? Nee, daar wil ik niet heen.'

'Maar je vader wel.'

'Welnee. Hij wil alleen maar een tijdje in de stad wonen.'

'Nee. Hij is van plan om in het najaar definitief naar Chicago te verhuizen.'

Ze kauwde op haar onderlip.

'Je moeder en ik missen je', zei ik.

'O', zei ze, en haar stem stierf weg. 'Ik heb het druk met mijn school en mijn vrienden. En ik heb autorijles. Ik wilde jullie niet storen.'

'Pas heel goed op met die jongen boven', zei ik tegen haar, terwijl ik haar kin stevig in mijn hand nam. 'Zoals je overgrootmoeder ooit tegen mij zei: begin nooit aan iets wat je niet aan kunt of wat je eigenlijk niet wilt.'

Ze keek me strak en koppig aan.

'Begrijp je me, Clea? Aan sommige dingen ben je nog niet toe. Het begint allemaal onschuldig, maar je weet niet waar je moet stoppen.'

Ze sloeg haar ogen neer en knikte. Toen ik wegging, keek ze me na door de vitrage voor de lange ovale ruit in de voordeur. Ik weet zeker dat ze daar bleef staan totdat mijn auto uit het gezicht verdwenen was. Ik vond haar nog zo jong voor dit alles, totdat ik aan mezelf dacht op haar leeftijd, toen ik vond dat ik al heel veel wist en zo graag de liefde van een jongen wilde. Ik herinnerde me het verlangen uit die tijd, dat wisselde van genotvolle pijn tot uitzinnige vreugde. Die ervaringen wilde ik haar niet ontzeggen, maar ik was ook bezorgd om haar.

Ik stopte bij de IGA om boodschappen te doen, maar de parkeerplaats met al die auto's die met hun neuzen naar een stenen muur stonden, maakte me depressief. De gedachte dat ik eten moest kopen voor Nora en mezelf beroofde me van mijn laatste restje energie. Er kwam een vrouw voorbij met een baby in een wagentje, een meisje met bolle wangen en parelwitte stompjes in haar kwijlende mond. Ze opende en sloot haar vuistjes om naar me te zwaaien. Een kindje zoals Clea zou kunnen krijgen als we haar te veel aan haar lot overlieten. Een baby zoals Simon op de wereld had kunnen zetten.

Het bleef maar door mijn hoofd malen. Ik stond doelloos bij de groente, kneep in de sla en kon me niet meer herinneren waar ik precies voor kwam. Er hing een spiegel over de hele lengte van de toonbank, waarin ik de stapels verse groente zag, en mijn eigen hand die er willekeurig wat uit haalde. Ik sloot mijn vingers om de rode, rijpe tomaten. Toen ik me voorover bukte om een van de achterste te pakken, keek ik in de spiegel naar de wijde poriën van mijn neus en mijn witte huid, slap als deeg. Wanneer was ik zo oud geworden? Ik zag mezelf voor mijn ogen aftakelen.

Ik dacht aan Nora met de pasgeboren Clea. Ik voelde Nora's gewicht in mijn eigen armen – zoals ikzelf door Grace was vastgehouden, en zij door haar moeder. Ik wist dat het tegenstrijdig was om Clea's onschuld te bewaken en tegelijk spijt te hebben dat Simon niets levends van zichzelf had nagelaten.

Toen ik thuiskwam en de boodschappen had opgeborgen, bleef ik op de veranda staan. Nora lag boven te slapen. Ik probeerde het land te zien zoals Grace het zag: als een eigen plek die we nu voor Nora moesten beschermen. De zon, rood en agressief als Mars in een lage baan, behoorde toe aan deze ene dag, maar het erf met de hekken, het pad naar de hoofdweg en de velden, en de heuvels met uitzicht over de rivier konden niet veel veranderd zijn sinds Grace hier had gestaan. En die paar veranderingen waren hooguit oppervlakkig.

Ik zocht dezelfde plaats waar ik me haar herinnerde, met mijn armen over elkaar en mijn voeten gespreid, alsof ik tot haar gedachten zou kunnen doordringen door precies dezelfde houding aan te nemen, om erachter te komen wat zij in deze situatie zou hebben gedaan.

Zo werd ik me bewust van de vreemde tegenstellingen in haar karakter. Hoe ze de boerderij had overgenomen, en haar hele familie, en zelfs Nora, toen bleek hoeveel ze op elkaar leken. Mij had ze met rust gelaten, zodat ik mijn eigen weg kon gaan, omdat ik zo anders was dan zij. Intuïtief had ze geweten wat ze kon overnemen en waar ze vanaf moest blijven. Tot op dit moment was dat onderscheid altijd een angstig mysterie voor me geweest. Ik had nooit kunnen beslissen waarvoor ik zou moeten vechten met dezelfde kracht als zij.

Als Grace vond dat een zaak de moeite waard was, kon het haar niets schelen wie ze boos maakte of angst aanjoeg. Ze had zichzelf leren waarderen, dat was het wezenlijke verschil tussen ons.

Maar dat zou ik ook kunnen leren, net als zij. Terwijl de avondhemel de kleur van een kneuzing aannam, was ik blij met die mogelijkheid, maar ook bang voor de kracht ervan. Ik wiegde heen en weer op mijn voorvoeten, balancerend als een bokser. Want ik zag Neal Mahler niet langer als iemand die ik te vriend moest houden, maar als een gevaar waartegen ik me moest verdedigen.

HOOFDSTUK 8

Neal
Mahler

Zodra ik Maggies huis binnenstapte, voelde ik me opgelucht, bevrijd van zoveel dingen die me hadden dwarsgezeten. Het huis zelf stelde niet veel voor, zo'n onopvallend roodstenen 19de-eeuws huis met een witte houten veranda en een gebrandschilderd raam op de overloop van de eerste verdieping. De leidingen moesten worden vervangen door nieuwe koperen buizen, de leertjes van de kranen waren versleten en de koordjes van de zonwering waren kapot – het soort dingen waar een vrouw alleen niet toe in staat was, zelfs een vrouw die vaker thuis was dan Margaret Rhymer.

Als het mijn eigen huis was geweest, zou ik het bad hebben betegeld, de kranen vervangen, de overbodige opsmuk verwijderd en het raam boven de trap hebben dichtgemetseld. Het zou meer waard zijn als het er niet zo ouderwets uitzag. Maar voor de zomer was het comfortabel genoeg, met de grote eikenbomen die voor schaduw zorgden en een leuke tuin om in te zitten. Als ik wilde, zou ik lopend naar kantoor kunnen gaan, en Clea's school lag maar vijf straten verderop, voor het geval we ook in de herfst nog zouden blijven. Maar ik ging ervan uit dat we tegen die tijd allemaal naar Chicago zouden zijn verhuisd.

Eerst moest ik de problemen van de overstroming oplossen. Half juli was het water van de Missouri nog steeds niet gezakt en niemand had enig idee hoe groot de schade zou zijn. Maar de boeren stonden al op de stoep voor een uitkering voor de sojabonen die nooit waren geplant of de maïs die niet geoogst kon worden. Ik zei dat een deel misschien de overstroming zou overleven, maar ze jammerden dat ze het geld nodig hadden om hun personeel, de aflossingen van hun machines, de boodschappen en doktersrekeningen te betalen. De banken gaven geen voorschotten op oogsten die misschien totaal verloren zouden gaan en dus was ik hun laatste kans. Ik zei dat ik met hen meevoelde, maar dat mijn handen waren gebonden door State Farm en de rivier zelf. Als het geschikte moment was aangebroken, zou ik mijn best doen hen te helpen, maar dit was nu eenmaal een tijd waarin de meeste mensen het moeilijk hadden.

Met de rest had ik minder medelijden. Die hadden zich niet willen verzekeren. Toen ik bij hen langs kwam, hadden ze allerlei excuses gehad om nee te zeggen. Hun vaders hadden zich ook nooit verzekerd, het water kwam niet zo hoog of richtte niet veel schade aan. Ze hadden op dat moment geen geld of ze zouden er wel op terugkomen zodra ze de schuur hadden gerepareerd of het gras hadden ingekuild. Ik herinnerde hen eraan wat een ellende de vorige overstromingen hadden veroorzaakt en dat dit een nog grotere ramp dreigde te worden. Ik was zelf ook weggegaan uit een huis dat nog nooit door het water was overvallen, omdat ik me ongerust maakte om mijn gezin.

Toen de rivier begon te stijgen, kwamen ze vragen of het aanbod nog steeds gold. Ik zei dat ze zich niet tegen brand konden verzekeren als het huis al in de fik stond. Dat gold ook voor overstromingen. Als je uit mijn kantoor naar buiten stapte, kon je het water al bijna door de zijstraat omhoog zien komen. Sommigen protesteerden, maar de meesten begrepen wel dat ze zich hadden verkeken. Verzekeringen waren een gok en ze waren allemaal ervaren dobbelaars.

Soms dacht ik erover na hoe dat werkte. Als je een levensverzekering nam en je overleed meteen nadat je de eerste premie had betaald, had je gewonnen en de verzekeringsmaatschappij verslagen. Financieel, tenminste. Toen mijn kinderen in de achtste groep kwamen, had ik een polis voor hen afgesloten om hun studie te betalen. Nu zag ik dat als een ongelukkig voorteken, daarom had ik Clea's verzekering afgekocht. Ik voelde me een heel stuk beter toen ik haar cheque – en Simons afkoopsom – op een bankrekening had gestort. Zand erover.

Nog dezelfde avond hing ik mijn kleren in Maggies kast, haar jurken aan twee kanten van de roe en mijn hemden en pakken in het midden. Wat had ze een rotzooi in die kast. Onderin stonden schoenendozen, bovenin hoedendozen, en aan de haakjes hingen sjaals en riemen, als slangen aan een boomtak. Ik was bang dat ik het hele zootje op mijn hoofd zou krijgen, net als in Nora's kast, dus besloot ik haar een dienst te bewijzen door wat orde te scheppen. Het leek me beter de dozen op de grond te zetten, maar die stond ook al vol. Overal zag ik dozen, in alle soorten en maten. Toen ik er eentje uit de kast wilde trekken, bleef hij steken en scheurde ik het deksel kapot. Het karton was oud en zacht, daar kwam het door, en een hele stapel oude foto's dwarrelde naar beneden.

Ik wilde ze oprapen en weer in de doos doen. Het was al laat, het enige licht kwam van het bedlampje en ik was niet gesteld op al die kleine figuurtjes en gezichten die me aanstaarden – Nora als kind, op haar paarden, met haar vader voordat hij stierf, of opgetut voor het schoolbal met corsages op haar schouder. Daarna Nora en ikzelf, met onze armen om elkaar heen, en op de stoep voor dit huis, de dag dat we ons hadden verloofd. Nora op mijn schoot in de Meramac Caverns, en wij samen met Simon in onze armen, heel klein nog in zijn dekentje, als een rups in een cocon.

Wat leken we nog jong. En gelukkig. Ik kon me niet meer herinneren hoe dat was geweest of hoe ik haar vroeger had gezien en gedacht dat ze haar hele leven van me zou houden.

Ik hield een foto van Nora en haar vader onder de lamp om de details te bekijken. Ze zat op zijn dressuurpaard, een Tennessee Walker waarmee hij overal van die rozetten won, die nu bros en stoffig hingen te worden in de zadelkamer van de stal. Frank Rhymer hield zijn gleufhoed tegen zijn borst en leunde een beetje naar voren, met zijn zweepje achter de knieën van het paard, stijf en stram, alsof ze allebei een buiging wilden maken. De nek en de staart van het paard vormden een boog, zoals dressuurpaarden hoorden te staan, en zijn vacht glom als een spiegel. Nora droeg een lange zwarte amazonejurk en een hoge hoed met een voile. Ze moest een jaar of vijftien zijn geweest, van Clea's leeftijd. Ze leek op een jonge weduwe uit de vorige eeuw.

Ik kon me de naam van het paard met geen mogelijkheid herinneren. Het was een zenuwachtig, prikkelbaar dier geweest, dat eens had geprobeerd me te trappen toen ik er achterlangs liep. Opeens flitste die hoef naar achteren. Hij zou mijn knieschijf hebben verbrijzeld als hij me had geraakt. Nora's vader probeerde Nora altijd mee te krijgen naar zijn dressuurwedstrijden, maar oma Grace was hem vóór geweest en haar ervan overtuigd dat dressuurpaarden werden mishandeld. Maar Frank hoopte dat Nora er toch plezier in zou krijgen als hij haar zo nu en dan voor hem liet rijden.

'Als ik je als winnares zou zien', zei hij maar steeds, 'zou ik zo trots op je zijn.'

Maar hij stierf toen ze negentien was, kort nadat wij elkaar hadden ontmoet, en Margaret Rhymer verkocht het paard bijna voordat ze Frank hadden begraven. Ik heb altijd gedacht dat ze daar de begrafenis van hadden betaald, maar toen we al jaren getrouwd waren, praatte ik er nog eens over met Nora, in 1942, aan het begin van de oorlog, toen het niet goed tussen ons ging. Ze was de hele maand al zenuwachtig, bang dat ik voor de dienst zou worden opgeroepen en zou sneuvelen. Alsof de As-mogendheden maar één doel hadden: Amerika veroveren en haar twee baby's vermoorden. Ik zei dat ze zich geen zorgen hoefde te maken totdat het echt gevaarlijk werd. Ik moest haar beloven dat ik niet vrijwillig dienst zou nemen. Dat was haar grootste angst, dat ze in haar eentje voor de kinderen zou moeten zorgen, terwijl de mannen bij bosjes sneuvelden.

Dat vond ik nogal onnozel en morbide. Volgens mij had ze de vroege dood van haar vader niet goed verwerkt, en dat zei ik haar ook. Ik wist dat zij en haar moeder een moeilijke tijd

hadden gehad. Frank Rhymer had geen verzekeringen afgesloten en heel wat schulden nagelaten in de crisistijd. Ze waren
bijna de boerderij kwijtgeraakt en hadden nog maar twee paarden over toen ik hen te hulp schoot. Maar hoe ik Nora ook verzekerde dat zoiets nooit meer zou gebeuren, toch gedroeg ze
zich alsof de Jappen al onderweg waren om LaCote te bombar-
deren. Als ik haar verliet, zou ze het niet overleven, of in elk
geval aan de bedelstaf raken.

'Flink zijn', zei ik tegen haar. 'Laat je vader trots op je zijn.'

Ze was een tijdje stil en keek uit het raam alsof ze verwachtte dat hij ieder moment kon binnenkomen. Ik dacht dat de discussie gesloten was en ging aan mijn bureau zitten om wat
rekeningen te betalen. Nora liep de trap op en ik hoorde dat ze
het bad liet vollopen. Toen ze weer naar beneden kwam, ging
ze tegenover me op de bank zitten en praatte weer verder alsof
we nog midden in een gesprek zaten.

Eerst vertelde ze hoe ze haar best had gedaan om het haar
vader naar de zin te maken. Hij wilde haar laten rijden in de
volwassen competitie en trainde haar elke dag, behalve zon-
dags. Urenlang oefende ze om de gangen en figuren perfect te
krijgen. Ze deed alles wat hij zei, tot ze pijn in haar rug, haar
armen en haar benen kreeg vanwege al die geforceerde hou-
dingen. Maar hij was nooit tevreden. Op een dag, ongeveer een
jaar voordat hij stierf, zei Frank Rhymer tegen haar dat zelfs
een debiel zijn instructies beter had kunnen opvolgen. Hij was
zo kwaad dat zijn hoofd ervan trilde. Toen draaide hij zich om
en liet haar achter op zijn paard, midden in de bak.

Dat was het moment waarop alles anders werd tussen hen,
zei ze. Ik begreep niet waarom ze hem dat zo kwalijk nam,
maar voor Nora was het de laatste druppel geweest. Ze besloot
zijn gelijk te bewijzen en zorgde ervoor dat ze nooit meer een
hoofdprijs won. Wel een witte of een groene rozet, maar nooit
een rode, een blauwe of een paarse. Dan groef ze haar hakken
in of trok te veel aan de teugels, zodat het paard een misstap
maakte of met zijn hoofd schudde naar de jury. Als het maar
een foutje was, om haar vader te treiteren. Toen hij stierf, ver-
kochten zij en haar moeder dat paard, het enige wat Frank het

liefst had willen houden. Uit wraak, dat wist ik zeker.

De avond dat Nora me dat vertelde, was de eerste keer dat ik haar zag zoals ze werkelijk was. Ze zat in een hoek van de bank in de huiskamer, met haar blote tenen onder de zoom van de ochtendjas die ze na haar bad had aangetrokken. Terwijl ze dat verhaal vertelde, bewoog ze steeds haar tenen en masseerde haar voet alsof ze hem verstuikt had of zoiets. Ik was geschokt dat ze zo dwars tegen haar vader was ingegaan. Ik kon niet geloven dat een vrouw zoveel woede in zich kon hebben of dat een meisje zo gemeen kon zijn, terwijl haar vader haar alleen maar had laten helpen bij iets wat hem het dierbaarst was.

En al die tijd had ik het gevoel dat ze mij op de een of andere manier bedreigde. Haar stem was zacht en trilde. Zo nu en dan keek ze me even aan om te zien hoe ik reageerde. Ze zei het niet met zoveel woorden, maar ik begreep dat ze iedere man op precies dezelfde manier zou behandelen als ze dat nodig vond.

Ik zei niets toen ze uitgesproken was, behalve dat ik het nogal egoïstisch van haar vond dat ze haar vader zo had gekwetst. Ze hield haar hoofd schuin en keek me met half dichtgeknepen ogen aan, alsof ik plotseling een tweede neus had gekregen.

'Maar begrijp je dan niet wat hij ons had aangedaan?' vroeg ze.

'Wat dan?' vroeg ik. 'Dat hij zijn hele leven hard gewerkt had om jullie een goed bestaan te geven?'

'Daar gaat het niet om', zei ze.

'Wat ontgaat me dan?' vroeg ik. 'Ik herinner me jou als een kleine prinses. Je ging naar die privé-school waar Clea nu ook op zit, je had je eigen paard en bijna alles wat een meisje maar kon wensen. Wat heeft hij dan verkeerd gedaan? Vertel me dat eens.'

Ze keek een tijdje alsof ze in huilen zou uitbarsten, en ik dacht dat ik haar had overtuigd. Maar Nora wilde natuurlijk het laatste woord, zoals altijd, ook al sloeg het nergens op.

'Die dingen deed hij niet voor óns.'

'Doe niet zo belachelijk', zei ik.

'Hij hield alleen maar rekening met zichzelf.'

Ik schudde mijn hoofd en liep de kamer uit.

'Wij bestónden niet echt voor hem', riep ze me na.

Toen ik daar in de donkere gang stond, werd ik zo kwaad dat ik haar zou hebben geslagen als ik niet weggelopen was. Ze scheen míj de schuld te geven van wat haar vader volgens haar had misdaan. Maar ik had de pastoor beloofd om voor altijd bij deze vrouw te blijven, om nog maar te zwijgen over de twee kinderen voor wie ik verantwoordelijk was. Wat kon ik anders doen?

Dus pakte ik mijn hoed en mijn jas en vertrok. Ik sloeg de deur met een klap achter me dicht om haar te laten weten hoe ik erover dacht. Ik reed naar de stad, vijfentwintig kilometer verderop, en stopte bij Earl's, een bar in LaCote. Ik kwam er zelden, maar die avond was het te koud om buiten te blijven en ik wilde andere mensen om me heen. De kroeg had een bar van glazen blokken met blauwe lampen erachter en een grote Wurlitzer jukebox met rode en groene verlichting tegen de andere muur. Het was er rokerig en lekker warm na de kou, hoewel ik het op dat moment overal gezelliger zou hebben gevonden dan thuis.

Ik ging aan het eind van de bar zitten en bestelde een Greisedick Brothers. Toen ik door de bruine fles naar mijn handen keek – naar mijn vingers die helemaal niet op míjn vingers leken, en misschien niet eens op vingers – dacht ik weer aan Nora die ineengerold op de bank had gezeten terwijl ze haar voeten masseerde als een invalide. Aan een tafeltje achter me praatte een groepje mannen over de strijd bij Wake en wie zich in het stadje al had aangemeld of onder de wapens was geroepen. Een dikke jongen met een babyface, die het groepje een tijd in de spiegel had gadegeslagen, draaide zich plotseling op zijn barkruk om.

'Ik vertrek de volgende week', zei hij, terwijl hij het etiket van zijn bierfles peuterde. 'Ik heb getekend, ik ben gekeurd en ik ga erheen.'

Hij hief zijn fles als een toost in hun richting.

Een oudere man wenkte de barkeeper. 'Geef hem wat te drinken van me.'

'Hij drinkt al van het huis, Bill', zei de barman.

'Geef hem dan wat mee voor thuis.'

'Een heel krat', zei een van de anderen. 'Wat hij maar wil. Hij gaat die vervloekte Jappen te grazen nemen.'

'Misschien sturen ze me wel naar Europa', zei de kersverse soldaat.

'Dat is ook goed. Die rotmoffen een lesje leren. Al die klootzakken die hier willen komen om óns te vertellen hoe we moeten leven!'

'Waarom ga je zelf niet, Billy?' vroeg een van zijn vrienden. De anderen aan het tafeltje lachten en joelden.

'Astma.' Hij sloeg met zijn vlakke hand tegen zijn borst. 'Ik ben vijfendertig. Mij willen ze niet meer.' Hij lachte. 'En Doris, natuurlijk. Die laat me niet gaan. Als ik wil vechten, zegt ze, doe ik dat maar met haar.'

'Op Doris!' zei de soldaat en hief weer zijn flesje.

'Op astma', zei Bill.

Ze hieven allemaal hun fles naar de soldaat, alsof hij nu al een held was. Ik kreeg het vreselijk benauwd. Het leek of de muren op me af kwamen en ik geen lucht meer kreeg. Ik zag Nora thuis zitten, met haar hoofd in haar nek en haar lippen getuit, terwijl ze alle lucht naar binnen zoog, zodat er voor mij niets overbleef. Toch zou ik met haar verder moeten leven, terwijl ik wist dat ze niet genoeg van me hield. En die drukke kinderen... en elke dag hetzelfde werk, zonder dat het iemand iets kon schelen wat ik allemaal moest doorstaan om voor hen te zorgen.

Ik dronk nog een paar biertjes voordat ik naar huis reed en zag de boerderij als een kist waarin ik met Nora opgesloten zat. Ik bleef in de deuropening van onze slaapkamer staan. Het licht van de gang wierp een grote witte driehoek op de grond. Nora lag te slapen alsof er niets gebeurd was. Ik verlangde opeens naar haar, hoewel ik werkelijk niet wist waarom die aanblik me een erectie bezorgde. Eerst deed ik de deuren van de kinderen dicht, toen onze eigen deur. Ik streek met mijn hand over mijn borst en mijn buik, tot aan het puntje van mijn pik, die recht naar voren stond. Ik schoof onder de dekens, ging dicht tegen haar rug aan liggen en begon haar te strelen, onder haar nachthemd, dat ik tot hoog onder haar armen trok. Ik spreidde mijn vingers over haar buik en trok haar nog dichter tegen me aan. Ze deed alsof ze sliep, maar dat kon niet, dus draaide ik haar op haar rug, ging schrijlings op haar heupen zitten en tastte naar haar borsten. Ik draaide de tepels als kleine radioknoppen rond.

Ze draaide haar hoofd weg en kreunde. Maar toen ze mijn handen probeerde weg te duwen, kon ze geen kracht zetten omdat ze nog steeds deed alsof ze sliep. Als ze echt niet wilde, had ze mijn polsen kunnen grijpen en vasthouden. Of ze had uit bed kunnen stappen om naar een andere kamer te gaan, of naar Maggies huis. Maar dat deed ze niet, dus nam ik aan dat het wel goed was. Ik vond het prettig om over haar heen te liggen, omdat ze dan zo klein en plat tegen de matras lag, onder mijn gespreide benen.

Heel even opende ze haar ogen en drukte haar vuisten tegen mijn handen op haar borsten. Haar hele lichaam verstijfde en ze kneep haar ogen weer dicht. Maar ik vond dat ze me wel wat schuldig was na die scène die ze had gemaakt. Ze moest weer voelen dat ik haar man was.

Ze bleef liggen als een slappe vis en reageerde nergens meer op, dus stootte ik wat harder. Na elke stoot wachtte ik om te zien wat ze zou doen.

'Je maakt mij niks wijs', zei ik. 'Je bent wakker, of niet?'

Maar ze wilde zich niet bewegen of me aankijken. Ik begon harder en sneller te stoten. Ik kon het nu niet meer tegenhouden. Ik greep haar schouders en zette mijn armen schrap. Ik ging door totdat ik klaarkwam, maar nog steeds hield ze zich dood, zelfs toen ik steunend en hijgend over haar heen viel. Ik hoopte dat ze mijn haar van mijn voorhoofd zou vegen of een arm om me heen zou slaan, maar ze negeerde me volledig, die vrouw met wie ik de rest van mijn leven zat opgescheept. Ik trok haar naar me toe, maar ze wilde haar ogen niet opendoen. En toen ik eindelijk van haar af rolde en haar mijn rug toedraaide, hoorde ik dat ze lag te huilen in haar kussen.

De volgende dag ging ik naar McDonnell en werd aangenomen bij de productie van jachtvliegtuigen. Het was precies twee maanden na mijn zesendertigste verjaardag. Ik zei tegen Nora dat ze het verzekeringskantoor open moest houden, hoewel ik niet verwachtte dat ze nieuwe polissen zou afsluiten. Maar ze moest wel leren hoe ze de bestaande portefeuille moest beheren, zodat er nog iets over zou zijn als de oorlog afgelopen was. Ik waarschuwde haar dat het kantoor op de eerste plaats kwam, niet haar paardenhobby of zelfs de boerderij, omdat we allemaal ons steentje moesten bijdragen. Ze deed het goed, zoals alle vrouwen die in de oorlog alleen achterbleven. Ze vergrootte zelfs het klantenbestand, een bewijs dat ze een intelligente vrouw was die zich uitstekend kon redden.

Ik draaide dubbele diensten, maar het enige wat ze ooit tegen me zei wat dat ik dat baantje alleen had genomen om bij haar weg te zijn. Na een tijdje luisterde ik niet meer. Wie heeft er behoefte aan een gebarsten grammofoonplaat?

Verdomme, zelfs mensen die ik nauwelijks kende hielden me op straat aan om te zeggen dat ze bewondering hadden voor wat ik deed. Van mijn eigen vrouw hoorde ik er nooit iets positiefs over, maar dat gaf niet. Die verandering had het gunstige gevolg dat ik me niet meer zoveel van Nora aantrok en het waarschijnlijk wel met haar zou uithouden.

De verhuizing naar Maggies huis gaf me hetzelfde gevoel van een nieuwe start, net als in de oorlog. Ik begreep niet waarom Nora nog op de boerderij wilde blijven. Elke keer als ik daar binnenstapte, zag ik Simon weer de trap afkomen. Als ik zat te eten, dacht ik dat hij tegenover me zat. Ik kon niet langs zijn kamer lopen, zelfs met de deur dicht, zonder terug te denken aan al die keren dat ik even naar binnen had gekeken als hij zat te lezen, te studeren of zomaar uit het raam staarde naar de moerbeiboom. Al die keren dat ik hem niet had gevraagd hoe het met hem ging, waar hij aan dacht of zelfs maar zijn deken had rechtgetrokken of mijn hand op zijn hoofd had gelegd als hij sliep.

Ik kon niet terug naar dat huis waar Simon nog overal aanwezig was. En met Nora viel niet te praten. Haar dokter zei dat vrouwen soms zo reageerden als ze een te grote schok hadden gehad. Dan hadden ze hulp nodig om het gewone leven weer op te vatten. Daarom stelde hij voor haar naar het ziekenhuis van St. Louis te brengen, voor een rustkuur. Het was goed als ze een tijdje bij de plek van het ongeluk vandaan zou zijn, dacht hij. Bovendien hoefde ze zich dan nergens druk over te maken en zouden de zusters wel voor haar medicijnen zorgen.

Ook adviseerde hij een therapie voor vrouwen die aan een depressie leden of onbeheerst gedrag vertoonden. Zo omschreef hij Nora's toestand. En die therapie had goede resultaten, zei hij. Ik was niet overtuigd, want uit zijn beschrijving begreep ik dat ze haar elektrische schokken wilden toedienen. Maar hij zei dat ze er niets van zou voelen en dat ze door die behandeling met één klap weer in het rechte spoor zou komen.

Hij liet me een paar artikelen in zijn medische vakbladen lezen en verkocht me de behandeling zoals ik polissen verkocht. Het was de moeite waard als Nora weer beter zou worden en we opnieuw zouden kunnen beginnen, ergens zonder herinneringen. Ze zou er wel aan wennen, en het was voor haar eigen bestwil. Tenslotte hoorde ze bij haar gezin. Dat kon ze toch niet ontkennen?

HOOFDSTUK 9

Clea Mahler

De rivier verdeelde de grond in eilandjes. De maïs had natte voeten en was al bruin verkleurd; de oogst stonk slijmerig, als water in een vaas met rottende bloemen. Mijn vader reed met me langs Orchard Farm om te zien wat de overstroming tot nu had aangericht, en zelfs de lagere delen van de weg stonden al onder water. De banden klopten het modderige water omhoog als een eierklutser. Toen we terugkwamen, liepen we naar de oever achter zijn kantoor. Voordat hij me naar huis stuurde, zei hij nog dat we geluk hadden om in de stad te wonen.

Ik liep de steile straten op, vanaf de rivier, en kwam hijgend bij het huis van mijn oma aan. Ik had kramp in mijn kuiten. Toen ik omkeek naar de rivier, die anders zo keurig in haar bedding bleef, zag ik een gladde, grijswitte watermassa die alles bedekte. Ook de bomen aan de lage, vlakke overkant stonden al bijna onder water. Andere bomen en stammen werden meegesleurd door de rivier, als door een levend wezen.

Dat we nu in Maggies huis woonden, noemde mijn vader 'onze kleine vakantie', voordat we helemaal opnieuw zouden beginnen. 'Net alsof je een streep trekt in het zand en eroverheen stapt', zei hij.

Dat wilde ik wel. Op een avond voordat we naar de stad verhuisden, had hij met me gegeten. Alleen wij samen. Hij had tegen Maggie gezegd dat ze een vrije avond verdiende en haar naar de film gestuurd. Ik had niet veel honger. Met de achterkant van mijn vork prakte ik mijn eten tot een klein vierkantje.

'Eet in elk geval het vlees op', zei hij. 'Zoveel is het niet.'

Ik nam een hap en streek met mijn tong over het laagje vet dat op mijn tanden achterbleef.

'Komt ze niet beneden om te eten?' vroeg ik, doelend op mijn moeder. Voordat dit allemaal gebeurde, had ze maar één keer het eten overgeslagen, toen ze een keelontsteking had en in haar kamer moest blijven met een rubberen ijszak om haar hals, als een grote beige slak.

Mijn vader kauwde, brak een broodje en schudde zijn hoofd. Toen hij klaar was, schoof hij zijn bord weg en leunde met twee ellebogen op de tafel.

'Ik wil je een paar dingen vragen, Clea', zei hij. 'De politiedokter moet een rapport schrijven, omdat dit een ongeluk was. Ik heb hem gezegd dat ik liever onder vier ogen met je wilde praten dan je mee te nemen naar zijn kantoor.'

De plafondventilator draaide en ik telde vijf keer een koude luchtstroom langs mijn benen.

'Vertel me nog eens wat er is gebeurd', zei hij.

Ik schoof heen en weer. Mijn benen plakten aan de stoel.

'Met Simon?'

'Wie anders?'

'Hij reed achter me, met zijn been over de zadelknop geslagen.'

'Waarom?'

'We zaten te praten.' *Simon had me gevraagd of ik iets vreemds had gemerkt tussen mijn moeder en Ozzie Kline.*

'Ik lette niet steeds op hem.' *Behalve toen ik me abrupt omdraaide toen hij me dat vroeg, en net zo snel weer terug, zodat hij mijn gezicht niet zou zien.*

'Ik hoorde het meer dan dat ik het zag.' *De hoef die met een hol geluid de steen raakte.*

'Ik keek over mijn schouder en zag haar knieën buigen en haar neus naar voren komen...' Ik haalde mijn schouders op en mijn stem stierf weg. *Maar daarvóór had ik Zad al horen hinniken en Simon horen roepen.*

'En toen gooide ze hem eraf?'

'Ze viel.' *Ik weet niet of ik me dat goed herinner of dat ik het later heb verzonnen. Maar het maakt nu toch niets meer uit.*

'Ze had hem er ook af kunnen gooien zonder dat jij het had gezien.'

'Ze viel.'

'Maar dat weet je niet zeker.' Hij legde zijn armen op de tafel als een groot net en trommelde met zijn wijsvingers in het ritme van zijn woorden.

'Ik zag het uit mijn ooghoek.' *Ik zag die steen, met de vorm van een schildpad, vlak naast zijn hoofd, maar dat was alles.*

Toen begon ik te huilen. Ik zei hem dat ze Simon er niet had afgegooid, dat ze altijd gehoorzaam was gekomen als ze werd geroepen, dat ze doodstil had gestaan als Simon haar zadelde en dat ze had gereageerd op de lichtste druk van Simons knie of de kleinste beweging van zijn handen. Ik wilde niet weten waardoor Simon was verongelukt. Ik wilde mijn vader niet nog kwader maken op mijn moeder.

Mijn vader klopte me op mijn arm en zei dat ik het verhaal nooit meer zou hoeven te vertellen. Daar was ik in elk geval blij om, alsof ik alle vragen op de boerderij kon achterlaten en de rest van de zomer rust kon vinden in het huis van mijn oma.

Zo ging het ook. Het einde van het schooljaar naderde, met veel studie en proefwerkweken in plaats van de gewone lessen. Toen de vakantie was begonnen, zat ik drie ochtenden per week in het lege kantoor van mijn vader om de telefoon aan te nemen, of zwierf door het gebouw, dat zo stil was als een museum.

Vrouwen uit de parochie van mijn vader maakten vleesschotels voor ons, die ze 's avonds kwamen brengen. Of we gingen samen uit eten. Mensen kwamen naar ons tafeltje en vroegen zachtjes naar mijn moeder, alsof ze ziek in de aangrenzende kamer lag. Hij antwoordde altijd dat we het zo goed mogelijk redden, in de omstandigheden, en dat alles volgend jaar om dezelfde tijd wel weer normaal zou zijn.

Eind mei zei hij tegen me dat de rouwperiode voorbij was en dat ik weer uit mocht gaan als ik wilde. Mijn vriendinnen van school kwamen me vrijdags- en zaterdagsavonds halen. We zeiden tegen onze ouders dat we gingen tennissen in het park, maar in werkelijkheid hingen we rond bij de kantine of de tribunes van het honkbalveld om met de jongens te kletsen. Op Memorial Day namen drie jongens die we van de andere school kenden ons mee voor een ritje buiten de stad, waar het koeler was en we alles – ook onze ouders – konden achterlaten. Eén stel zat voorin, de twee andere stellen achterin. De jongens hadden de keuze bepaald. Tom, de jongen met wie ik was, had bruine ogen en een lang litteken over zijn wang. Ik vond het vreemd om weer met andere mensen om te gaan, vooral met hem.

Ik stak mijn vingers uit het raampje om de wind te voelen. Mijn hand danste op de bries als een boomstam over de rivier, en mijn haar wapperde koel en wild naar achteren. De jongens plaagden ons dat we kleine nonnetjes waren van de klooster-school, maar ik merkte dat ze ons leuk vonden toen ze hun armen over de rugleuning van onze stoelen legden of zich langs ons heen bogen om naar buiten te kijken, alsof ze hier nog nooit geweest waren. De koeien stonden in de schemerige velden. Ik leunde met mijn hoofd tegen Toms arm en het leek alsof de auto net zo snel reed als de aarde draaide en de harten van de koeien klopten.

Hij en ik praatten in een soort luchtbel, totaal gescheiden van de andere vier, alsof we alleen in de auto zaten, op een kleine, verre planeet, die rond het nachtelijke platteland cirkelde. Ik boog me wat verder naar hem toe en hij liet zijn hand op mijn schouder rusten. Even later zaten we dicht tegen elkaar aan, mijn dijbeen en mijn heup tegen de zijne, alsof ik ervoor geschapen was de ruimte onder zijn arm te vullen. Mijn wangen deden pijn en ik had een week gevoel in mijn borst. Hij bracht zijn hand naar mijn gezicht en kuste me. Ik wist dat ik beledigd moest protesteren, maar het leek of we allebei vol spanning op een duikplank stonden, om op hetzelfde moment in het warme water te glijden.

Opeens maakte de eenzaamheid van de voorbije maand plaats voor zijn armen die me stevig vasthielden, zijn sterke borst en zijn vochtige, lieve mond.

Toen we twee uur later voor Maggies huis stopten, stond mijn vader te wachten op de veranda. Ik zag het puntje van zijn sigaret in het donker opgloeien. Tommy bood aan om me naar de deur te brengen, maar dat leek me niet zo'n goed idee. Hij hielp me uitstappen, gaf me een kneepje in mijn hand en zei dat hij zou bellen. Daarna reden ze weg en zag ik de rode achterlichten droevig in de verte verdwijnen.

Mijn vader hield de hordeur open totdat ik binnen was. Ik overwoog nog om te zeggen dat we autopech hadden gehad, maar dat leek zo'n domme leugen. We waren niet eerder thuisgekomen omdat we ons amuseerden.

Mijn vader keek me vernietigend aan, maar zei niets, en daar was ik hem dankbaar voor. Het huis was donker, afgezien van het schijnsel van de straatlantaarns dat door de ramen viel. Ik liep naar boven met de gladde trapleuning onder mijn hand en achter me de geluiden van mijn vader die alles afsloot. Ik kleedde me uit in het donker, tussen vreemde hoekige schaduwen, en voelde nog steeds Tommy's hand op mijn lichaam. Ik bewoog me heel voorzichtig om de illusie niet te verstoren en trok niet eens het laken over me heen, zodat de lucht over mijn huid me aan zijn aanraking zou herinneren. Ik lag nog heel lang wakker, voelde weer de trillingen van de auto en de heimelijke, intieme magie van die rit. Het leek of de muren wegvielen en de hemel zich opende, vol met sterren en mogelijkheden.

Ik dacht aan Simon bij de schoolreünie, met zijn arm om zijn vriendin Janie, of leunend tegen de muur van de gymzaal, met haar hand in de zijne. Simon met zijn nonchalante, slungelige manier van lopen, zijn duim in de zak van zijn Levi's gehaakt, terwijl hij naar haar keek alsof hij nog steeds niet kon geloven hoe geweldig ze was. En ik dacht aan Janie op zijn begrafenis, toen ze zo vreselijk had gehuild dat iemand haar overeind moest houden. En ik miste Simon, een schrijnend gemis. Maar dat ik begreep wat hij voor haar had gevoeld, bracht ons nog dichter bij elkaar.

Daarna zag ik Tommy's gezicht weer voor me, vlak voordat

hij me had gekust. Ik probeerde alles opnieuw te beleven, tot in de kleinste details, en bleef zo lang wakker dat ik de kerktoren drie uur hoorde slaan voordat ik eindelijk in slaap viel.

De volgende morgen toen pappa me wakker maakte om met hem mee te gaan naar kantoor, sliep ik als een blok. Ik begreep niet waarom ik met hem mee moest, want dat hadden we niet afgesproken, maar toch deed ik wat hij zei. Hij zette geen cornflakes voor me klaar toen hij zijn eigen ontbijt maakte, en borg de doos zelfs in de kast terwijl ik erop stond te wachten. Op het moment dat we weggingen en hij zich omdraaide om de deur op slot te doen, zei hij tegen me: 'Waag het niet me ooit nog eens zo teleur te stellen als gisteravond.'

'Nee, pappa', mompelde ik.

'Je bent nog niet oud genoeg voor zulke dingen.'

'Nee, pappa.'

'Wie was die jongen?' vroeg hij.

'Tom Steiner', antwoordde ik.

'Die jongen die vorig jaar met zijn broer een auto total loss heeft gereden omdat ze dronken waren? Hij is met zijn kop door de voorruit geslagen, als ik me het verzekeringsrapport goed herinner. Hij deugt niet, dat weet je toch?'

Ik knikte, maar nauwelijks waarneembaar. Zwijgend reden we naar zijn kantoor. Het water van de rivier stroomde nu al over de rails en door de steeg naast de schuren achter de winkels van Main Street. Mannen zetten houten hekken met omleidingsborden neer en de eigenaar van de graansilo was bezig zijn opslagloods vlak bij het water uit te ruimen. De zakken haver lagen als dode lichamen op zijn handkar.

'Leg maar zandzakken om je kantoor', riep hij tegen mijn vader. 'Het komt hoger dan we ooit hebben meegemaakt.'

Mijn vader stak zijn hand op en lachte. 'De rivier durft nooit een verzekeringskantoor binnen te dringen.' Hij liet me in de auto zitten, terwijl hij een praatje maakte met de mannen die de straat afzetten. Hij stond te gebaren en ze verzamelden zich in een groepje om hem heen. Ik stapte uit en bleef tegen de bumper staan om wat wind te vangen. Toen mijn vader terugkwam en langs me heen liep, slenterde ik achter hem aan naar zijn kantoor.

'Hier', zei hij. Hij gooide zijn sleutels op het bureau en opende een dossierla vol met mappen. 'Werk die allemaal door en geef ze kleurcodes voor het type verzekering. Daarna maak je een lijst van iedereen die tegen overstromingsschade is gedekt.'

Hij gaf me een sigarenblikje met gekleurde strookjes en een vel met kleurcodes: groen voor leven, zwart voor begrafenis, rood voor opstal, blauw voor auto, enzovoort, tot en met paars, geel, oranje, wit en lila. Hij maakte een tafel vrij en zette een fles plaksel naast de hoge stapel mappen.

'En als je de eerste la gehad hebt', zei hij, 'ga je door met de volgende. De hele kast.'

Hij trok nog drie uitpuilende laden open. Genoeg dossiers voor het hele district. Maar ik had geen keus. Ik moest wel doen wat hij zei. De eerste tien kostten me al een hele ochtend. Ik moest de polissen doorlezen op naam en verzekering en dan de codelijst erbij nemen. De strookjes bleven kleven aan het plaksel op mijn vingers en toen ik de mappen weer opborg, legde ik ze verkeerd om, waardoor de alfabetische volgorde niet meer klopte. Ik had pijn in mijn rug van het kromzitten en ik rammelde van de honger. Maar hoe harder ik werkte, des te sneller mijn vader zijn boosheid over mijn gedrag scheen te vergeten. Steeds als hij even opkeek, stonden zijn ogen wat minder hard.

Niet dat hij echt iets had gezegd of gedaan, maar zijn woede maakte de hele omgeving onrustig. Ik werkte snel door en voelde de atmosfeer wat kalmer worden. Zijn gezicht ontspande zich. Ik had het gevoel dat ik weer een vorm kreeg die hem beviel, alsof ik er gisteravond anders had uitgezien. Met iedere map die ik afwerkte kreeg ik wat meer van mijn eigen gestalte terug. Ik bedacht trucjes om me de kleurcodes te herinneren zonder op de lijst te hoeven kijken en vond een ritme om in gedachten de namen op te dreunen terwijl ik de papieren doornam. Ik was nu zo verstandig om de mappen met de voorkant omlaag te leggen, zodat ze op volgorde bleven.

Ten slotte vroeg hij: 'Heb je honger?' Hij keek naar de klok aan de muur. Het was halftwee. 'We zijn helemaal de lunch vergeten.'

Ik had hoofdpijn en mijn ogen prikten.

'Kom mee', zei hij, 'dan gaan we wat eten in de cafetaria.'

Ik zat naast hem aan de toonbank en we bestelden allebei hamburgers met patat en milkshakes. Het fonteintje met de frisdrank stond achter in de zaak en de lucht van het gebraden vlees vermengde zich met de frisse geur van schoonmaakmiddelen vanaf de toonbank en de tafeltjes. De serveerster stak de dunne mixer in de verchroomde beker en zette de lichtgroene shakemachine aan. Daarna zette ze twee glazen water bij ons neer.

'Is dat je dochter, Neal?' vroeg ze, hoewel ze me al eerder had bediend toen ik hier met vriendinnen zat.

'Ja, dit is Clea. Ze werkt voor me, deze zomer.'

'Geweldig dat je je vader helpt', zei ze.

Ik knikte en mijn vader zei hallo tegen een man die links van hem zat. In de spiegel boven het fonteintje zag ik onszelf van een afstand, als drie onbekenden. Ik wist niet wat ik hier midden in de week te zoeken had, netjes aangekleed alsof ik naar de kerk ging.

'Dit is mijn dochter Clea', zei mijn vader weer. 'Ze helpt me van de zomer op kantoor.'

De man vroeg of het me beviel. Mijn vader zei dat ik het heel goed deed en ik was allang blij dat ik weer gedachteloos in de spiegel kon staren terwijl zij zaten te praten.

'Leuk om zo'n charmante hulp te hebben', zei de man met een knipoog. Mijn vader wierp me een waarderende blik toe.

Toen praatten ze weer verder en keek ik nog eens naar mezelf. In het kunstlicht leek ik heel bleek, met donkere ogen, als een wasbeer. Mijn paardenstaart vertoonde sprieten en het stof van de dossiers had een vlek op mijn blouse gemaakt. Ik voelde me helemaal niet charmant of vakkundig, maar de woorden van de man en het plezier dat mijn vader erin schepte, hadden me op die mogelijkheid attent gemaakt.

Toen ik terug was op kantoor, legde ik mijn potlood netjes naast mijn schrijfblok en de gekleurde codestrookjes in rijen aan de rand van de tafel. Mijn vader zei dat hij een bespreking had met een cliënt en vroeg me de telefoon op te nemen als hij weg was. Ik verhuisde van mijn tafel naar zijn grote eikenhouten bureau en draaide even rond op zijn stoel. Ik ordende de papieren en de pennen, de verbronste babyschoentjes van Simon en mezelf, en de koperen naamplaat met NEAL MAHLER: AGENT STATE FARM. Ik nam de telefoon op met 'U spreekt met Clea Mahler' en zwaaide naar een paar meisjes die voorbijliepen in shorts en haltertopjes. Hun mond viel open toen ze mij achter het grote bureau zagen zitten, met de telefoon tegen mijn oor, terwijl ik een notitie maakte. Ik voelde me opeens veel ouder, hoewel zij in dezelfde klas hadden gezeten als Simon, en trok mijn lange rok over mijn gekruiste benen.

Ik besloot Janie te bellen, voor het eerst na het ongeluk. Maar de werkster zei dat haar ouders haar in de zomervakantie naar haar nichtjes in Minnesota hadden gestuurd. Ik wist niet goed wat ik moest zeggen. Ik had haar over Tommy willen vertellen, maar dat leek me nu een ontzettend stom idee. Dus ging ik maar verder met de dossiers. Nu ik een systeem had, ging het veel vlugger en vloog de tijd voorbij. Ik probeerde te verzinnen wat ik moest zeggen als we elkaar weer zouden zien, en daar had ik het zo druk mee dat ik een hele tijd niet aan Simon of mijn moeder dacht. De stapels werden langzaam kleiner en ik voelde me heel voldaan toen ik alles A's had gedaan.

Mijn vader kwam terug en keek over mijn schouder. Hij knikte.

'Dat is toch veel beter, Clea. Vind je niet?' vroeg hij.

Die avond, nadat we de laatste tonijnschotel hadden gegeten die de vrouwen hadden gebracht, vroeg hij me om de afwas te doen en de keuken op te ruimen terwijl hij naar iemand toeging om een polis af te sluiten. Het was een mooie avond. De roodwitgeruite gordijnen bolden op in de wind en de eerste vuurvliegjes gloeiden boven het gras. Ik was juist bezig het aanrecht af te nemen toen de telefoon ging. Ik voelde me al warm en schuldig, nog voordat ik opnam.

Tommy vroeg of ik kon praten. Zijn stem klonk loom en diep, zoals jongens praten als ze zeker weten dat je ja zult zeggen. Maar ik wist dat ik hem niet meer mocht zien, al had mijn vader dat niet met zoveel woorden gezegd.

'Het ligt niet aan jou', zei ik, 'maar het mag niet van mijn vader.'

'Echt niet?'

'Nee.'

'Nou ja, als dat is wat je wilt...' zei hij.

De grond leek onder mijn voeten weg te zakken zodra ik het hardop had gezegd. Maar ik voelde me heilig en braaf, alsof ik snoep had afgezworen voor de vasten of me had voorgenomen harder te werken op school. Lichter, schoner en veilig. Ik hoorde hem ademen.

'We kunnen ook een andere manier verzinnen om elkaar te zien', zei hij eindelijk.

'Ik weet het niet', antwoordde ik.

'Zeg dat je naar je vriendinnen gaat of dat je je niet lekker voelt, zodat je kunt thuisblijven als hij naar zijn werk is.'

Ik zat in de huiskamer met de lichten uit. De schemering van de zomeravond maakte alles donker en zacht. Ik deed alsof Tom en ik weer in die auto zaten, buiten de stad. Alleen wij tweeën, in alle vrijheid, alsof we nooit meer naar huis hoefden. Zonder hem zou het veel gemakkelijker zijn om te doen wat mijn vader wilde. Maar ik zou de pijn niet kunnen verdragen om Tommy nooit meer te zien.

Soms werd ik midden in de nacht wakker en vergat dat we nu in het huis van mijn oma woonden en hoe de kamer eruit-zag. Dan dacht ik dat ik was ontvoerd of verdwaald, of dat ik in het leven van iemand anders terecht was gekomen. Na een tijdje ging ik overeind zitten, keek om me heen en wist weer waar ik was, maar het bleef een onrustig gevoel.

Ik miste Simon en mijn moeder en alle paarden. Ik miste de hond die altijd achter me aan liep, ik miste zelfs zijn lucht, en de katten in de schuur, die langs mijn benen streken om te worden aangehaald. Ik dacht aan de zomers van vroeger, toen we uitsliepen tot we wakker werden en soms hele ochtenden in bed lagen te lezen totdat we honger kregen of mamma ons boterhammen en perziken op de kamer bracht, als lunch. Hoe we in hangmatten op de veranda lagen of gingen paardrijden en onder de bomen bij de rivier zaten. Toen hadden we nog de hele dag voor onszelf gehad, totdat pappa 's avonds thuiskwam. Dat leven was nu zo ver weg dat het leek of het nooit bestaan had. Zo lang geleden dat ik er alleen nog in mijn dromen kon komen.

HOOFDSTUK 10

Ozzie
Kline

Soms reed ik mijn reisdoel gewoon voorbij omdat ik nog geen zin had om te stoppen. Ik ging ergens heen voor een jaarmarkt of een concours, maar de gedachte aan al die mensen hield me tegen en dus reed ik nog een uur of een dag door, voordat ik met een grote boog weer terugkwam. Na afloop van het werk was ik blij dat ik weer in mijn eentje kon vertrekken. Dan paste ik de snelheid van de wagen aan mijn stemming aan en gaf mijn gedachten de vrije teugel, waar niemand me kon vangen.

Na Simons begrafenis reed ik eerst naar het noordoosten, waar de wintertarwe nog groen was en de bonenvelden braak lagen. Hoe verder ik kwam, des te later de cyclus van de oogst. Toen ik bij mijn tweede baas arriveerde, stond het koren daarom net zo hoog als bij de eerste boer, bij de derde baas net zo hoog als bij de tweede, enzovoort. Totdat ik ging geloven dat de tijd voortdurend naar haar beginpunt terugkeerde en ik voorgoed in dat ritme was verstrikt.

Daarna reed ik een tijdje naar het noorden en het westen, zonder te stoppen, met een paar lussen naar Canada en weer terug, voordat ik koers zette naar het zuiden en de tijd te vlug af was door binnen een week de cyclus te voltooien van pas ontluikende velden via het rijpe goud tot aan de gemaaide stoppels. Ergens in Kansas, op dezelfde geografische breedte als LaCote, stopte ik bij een gehucht in de schaduw van de hoge graansilo's op de vlakte. Daar zoop ik me een stuk in mijn kraag met een fles Jack Daniels – anders was ik zo weer terug-gereden door Missouri, naar het oosten, terug naar Nora.

Half verlamd door de alcohol lag ik op mijn bed in het motel, starend naar de scheuren in het plafond, en vroeg me af wat Nora aan me zou hebben. Ik kon niet eens lang genoeg stil-zitten om mijn eigen gevoelens te analyseren. Ik kon haar geen zekerheid bieden, ik had geen geld, geen grond en zelfs geen huis, zoals haar man. En ik kon haar niet helpen de dood van Simon te verwerken omdat ik daar zelf nog niet overheen was.

Ik wist niet waarom. Ik had wel meer jongens zien sterven, en minder gemakkelijk dan hij. Ik had afgerukte armen en benen gezien, weggeschoten gezichten, een afgehakt hoofd dat me aanstaarde, en één keer de heupen en benen van een jon-gen die tegen een boom zat, zonder zijn bovenlichaam en zijn hoofd. Na de gevechten had ik op het slagveld geprobeerd de verschillende onderdelen bij elkaar te zoeken om te zien wat bij wie hoorde. Andere lijken waren nog intact maar zonder een druppel bloed. Ik had vrienden en vreemden aangetroffen, in alle staten van verminking, gruwelijker dan iemand zich kon voorstellen.

Op een bepaalde manier was ik eraan gewend geraakt, omdat het nooit ophield. Net als de andere jongens in mijn peloton had ik geleerd om die lijken niet meer te verbinden met een menselijk wezen dat nog ergens familie of een vrien-din had die op hem wachtten. We gaven elkaar bijnamen, sol-datennamen, om onze oude identiteit te wissen. Ik was Wizard, 'Wizard of Oz-zie', de Tovenaar van Oz. En het was niet Ozzie die de oorlog in ging, maar Wizard. Na een tijdje vergat ik Ozzie zelfs en werd ik Wizard, een radertje in een oorlogsma-chine, dat zich niet druk maakte over het verlies van één rader-tje meer of minder.

Bovendien was het een soort verdoving die ik wel prettig vond. Ik was vierendertig toen ik de oversteek maakte en ik had niet veel om op terug te zien. Behalve dat ik verliefd was geweest op Nora Rhymer en zij op mij. Dat we het verlies van onze onschuld samen hadden gedeeld – een van de zoetste momenten van mijn leven. Hoewel ik me nooit goed genoeg had gevoeld om haar voor mezelf op te eisen en zij niet genoeg van me had gehouden om haar vader te trotseren. Daarna was ik getrouwd, alleen om afstand te scheppen tot haar. Ik hield nog steeds van haar, meer dan ik ooit van andere vrouwen had gehouden. Maar het was zinloos.

Ik hoefde geen dienst te nemen. Ik was oud genoeg om daarvoor gespaard te blijven, maar toch had ik me in een compagnie gemanoeuvreerd die naar het front zou vertrekken. Verdomme, ons land moest deze oorlog winnen, dat stond vast. Maar ik ging vooral omdat ik tenminste *iets* met mijn leven wilde doen en zonder de hulp van de oorlog zou me dat op eigen houtje niet zijn gelukt. Ik had ooit gedacht dat mijn liefde voor Nora de essentie van mijn leven zou zijn, maar dat had ik niet waargemaakt. En nu, na Simons dood, bleek dat het me zelfs van een afstand niet was gelukt.

Maar ik was een verdomd goede soldaat. Ik was getraind als een machine die de hele dag orders opvolgde. Automatisch laadde ik mijn geweer en ging in de aanval om iedere nazi die ik tegenkwam neer te schieten of met mijn bajonet overhoop te steken. Ik leerde de reflexen van een valse waakhond, bijna zonder erbij na te denken. Ik keek scherp wie het overleefde en wie niet, en deed wat de overlevenden deden. Vreemde dingen, zoals het losmaken van mijn kinband, zodat bij een treffer mijn hoofd niet in mijn helm heen en weer zou bonken als een klepel. En natuurlijk wist ik welke wapens de beste waren, zowel de Duitse als die van ons. Ik had altijd een reservewapen bij me, verboden of niet.

Ik dacht nooit een seconde na als ik tijdens een beschieting mijn dekking verliet om een gewonde kameraad te redden of in de aanval te gaan als we daar voordeel bij hadden. Eén keer schakelde ik in mijn eentje een mitrailleurschutter uit. Dat vond ik niet bijzonder dapper, maar ik had toevallig een positie ontdekt van waaruit ik goed zicht zou hebben op het machinegeweernest. Ik rende alsof de dood me op de hielen zat, zigzaggend als in een krankzinnige football-wedstrijd, en wierp me achter een heuveltje. Toen schakelde ik hem uit – richtte op zijn jukbeen en spleet zijn hoofd als een meloen. Daar wilden ze me een medaille voor geven, maar die hoefde ik niet. Zoveel klootzakken kregen onderscheidingen die ze niet verdienden, en bovendien vond ik het zelf helemaal niet zo'n heldendaad. Het was gewoon een strategisch probleem geweest in een partijtje schaak, dat snel moest worden opgelost. Een spel met levende pionnen.

Maar toen ik eraan terugdacht, nu ik tussen de korenvelden reed, door het vlakke land dat mijn aandacht niet afleidde zoals de Grand Canyon of New York City, wist ik dat er méér moest zijn. Oorlog was in zekere zin eenvoudig. Je kende maar drie gevoelens: angst, opluchting en verveling. De meeste andere emoties gingen verloren in de adrenaline of werden weggestopt. Ondanks alle manieren waarop je iemand kon doden, bleef het een simpele zaak. Heel anders dan wanneer je van een vrouw hield van wie je niet wist hóe of wanneer ze bemind wilde worden. Ik was goed in oorlog, maar niet in de liefde. Ik redde levens en gedroeg me als een goed soldaat, waarmee ik het respect van mijn mannen verdiende.

En ik voelde me vrij omdat ik van mijn vroegere leven was afgesneden en geen toekomst had omdat de dood ieder moment kon ingrijpen. Mijn verleden was toch een mislukking en ik had niets waarvoor ik hoefde thuis te komen. De oorlog paste me goed, omdat er niets anders telde dan het heden en ik voortdurend de kans had om nobele, dappere daden te verrichten – als je het zo wilde noemen. Bovendien was ik niet zo bang voor de dood als ik had moeten zijn.

Maar soms, als de mortiergranaten 's nachts als sinistere kometen over ons hoofd floten, trok ik me in mijn schuttersputje terug om td slapen. Dan dacht ik weer aan Nora, heviger dan ooit tevoren. Ik stelde me voor dat ze me brieven stuurde, en foto's die ik op mijn hart kon dragen. Ik deed alsof ze bezorgd was om mijn veiligheid en me beloofde dat ze altijd op me zou wachten. Dan streek ik weer met mijn vingers over de lijnen van haar gezicht, liet mijn tong over de boog van haar tanden glijden en omvatte haar borsten zodat ik mijn handen vol met Nora had. Haar armen spanden zich om mijn hals en haar lippen beroerden de mijne, voordat ze zich openden. En als die herinnering me weer overviel, zou ik Europa met liefde aan de vijand hebben gelaten voor een nieuwe kans om haar te veroveren.

Ik wist ook dat ik veel minder risico's zou hebben genomen als ze werkelijk op me had gewacht. Dan had ik haar willen beschermen tegen verdriet en eenzaamheid, zonder mij om voor haar te zorgen. Dan zou ik een middelmatige soldaat zijn geweest die niet onnadenkend zulke dwaze stunts had uitgehaald. Als ze me in haar brieven had gesmeekt om heelhuids thuis te komen, zou ik het gevaar hebben ontweken.

Maar ik had niet eens een fotootje van haar en ik kon me haar gezicht niet goed herinneren, zelfs niet het gezicht van het negentienjarige meisje dat ik had gekust en bemind. Als ze bij me kwam, die nachten op het slagveld, zag ik heel duidelijk de blos op haar wangen, de hoekige lijn van haar kaak of een pluk blond haar, die donker van het zweet tegen haar hals kleefde nadat we hadden gevreeën. Maar ik kon al die fragmenten niet combineren tot één compleet beeld van Nora zelf, en zelfs die details ontglipten me al snel.

In zekere zin was ik ook blij dat ik haar kwijt was. De oorlog had een afschuwelijke maar geruststellende eenvoud, heel anders dan als ik bij haar was, mijn eigen gevoelens niet begreep, laat staan de hare, of diep ongelukkig was als ik haar een tijd niet had gezien. Ik dwong mezelf niet langer aan haar te denken. In plaats daarvan concentreerde ik al mijn aandacht op het beschermen van mijn kameraden, totdat die verbondenheid nog het enige goede was in een wereld waarin de rest van de mensheid elkaar naar het hiernamaals probeerde te knallen.

Ik werd zo'n modelsoldaat dat de Ozzie die naar Nora had verlangd niet langer bestond, behalve op onverhoedse momenten als Wizard hem niet onder controle kon houden. En ten slotte, in 1944, werd Wizard vervroegd uit de dienst ontslagen en zwierf ik een paar jaar rond, aarzelend hoe ik mezelf moest noemen. Het ging wel goed met me, maar mijn zenuwen waren beschadigd toen een kogel een paar botten had verbrijzeld, en mijn hand was een tijdje zo zwak dat ik geen wapen kon vasthouden of een trekker overhalen. Het kostte me moeite om weer anoniem te zijn en ik droomde veel, vooral over doden die ik had kunnen redden als ik wat slimmer, vlugger of sterker was geweest. En na zo'n droom wilde ik een paar dagen lang geen mensen zien.

Ik probeerde te werken maar kon de ergernissen van een gewoon baantje niet verdragen. Waarom zou ik me elke morgen uit bed hijsen voor een of andere idioot? Ik was pompbediende en ik verkocht schoenen. Maar dan klaagde zo'n rijke teef dat er nog een vlieg op haar voorruit zat. Of zo'n klootzak die handig de dienstplicht had ontdoken begon te zeuren dat zijn voeten te groot waren voor de brogues die hij had besteld. Dan wilde ik hun vertellen dat ze geen notie hadden van wat er belangrijk was in het leven – niet dit gezeik, maar kerels die stierven, hun ledematen verloren of krankzinnig werden.

Ik had ook het vreemde gevoel dat ik geen eigen vorm meer bezat, geen botten die me weerstand gaven. Soms wilde ik Nora schrijven wat ik in de oorlog had gedaan. Ik kocht een schrijfblok en een goede pen en zette de datum boven het eerste vel, in mijn beste handschrift. Ik schreef niet 'Lieve Nora', maar ik wilde meteen beginnen, om haar te laten weten dat het alleen voor haar bedoeld was. Ik wilde haar vertellen over al die verschrikkelijke ervaringen, maar ook over de grappige momenten. Dat ik soms iemand het leven had gered zonder dat ik precies wist wat ik deed. Ik wilde de nachten beschrijven die zo eenzaam waren dat ik nog lang na de anderen wakker lag, totdat ik mezelf in slaap huilde. Of die andere keren, dat ik zo bang was geweest dat ik het in mijn broek deed of moest braken. Maar toch was ik trots op wat ik daar had gedaan en dat wilde ik haar ook duidelijk maken. Dat ik niet de stuntelige jongen was waarvoor haar vader mij had aangezien, de jongen die zij had laten vallen, maar de soldaat die dapper had gevochten terwijl Neal Mahler zijn snor drukte.

Daarna schaamde ik me dat ik brieven wilde schrijven aan een vrouw die me had verlaten voor iets beters toen we nog maar negentien waren. In die stemming bleef ik urenlang op mijn rug in bed liggen, met mijn handen onder mijn hoofd gevouwen. Soms sliep ik in en werden de gezichten van de mannen afgewisseld met beelden van haar. In gedachten had ik haar die verhalen al zo vaak verteld, dat het al gauw leek alsof ze er zelf bij was geweest.

Ik werd zo kwaad op haar dat ze mij had verruild voor Neal Mahler, dat ze geld en status en waardering belangrijker had gevonden dan mijn liefde, dat ik werkelijk wilde dat ze erbij was geweest, in die dikke modder die ons bijna omlaag had gezogen naar de gruwelen die eronder lagen – een hand, een stuk darm of een halve hersenpan. Kijk dan, Nora, wilde ik haar zeggen, kijk dan waar je me naartoe hebt gestuurd: de modder, de stront en de zoete stank van de dood. Laat me je omhelzen, dan kunnen we er samen over dromen en kun jij die beelden voorgoed met je meedragen, net zo helder als ik.

Toen dacht ik een tijdje dat ik vuurde op een vijand die ik niet kon zien, terwijl ik steeds naar haar schreeuwde dat ze terug moest schieten of in elk geval mijn wapens moest laden. Maar ze drukte zich zo heftig tegen me aan dat ze haar borsten platdrukte aan weerskanten van mijn ruggengraat. 'Vrij met me', zei ze. 'Ik wil dat we samen zijn.' Maar ik kon me niet concentreren, en opeens leek Nora op de dood en wilde ik voor haar vluchten.

Ten slotte dwong ik mezelf om op te staan en te werken, tien tot zestien uur per dag, desnoods twee baantjes, als ik er maar doodmoe van werd. Overdag zat ik in de bouw – eerst barakken en toen bungalows voor teruggekeerde veteranen. 's Avonds maakte ik scholen schoon of was ik nachtwaker in een ziekenhuis. Als ik maar bezig was, bij voorkeur ergens waar ik niet veel met mensen hoefde te praten. Ik wilde ook niet met paarden werken, wat me nogal verbaasde. Ik had het gevoel dat ik een woede bij me droeg waardoor ze angstig of vals zouden worden.

Dus deed ik allerlei andere baantjes, totdat de dromen wat minder werden en ik een houding ontwikkelde die andere mensen duidelijk maakte dat ik niet sociaal was en niet wilde praten. Ik dacht wat minder vaak aan Nora en had minder behoefte om haar te straffen voor wat ze me had aangedaan.

Ten slotte werd ik rusteloos en verlangde naar huis. Begin 1946 verliet ik de vrouw met wie ik in Pennsylvania een relatie had gehad, pakte mijn spullen en reed terug naar LaCote.

Maar toen ik terug was, begreep ik waarom ik zo lang was weggebleven. Alles was veranderd. Een paar van mijn vrienden waren in de oorlog omgekomen. Een ander was naar Houston vertrokken om Liberty-schepen te bouwen, en was daar gebleven. Winkels waren in andere handen overgegaan of verdwenen. Er stonden nieuwe straatlantaarns en in het park was een groot nieuw zwembad aangelegd. Het meest vertrouwd waren nog steeds de plaatsen waar ik met Nora altijd kwam, waar ik haar in mijn armen had gehouden, met haar gevreeën of gewoon met haar gepraat.

Ik wilde haar zien, maar toch ook niet. Ik ging naar de graanhandelaar waar ze misschien het voer voor haar paarden kocht en voelde me weer een jochie dat op zijn vriendinnetje wachtte. Ik ging op een stapel zakken zitten en praatte met de jongens die er werkten, maar al gauw wilde ik weer weg, omdat ik bang was dat ze binnen zou stappen en ik niet zou weten wat ik moest doen. Natuurlijk zou ze begrijpen dat ik daar alleen zat om haar te ontmoeten. Omdat ik wilde weten of het goed met haar ging en hoe ze er nu uitzag. Om haar te vertellen dat ik haar zo vreselijk miste. Dingen die in dagdromen wel goed klinken maar die je onmogelijk over je lippen kunt krijgen.

Zelfs toen Jack Rothermich me zomaar zei dat ik bij Neal Mahler naar dat baantje moest solliciteren, wist ik niet of dat een goed idee was. Maar ik had wel weer zin om iets met paarden te doen, zeker als ik dan een reden had om bij Nora te zijn. Niet als de Ozzie die ooit van haar gehouden had, maar als een paardenknecht met wie ze het voer en de training en de verzorging besprak. Een man met alle recht in de wereld om haar advies te geven en haar te zien rijden, zoals toen we zestien waren en ik op de tribune had gezeten terwijl zij een paard trainde alsof ze zijn gedachten kon lezen.

Toen ik er een tijdje werkte, kwam ze iedere dag naar de stal, zodra de kinderen naar school waren. We praatten terwijl we werkten en ze vertelde me over de eigenaardigheden van de verschillende paarden, terwijl ze de dieren streelde. De twee pony's en de zes pensionpaarden, de twee paarden van haar kinderen en ten slotte Zad, die bijna stond te dansen van vreugde als Nora de stal binnenkwam en haar omhelsde.

Ik kon er niet genoeg van krijgen om die twee samen te zien, zo knap en zo verliefd op elkaar. Ze kamde Zads manen en legde er twintig staartjes in, met rode linten, terwijl ze honderduit praatte over haar stamboom en haar karakter. Zo nu en dan keek ze me glimlachend aan om te zien of ik het net zo'n geweldig paard vond als zij, en ik grijnsde terug, blij om haar weer te zien, zo grappig, intelligent en zelfverzekerd als ze was.

Ik dacht dat die eerste blijdschap van het weerzien wel zou afnemen. Maar zelfs toen ik er al een maand was, stond ik nog steeds naar haar te staren als ze aan het werk was, en hield ik haar aan de praat, enkel om haar te kunnen zien. Het was net als toen we nog kinderen waren, alleen had ik haar tien jaar niet gezien, en zelfs toen maar heel vluchtig, voor de oorlog, toen ze in Main Street boodschappen deed met Clea en Simon. Eerst liep ze me straal voorbij, zonder me te herkennen. Maar ik bleef staan en riep haar naam. Het duurde nog even voordat ze wist wie ik was, maar toen vroeg ze hoe het met me ging en trok haar kinderen tegen zich aan. De kinderen van Neal Mahler. Ze stelde me aan hen voor als meneer Kline, een oude vriend die ze sinds school niet meer had gezien.

'Ik ben maar weinig hier geweest', zei ik.

'Ik ben nooit weggegaan.'

Toen lachte ze en zei dat ze weer verder moest.

Later had ik bijna spijt dat ik haar toen had gezien. Ze was heel mooi op haar dertigste. Het knappe meisje was een vrouw geworden, met meer inhoud, een zelfverzekerde moeder die me intimideerde. Maar ik was vooral gekwetst door de manier waarop ze me behandelde. Niet eens een omhelzing of een hand op mijn arm. Geen moment liet ze blijken wat we ooit voor elkaar waren geweest. Wat ze voor mij nog steeds was.

Een paar maanden daarna vertrok ik weer uit de stad en trok naar de mijnen van Colorado. Hard, stoffig en smerig werk onder de grond, maar toch voelde ik me meer op mijn gemak in die tunnels dan hoog in de Rocky Mountains. Die uitgestrekte ruimte beviel me niet, hoe mooi en adembenemend ook. Dus reed ik verder naar Arizona om met paarden te werken in de dorre woestijn, wat beter bij mijn stemming paste. En daarna kwam de oorlog, die nog beter voor me was.

Maar toen ik na al die jaren terugkwam, nog altijd met Nora in mijn hart, richtte ik al mijn aandacht juist op Simon. Nora was niet van mij en zou dat ook nooit worden, maar ik stelde me wel open voor Simon en voelde tegenover hem dezelfde beschermingsdrang als tegenover mijn kameraden in het leger. Ik wilde hem alles leren wat ik van paarden en paardrijden wist. Alle behulpzaamheid en zorg die ik al die jaren voor Nora had opgekropt, gingen nu naar hem. En terwijl ik me bij haar verward en stuntelig voelde, was ik bij Simon volkomen op mijn gemak.

Ik had niet de behoefte van een vader om zijn zoon op te voeden tot een sterke kerel die in zijn voetsporen kon treden. Wat ik voor Simon deed was extra, als een appel of een handvol haver voor een favoriet veulen. Ik vertelde hem mijn waarheid, niet die mooie maar onzinnige verhalen die wij kinderen altijd voorhouden, alsof ze dom, seksloos en onbedorven zijn. Ik zag hem ongeveer zoals ik zelf was geweest voordat ik Nora door mijn vingers had laten glippen en de oorlog me van mijn onschuld had beroofd. En omdat hij zoveel op haar leek, beschouwde ik hem als onze zoon. Zelf was ik al vanaf mijn zeventiende alleen geweest. Wat ik hem gaf, zou ik zelf graag van mijn vader of mijn leraren of wie dan ook hebben gekregen. Zo zou ik hem ook hebben behandeld als hij werkelijk mijn zoon was geweest.

En bij Simon hoorde Zad, gezond, koppig en mooi als ze was. Simon was de enige die van Nora op haar mocht rijden. Hij was haar officiële rijknecht. Ze maakten veel werk van haar en konden urenlang over haar gezondheid, haar gang en haar stemmingen praten. Ze kamden en borstelden haar tot ze glansde en bleven altijd in de buurt als de veearts of de smid er was. Op haar beurt volgde ze Nora en Simon als een hondje en duwde haar neus tegen hun achterwerk als ze niet genoeg aandacht kreeg.

Om de een of andere reden had ze een hekel aan een bit. Ik kende mensen die bij zo'n paard een trens zouden hebben gebruikt, waar ze nog meer last van zou hebben, alleen om haar te laten zien wie de baas was. Maar Nora hield het bij een breidel en soms zelfs dat niet eens. Ze reed Zad zonder zadel, pakte haar bij de manen en galoppeerde met haar de wei door alsof ze allebei bezeten waren.

Omdat ze zonder bit minder controle had over Zad, had Nora haar meer stemcommando's en subtiele kniesignalen geleerd, en ze oefende Simon nu ook in de omgang met een paard dat genoeg kwaliteit en intelligentie bezat om alles te doen wat de ruiter verlangde. Zoals veel Arabieren was Zad verslingerd aan haar mensen en keurde ze mij geen blik waardig als ze hen zag. Ze kwam alleen op mijn bevel als Nora en Simon er niet waren. Anders keek ze eerst naar hen, om toestemming te vragen.

Aanvankelijk was ik bang om in die hechte relatie in te breken, maar zo nu en dan gaf ik een advies over een betere manier om Zads hoeven te vijlen of haar te beslaan. Nora had me altijd vertrouwd – waar het paarden betrof – en volgde mijn raad meestal op. Simon keek toe als wij praatten en zei een keer: 'Jij bent de enige naar wie ze luistert.'

We werden een soort gezin. Ik stond in de bak naast Nora terwijl Simon rondjes draaide, en samen bespraken we wat hij anders moest doen en wat ze allebei nog moesten leren naarmate ze verder kwamen.

Toen Nora eind maart zo zwaar verkouden werd, nam ik het over. Ik had in mijn leven al met zo'n honderd ruiters gewerkt en altijd gedacht dat ik liever in mijn eentje lesgaf, zonder iemand anders die me tegensprak of verwarring zaaide. Ik had liever het absolute gezag, zoals in de oorlog, toen ik snel beslissingen had moeten nemen. Maar nu miste ik Nora, niet alleen omdat ik aan haar aanwezigheid gewend was geraakt, maar ook om de manier waarop we overlegden, net als toen we nog kinderen waren. We hadden geen echte discussies, maar we bekeken het idee van alle kanten, zoals je dat ook doet in je eigen hoofd, maar dan met twee stemmen.

Daarna werd Simon ook verkouden en voor het eerst in tien dagen kwam Nora weer naar buiten, bleek en nog niet hersteld. Ik wilde mijn hand op haar schouder leggen om haar te ondersteunen. Ik wilde haar in mijn armen nemen en haar naar een bed van stro dragen om uit te rusten tot ze zich beter voelde. Maar zelfs die goedbedoelde gedachte gaf me weer een schuldgevoel over de laatste keer dat we ons heel even hadden laten gaan.

'Je ziet er nog niet best uit', zei ik daarom.

Ze had grote donkere wallen onder haar ogen en ze zag wit, zoals een zalm verbleekt voordat hij sterft.

'Ik wil jou niet voor alles laten opdraaien.' Ze hief machteloos haar handen en haalde haar schouders op, alsof het zelfs met haar hulp nog te veel werk zou zijn.

'Ik red me wel in mijn eentje, hoor.'

Ze keek me vreemd aan, alsof ik iets kwetsends had gezegd.

'Wil je Zad ook nemen?' vroeg ze, alsof ik haar een gunst zou bewijzen.

Toen ik Zad voor het eerst bereed, voelde ik meteen hoe slim en ijverig ze was. Ze deed alles wat ik vroeg. Maar toen stopte ze opeens, danste opzij, gooide haar hoofd in de nek, beschreef een cirkel, hield haar voorbenen stijf en gooide snel haar achterhand omhoog. Eén moment was ik uit balans. Het was een onverwachte beweging en ik reageerde niet zoals ik bij een ander paard zou hebben gedaan. Ik beschouwde Zad als Nora's kind en ik wilde haar niet te hard aanpakken of bezeren.

Die ene seconde dat ik aarzelde, sprong ze naar voren en gooide me eraf. Mijn voet bleef in de stijgbeugel hangen en ze sleepte me de wei door. Mijn hoofd bonkte tegen de grond en opeens zag ik beelden uit de oorlog – exploderende bommen en rondvliegende lichamen.

'Hola!' riep ik, maar ze draaide haar ogen naar achteren en ging gewoon door. Nora had haar krankzinnige commando's geleerd, die Simon en zij samen verzonnen, als een spelletje. Arabische woorden die mij als koeterwaals in de oren klonken.

Ik kon ze me niet meteen herinneren toen ik zo ruw over de grond werd gesleept. Ik schreeuwde iedere combinatie van klanken die een beetje Arabisch klonk, en bij toeval vond ik het juiste commando, want Zad bleef stokstijf staan. Met haar grijze ogen keek ze verbaasd achterom, alsof ze zich afvroeg wat ik in godsnaam op de grond deed.

Kwaad omdat ik was verslagen door een koppig beest dat niet eens Engels verstond, liep ik met haar naar de stal en pakte een hoofdstel met een bit. Ze verzette zich, maar ik duwde haar tegen een schot, bevestigde de riempjes en reed naar buiten, met de teugels stevig in mijn handen, zodat ze wist dat ik haar doorhad. Daarna had ik nooit meer problemen met haar, en ik heb Simon en Nora nooit verteld dat ze me eraf had gegooid of dat ik haar zo hardhandig had gecorrigeerd. Ik wilde niet de band verstoren die we hadden, dat familiegevoel dat zo nieuw voor me was.

Maar toen Simon stierf en Zad ook, was die band toch verbroken. Ik moest hulpeloos toezien hoe Neal Mahler zijn vrouw aftuigde zoals een slechte ruiter zijn paard tot bloedens toe met de zweep bewerkt. Dit leek een ander soort oorlog, zo verwarrend en subtiel dat ik de regels niet begreep. Zij was zijn vrouw en hij had zijn plicht. Ik wilde zijn plaats innemen en alles wat ik voor haar – of tegen hem – deed was daarom verdacht.

Toen ik de eerste dag na Simons dood aan hem vroeg hoe het met haar ging, antwoordde hij dat ze hysterisch was en niet aanspreekbaar. Dat geloofde ik niet en ik wilde protesteren. Maar hij was erbij geweest en ik niet, hij had met de dokters gesproken en hun advies gehoord. Hij wist alles uit de eerste hand en ik had slechts gissingen, grotendeels gebaseerd op de herinnering aan een mooi meisje dat volgens mij genoeg weerstand had.

Neal Mahler stond in de deuropening van het huis alsof hij me desnoods met geweld de toegang zou versperren. Ik dacht er weer aan hoe ik Zad manieren had geleerd toen ik dat nodig vond. Daarom gaf ik hem het voordeel van de twijfel. Maar ik had kunnen weten dat hij het paard zou doden. Oog om oog.

Hoewel ik in de oorlog zelf mensen had gedood, kon ik me niet voorstellen dat iemand een paard om zeep zou helpen. Dus zette ik die gedachte uit mijn hoofd. Pas toen ik het schot hoorde, rende ik uit de stal naar buiten. Haar ogen draaiden naar achteren, haar benen schokten en het zand onder haar lijf werd zwart. Haar dood was haast nog erger dan de aanblik van een stervende soldaat, omdat dit niets met oorlog of politiek te maken had. Het was niets anders dan Neal Mahlers wraakzucht, die het offer van zo'n prachtig dier vereiste.

Toen ik naar buiten kwam, draaide hij zich om en hief heel even de loop van het geweer omhoog. Dat gebaar bracht mijn adrenaline op gang en riep de reflex om te doden in me wakker. Ik liep op hem toe met de hooivork in mijn handen. Niets leek op dat moment logischer of rechtvaardiger dan hem met die hooivork te doorboren en zijn lichaam naast het paard tegen de grond te spietsen.

'Dat vervloekte paard heeft mijn zoon gedood', zei hij.

Ik aarzelde lang genoeg om te bedenken dat ik een paar nazi's had gedood met meer geweld en voldoening dan nodig was, alleen uit wraak voor de dood van een kameraad. Maar dit was geen oorlog en deze man was niet de vijand. Hij liet het geweer zakken en knikte naar de hooivork.

'Wat dacht je? Dat de Duitsers je op de hielen zaten?'

Wat had ik gedacht? Dat alles goed zou komen als ik Neal Mahler zou vermoorden?

Hij knikte. 'Ik heb gehoord dat die oud-strijders soms door het lint gaan als ze harde geluiden horen', zei hij.

Toen gaf hij me opdracht om Zads kadaver naar de rivier te slepen en daar te laten rotten. Hij hoopte dat de kraaien haar ogen zouden uitpikken en dat de rivier de rest zou meenemen voor de vissen.

Ik liet de hooivork zakken. Misschien was ik vooral wel zo kwaad op hem omdat ik zijn vrouw wilde.

Toen ik de kettingen om Zad heen trok, was ze nog warm. De kleine kogelwonden achter haar oog leken te klein en te netjes om haar van al het leven te hebben beroofd. Ik schaamde me dat ik zo gehoorzaam was aan Neal Mahler. Dat ik me gedeisd hield omdat ik niet wilde dat Nora zou zien wat hij had gedaan. Ik streek met mijn handen over de vacht van het paard. Op het moment dat ik haar aanraakte, drong Simons dood, die tot dat moment te immens was geweest om te bevatten, eindelijk in volle hevigheid tot me door.

Ik stapte op de trekker en trok haar de heuvel af. Het speet me dat het zo ruw moest gaan. Ik begroef haar met een woede die een schrale troost was voor alles wat Neal Mahler op me vóór had.

De grond was zacht en gemakkelijk om te spitten na alle regen en het stijgende water van de rivier. Ik groef een zo diep mogelijk graf. Maar toen ik haar erin schoof, draaide ze me de gebroken kant van haar hoofd toe. De rauwe wonden waar de kogels waren uitgetreden pasten veel beter bij de wreedheid van zijn daad dan de keurige schotwonden aan de andere kant. Daarna huilde ik om haar zoals ik nooit had gehuild om de jongens die naast me waren gesneuveld. Niet dat ik verdrietiger om haar was, maar het leek veiliger als ik om een stom paard zou huilen dan om Nora of Simon of de anderen. Want dan zou ik misschien nooit meer kunnen stoppen als ik eenmaal begon.

Ik schepte aarde over haar heen en sloeg de grond plat met de achterkant van de schop. Daarna liep ik naar de oever en gooide de schop draaiend als een tol over het gestegen water. Ik had er zwaar genoeg van. Wat Neal Mahler deed en wat Nora met zich liet doen. Dat ik wel soldaat kon zijn maar geen echte man in de gewone wereld.

Toen Mahler me opdroeg om de paardentrailer achter de pick-up te hangen en de pensionpaarden naar hun nieuwe stallen te brengen en de rest van Nora's paarden naar de veiling, zei ik dat hij het zelf maar moest doen. Ik wilde weg. Weg van de boerderij, die me er voortdurend aan herinnerde dat ik geen enkele macht bezat om de twee mensen te beschermen van wie ik hield. Vlak voordat ik vertrok, floot ik naar Simons hond Bandit. Hij sprong achter in de wagen. Ik had geen behoefte aan een dier om voor te zorgen, zeker geen straathond die ik moest aaien, maar ik wilde ook geen levende wezens achterlaten op Neal Mahlers pad.

Soms, als ik bijna sliep en de hond stiekem bij me in bed kroop, vroeg ik me af of ik hem had meegenomen in plaats van Nora. Wat was ik toch een zielige klootzak. Ik wilde een vrouw, maar ik kon nauwelijks een hond verdragen. Toch vond ik het wel prettig dat hij tegen me aan lag, met zijn eigen warmte en bewegingen, zijn eigen hartslag. Iets levends dat op me rekende.

Ik wist niet of de redenen waarom ik was vertrokken wel klopten. Het klonk heel redelijk, dat gelul dat het mijn zaak niet was wat een andere man met zijn vrouw deed en dat ik haar toch niet zou kunnen helpen, maar vooral op dagen dat ik te lang in cirkeltjes om mijn reisdoel had gereden, of in nachten dat ik zelfs nog blij was met het gezelschap van een hond, twijfelde ik aan mijn beslissing. Ik had Nora's handen in de mijne moeten nemen en haar moeten zeggen dat ze recht op affectie had, dat ze geen genoegen hoefde te nemen met minder liefde dan ik haar kon geven.

Maar ik kon de volgende stap niet nemen. Mijn verlangen, waardoor ik zelfs op afstand nog werd verteerd, was te groot om van dichtbij te kunnen verdragen. Hoe kon ik met haar samenleven en voor haar zorgen? Hoe moest ik met haar liefde omgaan? Ik beefde bij de gedachte aan een liefde die mijn binnenste zou verscheuren, mijn darmen zou openleggen voor de vliegen en de kraaien, en mijn ziel zou uitleveren aan Nora om ermee te doen wat ze wilde.

Dus reed ik door. Ver van Nora, die dwars door me heen zou kijken. Ver van Simons dood, die ook de dood leek van de jongen die ik zelf ooit was, de jongen die bijna dapper genoeg was geweest om in elk geval te *overwegen* Nora op te eisen.

Ze was beter af zonder mij, dat wist ik. Ze zou zich wel redden, zoals ze dat ook had gedaan in al die jaren dat ik haar had moeten missen.

HOOFDSTUK 11

Nora
Mahler

Mijn familie woonde al zeventig jaar op deze boerderij. Ik gebruikte alleen de weidegrond en had de akkers aan de buren verpacht. Maar in de tijd van Grace, mijn grootmoeder, was het nog een echte boerderij geweest. Zij fokte en trainde paarden, deed de boekhouding en bewerkte het land. Ze ging met opgebonden rokken het veld in om te zaaien en te ploegen met drie boerenknechten, die bij haar begrafenis oud en gerimpeld aan haar graf hadden gestaan, huilend als kleine kinderen.

Toen Grace weduwe werd, had ze drie jonge kinderen van nog geen vijf jaar oud. Als het anders was gelopen, had ze misschien elk jaar een kind gekregen, tot ze uitgeput was geraakt of de overgang had bereikt. Ze had ook in het kraambed kunnen sterven, zoals zoveel vrouwen. Maar een bloedvat in de hersenen van haar man was gesprongen voordat het zo ver was. Een jaar daarna had Frankie, haar oudste, een eerste aanval van difterie overleefd, maar vervolgens longontsteking opgelopen. Iedereen, ook de dokter en Graces familie in Boston, was bang voor besmetting. Tien dagen lang bleef Grace in haar eentje op de boerderij om Frankie te verzorgen, in de hoop dat de andere twee baby's immuun zouden zijn.

Haar moeder, haar nichten en haar tantes schreven brieven om haar te zeggen dat ze haar graag zouden hebben geholpen in deze moeilijke tijd. Maar het mocht niet van de artsen, omdat ze te oud of te ziekelijk waren, of verplichtingen hadden tegenover hun eigen gezin. Grace had die brieven en de latere condoléances opgeborgen, met een zwart lint eromheen, en nooit meer iets met haar familie te maken willen hebben. Ze begroef Frankie naast haar man op een kleine begraafplaats langs de rivier en ging weer verder met haar leven.

Toen haar tweede zoon, Charlie, zes jaar was en in de bosjes bij de schuur speelde, werd hij per ongeluk doodgeschoten door jagers die zich niets van Graces bordjes met VERBODEN TOEGANG hadden aangetrokken en de jongen voor een hert hadden aangezien. Later zeiden ze tegen de sheriff dat ze het niet als een serieuze waarschuwing hadden opgevat. Blijkbaar was dat voldoende excuus en was de zaak daarmee afgedaan, behalve voor Grace, die daarna altijd een geweer bij zich had als ze de ronde deed langs de grenzen van haar land. Twee keer kwamen er nog jagers in de buurt, en Grace richtte zuiver genoeg om hen ervan te overtuigen dat ze de bordjes serieus moesten nemen. Op Charlies grafsteen had ze een jonge ree laten graveren.

Het laatste kind, mijn moeder Margaret of Maggie, groeide zonder incidenten op en trouwde met een man van wie ze dacht dat hij haar net zo zou beschermen als Grace had gedaan, en misschien nog beter, omdat hij een man was. Maar hij kon niets doen tegen haar miskramen en de dood van al die kleine embryo's die ze samen hadden gemaakt, evenmin als het in Graces macht had gelegen om Frankie of Charlie te redden. Ten slotte werd ik dan geboren, in een bovenkamer van de boerderij, op een matras met oude bruine bloedvlekken.

Ik kan me Grace alleen nog herinneren als een grote oude koe, met haar haar in vlechten en leunend op een stok vanwege haar reumatiek. Als ze niet bij de paarden was, sliep ze meestal in haar kamertje op de veranda, haar eigen domein. Als zij en mijn vader elkaar op de trap of in de gang tegenkwamen, manoeuvreerden ze langs elkaar heen als twee bokken die elkaar op de horens wilden nemen. Mijn vader liet haar altijd voorgaan – omdat ze een oude vrouw was en hij niet onbeleefd wilde zijn, neem ik aan. Maar hij aarzelde altijd een seconde te lang, alsof het hem grote moeite kostte.

Graces instructies voor haar eigen begrafenis waren simpel. Geen wake, een eenvoudige houten kist en veel drank. Het huis puilde uit en alle buren kwamen één voor één naar voren om te vertellen wat ze zich van haar herinnerden. De eerste anekdotes waren een beleefd eerbetoon aan haar goede daden, haar vakkundigheid als paardenfokker en haar capaciteiten als scherpschutter. Maar na de derde fles Wild Turkey gingen de verhalen meer over haar gevatheid, haar scherpe tong en haar nuchterheid. Er werd zo hard gelachen dat Simon de hele middag in mijn buik lag te schoppen en te draaien.

Ik dacht veel aan Grace en Simon toen ik in St. Louis zat. ('Saint Louis', zei Neal, alsof ik er een kopje thee ging drinken.) Maar ik zat dus in Arsenal Street, in dat grote, driehoekige gebouw met gesloten deuren en tralies voor de ramen. Waar de bewoners in hun eigen wereldje leven, alsof iedereen de afdeling als zijn particuliere jungle of woestijn beschouwde, lang voordat die andere dwalende geesten waren geboren. Toen ik er kwam, werd ik door een paar mensen nagestaard, als een vreemde indringer in hun eigen landschap. Ze duwden me naar binnen in een rolstoel, als een toeriste die was bezweken aan haar exotische omgeving.

Eerst had ik weinig verwachtingen. Neal en de dokter waren thuis aan weerskanten van mijn bed gaan zitten en Neal had mijn hand vastgehouden toen hij me vertelde wat er ging gebeuren. Mijn moeder stond tegen het kozijn geleund, met haar rug naar me toe, en keek uit over het erf. Het enige wat ik door het raam kon zien waren een paar blokjes grijze lucht en de toppen van de moerbeitakken, zwiepend in een wind die regen bracht. De mannen stelden het voor alsof een opname in het Arsenal een vakantie of een lange rustkuur was. Daar zou ik helemaal opknappen, om als een herboren vrouw weer thuis te komen. Ik wist niet wat ik daarop moest zeggen, behalve dat ik het zelf wel redde. Tenslotte was het nog veel te kort geleden om me nu al goed te voelen.

Maar ze vonden dat ik onder te grote spanningen stond. De plannen waren al gemaakt. 'Rust kan nooit kwaad', zei Neal.

Mijn moeder zei niets. Ze keek niet eens op toen ze mijn

spullen in een kleine koffer pakte. Dus dacht ik dat ze het ermee eens was en misschien zelfs met de voorbereidingen had geholpen.

Het ging allemaal zo snel, als een brandweeroefening die honderden keren is herhaald, om het slachtoffer zo snel mogelijk te evacueren. We waren al de brug over en op weg over Rock Road voordat het tot me doordrong wat er precies gebeurde. Het leek op die tableaus die we vroeger met de kerst voor de nonnetjes opvoerden – het doek dat opging, engelen en Maria met het popje Jezus in haar armen, compleet met een aangeklede stal. Of als de ernstige gezichten op het omslag van de *Saturday Evening Post*, als de vriendelijke dokter op bezoek kwam. Hij en Neal hadden me ervan overtuigd dat ik gewoon een tijdje moest rusten na de schok van Simons dood.

Maar die andere dingen dan? Zad, en de medicijnen, en Neals kille houding? Pas tijdens de rit dacht ik daarover na. De vertrouwde weg was nevelig en bijna verlaten, alsof niemand zich nog kon bewegen door die vochtige lucht. Een natte bries verwaaide mijn haar tot natte slierten toen we langs parkeerterreinen met slappe vlaggen reden, langs de Steak'n'Shake, waar mensen zaten te eten van verchroomde dienbladen die aan hun autoraampjes waren gehaakt. Neals profiel was zo zuiver als de afbeelding op een munt en zijn knokkels lagen als kleine bergen tegen het stuur. De hete lucht blies het stof de auto door. Waarom had ik hierin toegestemd?

'Stop maar', zei ik.

'Wat? Ben je misselijk? Wacht dan even met spugen tot je uit de auto bent.' Hij draaide een parkeerplaats op en boog zich over me heen om het portier open te maken.

Ik keek naar zijn hand die de verchroomde kruk opende. Ik zag de haartjes op de achterkant van zijn arm. Onder het dashboard zaten twee hendeltjes, als lange vingers, met het opschrift VENT. Ik telde de knoppen op de radio. Alles leek helder, maar zonder verband. Net zo gescheiden als Neal en ik.

'Moet je nou kotsen of niet?' vroeg Neal.

'Ik wil naar huis.'

'Ben je niet misselijk?' vroeg hij.

'Nee.'

'Je zei van wel.'

'Nee, dat zei jij. Ik wil alleen maar naar huis.'

'Je hebt beloofd dat je mee zou gaan. Je wordt verwacht.'

'Ik geloof niet dat ik dat heb beloofd.'

'Nou', zei Neal, 'je gaf wel die indruk. Wat moeten we nou zeggen als je niet komt opdagen?'

Ik staarde door de voorruit naar een vrouw die met moeite een zware mand wasgoed naar de wasserette sjouwde. Ze riep naar haar kinderen dat ze bij haar in de buurt moesten blijven, maar ze renden het parkeerterrein op, waar een auto hen met piepende remmen ontweek. De vrouw liet de mand vallen. Lakens en ondergoed dwarrelden over de stoep. Toen ze haar zoontje te pakken kreeg, haalde ze uit en gaf hem een klap.

'Ik heb jullie toch gezegd dat jullie bij me moesten blijven!' riep ze, terwijl de kinderen huilend hun zitvlak beschermden.

Neal schudde zijn hoofd. 'Goed', zei hij, 'als je niet misselijk bent, rijden we weer door.'

Hij keek me aan, met zijn hand op de versnellingspook. Het was weer zo'n vreemd moment waarop ik had kunnen zweren dat ik hem nog nooit eerder had gezien. Toen stak hij zijn arm uit en gaf me een kneepje in mijn schouder.

'Doe niet zo dwars, Nora', zei hij. 'Je hebt het heel moeilijk, maar als je terugkomt, kunnen we overnieuw beginnen, net als vroeger.'

Zijn hand lag nog steeds op mijn schouder. Ik wilde zo graag dat hij gelijk had.

'Ik heb het beste met je voor', zei hij zacht. 'Dat weet je toch?'

Ik weet niet waarom ik hem geloofde. Uit gewoonte, neem ik aan. Uit verlangen dat hij de waarheid sprak, of uit opluchting omdat hij weer vriendelijk deed. Misschien alleen uit dankbaarheid dat hij interesse toonde. Ik zei niet dat hij kon doorrijden, maar trok zwijgend het portier dicht en leunde ertegenaan, starend naar de vrouw die nu geknield op de stoep zat om haar wasgoed in de mand te proppen terwijl Neal voorbij reed.

Toen hij me in het Arsenal achterliet, had ik nog steeds niet goed nagedacht over wat me te wachten stond. Uit hun woorden had ik de vage indruk overgehouden dat ik naar een soort rustoord of een speciaal hotel ging, waar ze me zouden helpen bij mijn herstel, of me in elk geval met rust zouden laten om te slapen. Maar de verpleegsters namen meteen al mijn kleren en spullen in beslag. Dat waren de regels, legden ze uit, toen ik er wat van zei. Ik was te beleefd om tegen te spreken en volgde hen door een dubbele deur naar een zaal vol met vrouwen die verdwaald leken in hun eigen visioenen. Een van hen had zelfs haar hand onder haar jurk om met zichzelf te spelen.

Ze zeiden dat ik op een bed moest gaan liggen en ik gehoorzaamde, hoewel ik nog steeds dacht dat ik daar niet hoorde. Ik lag plat op mijn rug, met mijn handen over mijn borst, terwijl ze mijn temperatuur opnamen en mijn medische gegevens noteerden. Zelfs de volgende morgen, toen ze me kwamen vastbinden, deed ik niets anders dan mijn handen wegtrekken.

'Gedraag je', zei de grootste verpleegster en ze kneep me hard in mijn pols.

Ik draaide mijn hand weg tussen haar wijsvinger en haar duim, zodat ze me even los moest laten, en trapte met mijn voeten om de andere verpleegster uit de buurt te houden. Ik zei maar steeds dat ik hier niet hoorde en dat ze niet het recht hadden me zo te behandelen.

'Ophouden, of anders...' dreigde ik.

Toen kwam er nog een verpleegster binnen. 'O, hemel', zei ze en ze liet zich plat boven op me vallen. Ze was zwaar, zeker tachtig kilo, met die weeë zoete lucht van dikke mensen die veel zweten. Met dat gewicht op mijn middenrif kon ik niet meer trappen of slaan. Ik kreeg nauwelijks adem. Mijn bewegingen werden traag, als in een droom.

'Stil liggen', zei de verpleegster. 'We moeten je meenemen voor een behandeling en dat gaat niet als je met je armen en benen ligt te zwaaien.'

Ze bleef als een witte berg over me heen liggen, met haar armen gespreid om me in bedwang te houden. Waar we elkaar raakten, vormden zich natte zweetplekken. Ze was te groot en te zwaar om nog menselijk te zijn. Ik had het gevoel dat er een kalf of een varken op me lag. De anderen maakten van de gelegenheid gebruik om me hun injecties te geven.

'Geef haar maar wat extra, dan hebben we geen problemen meer', zei ze tegen hen.

'Ik wil het niet!' zei ik.

'Een dubbele dosis om je rustig te houden', zei ze.

Daarna lieten ze me achter in de zaal, met die akelige bleke muren en die glimmende zwarte tralies, kruislings voor de ramen. Ik was suf van de middelen, alsof er een grote vloeibare engel door mijn aderen zwom. Mijn hoofd voelde zo zwaar dat ik het opzij liet zakken. Voor mijn ogen strekten zich rijen bedden uit, met witte heuvels van patiënten, neergegooid als klodders aardappelpuree. Aan de andere kant (mijn hoofd was nu zo zwaar van de medicijnen dat het leek of het zich van mijn lichaam had losgemaakt als een boksbal vol met watten) stond een vrouw met haar rug naar de hoek. Ze had piekerige grijze haren en ze kroop mompelend steeds verder naar de hoek, alsof ze wilde verdwijnen op het punt waar de twee groene muren elkaar ontmoetten. Achter de getralide ruit van de gangdeur zweefde een gezicht met ogen als holle spiegels.

Dat was alles wat ik zag voordat ik uitvloeide als dikke olie en een sinaasappelboom met rode apen voorbij zag drijven. Ik vloeide steeds verder uit, tot ik plat en uitgestrekt was als het land. Maïs groeide op de hoge grond van mijn borsten en bonen ontsproten aan mijn vingers. Pompoenbladeren krulden zich om mijn tenen, met wortels die zich vertakten als bloedvaten en aders.

Simon en Grace voedden zich met de bessen die ze van mijn buik plukten. Het sap kleurde hun lippen zwart en liep in rode straaltjes over hun kin. Grace schepte een handjevol aarde uit mezelf en hield dat dicht bij haar lippen, voordat ze het tussen haar vingers wegblies. Ik voelde haar adem door me heen gaan en mijn holle ruimtes vullen, zodat ik half werd opgetild. De bessen groeiden en rijpten weer. Simon pakte nog een handje en Grace boog zich naar hem toe om een duimafdruk van aarde op zijn voorhoofd te zetten, als de as van de vasten.

Toen ik naar het eind van de gang werd gereden, passeerden de lichten boven mijn hoofd als boeien in een vaargeul. Ik wist zeker dat Simon en Grace hier waren geweest, veel tastbaarder dan die witte heuvels in de bedden of de grijze vrouw in de hoek. Ik wilde tegen de verpleegsters zeggen dat het nu goed met me ging – veel beter – en dat ik naar huis kon. Ik had hier nooit moeten komen. Het was bijna grappig zoals ik als een mummie half werd ingezwachteld in de lakens, met lange riemen om mijn polsen en enkels, en op een brancard werd rondgereden terwijl ik best kon lopen.

'Laat me maar gaan', zei ik tegen hen.

Ze zeiden niets terug. Ze scheidden mijn haar, wreven mijn schedel in met alcohol, die schokkend koel aanvoelde, en bevestigden metalen draden op mijn hoofd. Ik vroeg maar steeds wat ze deden, en de verpleegster zei: 'Maak je geen zorgen. Zo word je beter.'

Toen ze de dikke plak rubber tussen mijn tanden wilde steken, verzette ik me hevig, maar ze wrikten mijn mond open en propten het ding erin.

'Werk nou maar mee, schat', zei de verpleegster. 'Het is voor je eigen bestwil.'

Toen ik wakker werd, voelde ik me helemaal hol, alsof ze me met lepels, ijsscheppen en troffels hadden leeggeschept. Ik raakte in paniek omdat ik niet wist waar ik was. Ik voelde Simon en Grace niet meer dicht bij me. Ik voelde mezelf niet eens.

De dagen die volgden bleef ik doodstil liggen, als op het moment van een explosie, vlak voordat ik in stukken en brokken alle kanten op zou vliegen. Ik sliep zonder te dromen en als ik wakker was, voelde ik me plat en eindeloos. Het eten had geen smaak en geen substantie, de hele wereld sliep onder een grote witte heuvel en ik wist net zo weinig als een pasgeboren baby, wat me vreselijk angstig maakte.

De logica zei me dat het *niets* – en dit was een zuiver *niets* – nooit zo'n pijn zou kunnen doen. Deze leegte en die schijnbare eeuwigheid leken nog het meest op een plek waar het leven was opgeschort en de schepping nog niet had plaatsgevonden.

Het eerste dat langzaam terugkwam was het verre verleden. Grace die me als meisje van zeven probeerde te leren hoe ik een appel moest schillen zonder de lange, krullende schil te breken. Een vis in een kleurboek die ik roze had gekleurd, met zwarte lijntjes om al zijn schubben. De ochtenden dat ik mijn merrie zadelde, als meisje van twaalf, en naar de lage weiden reed, zo stil en schoon in de ochtendnevel dat ik me voelde als Sacajeewa.

Daarna de herinneringen aan Ozzie en de drie jaar die we als pubers samen hadden doorgebracht. Zijn bovenlip die zich zo sierlijk krulde. Zijn gezicht dat oplichtte als hij naast me liep. Zijn aanraking als de eerste lentebries op mijn blote benen.

Hele middagen en avonden konden we net zo stil blijven liggen als ik nu lag, behalve dat ik me toen gelukkig voelde. Zelfs als we elkaar kusten en aanraakten, zo intiem dat we nauwelijks onze kleren konden aanhouden, bleef onze vrede met elkaar het middelpunt van die heerlijke verwarring.

Bij hem was het zo gemakkelijk geweest om gedachteloos egoïstisch te zijn en toch bemind te worden. Ik hoefde nooit mijn woorden te kiezen of mijn gevoelens te verbergen. Al die momenten met elkaar kwamen weer in mijn herinnering, helder en afzonderlijk, in de gaten die de behandeling in mijn bewustzijn had geslagen. Oude, schitterende beelden, gepolijst door de tijd. Alsof ik het leven van iemand anders leende om mijn huidige leegte op te vullen. Ik verdwaalde in hun gezelschap, en voelde me gelukkig.

Toen Maggie op bezoek kwam in het dagverblijf, herkende ik haar eerst niet eens. Ze boog zich over me heen en nam mijn gezicht in haar handen totdat ik mijn blik scherpstelde.

'Ik ben je moeder', zei ze.

'Natuurlijk', antwoordde ik, alsof het antwoord in een geschiedenisquiz me even was ontglipt.

Toen liep ze weg en hoorde ik een stem uit de gang, net als die van Grace.

'Het zal me een rotzorg zijn', zei de stem, en in gedachten zag ik Grace met haar voet stampen. Maar Grace was dood en meer kon ik er niet van maken.

Een paar dagen later stuurden ze me naar huis. Omdat ik zo rustig was, denk ik. Maar dat kwam doordat ik me de eerste tijd net zo verstijfd voelde als een konijn bij het geluid van voetstappen of een muis die een kat hoort naderen. Maar ik begreep wel dat ze me met rust lieten als ik maar kalm bleef. Ik werkte de tapioca en de pudding naar binnen. Ik draaide me gehoorzaam op mijn ene en mijn andere zij als de dikke zuster het bed verschoonde. Ik wist zelfs een onnozele glimlach te forceren als ze me een brave meid noemde. Het was niet moeilijk om haar zin te doen, veel gemakkelijker dan ruzie maken, en het voelde prettig en vertrouwd, hoe vals het ook was.

Maggie kwam naar het Arsenal om de papieren te tekenen. Zwijgend reed ze me naar huis. Dat vond ik prettig. Ik had geen zin om te praten. Alle dieren waren weg, behalve de katten in de schuur. Neal was met Clea naar de stad verhuisd en het was stil op de boerderij, afgezien van het zoemen van de insecten. In de velden stonden distels en rode wortels. Toen Maggie mijn kamer binnenkwam, deed ik of ik sliep en hield mijn ogen dicht. Ik zei haar dat ik nog niet naar beneden kwam om te eten en geen zin had om te wandelen omdat het zo heet was. Ze zei dat ik het rustig aan moest doen.

'Wandelen is toch niet leuk', zei ze. 'De rivier staat zo hoog dat de mocassinslangen omhoog komen met het water. Het staat al vijf meter boven de hoogwaterlijn en voorlopig gaat het nog niet zakken.'

Ik wilde Clea zien, maar Neal had bericht achtergelaten dat de dokter het beter vond om nog een paar weken te wachten. Ik vroeg waarom Neal niet op bezoek was geweest en Maggie zei dat hij me niet van streek had willen maken. Belachelijk, vond ik.

'Het was allemaal belachelijk.'

Ze verschoof het glas en de waterkan op mijn nachtkastje.

'Toen ik op bezoek kwam, had ik gedacht dat je goed verzorgd en uitgerust zou zijn, in plaats van half verdoofd. Ik vroeg wat ze met je hadden gedaan en een verpleegster nam me apart en zei dat ze de aanpak veel te zwaar had gevonden. Je had de eerste behandeling gekregen van een hele reeks, die nog maanden moest duren. Daarna zou je zo mak zijn als een lammetje. Ik vroeg waarom ze dat deden als het niet nodig was. "Om ervoor te zorgen dat ze geen problemen meer maakt en geen emoties meer heeft", antwoordde ze.

Ik reed meteen naar Neals kantoor en vroeg hem of hij wist wat voor gevolgen die behandeling zou hebben. Hij zei dat ze het beste met je voor hadden en dat die verpleegster niet wist waar ze het over had. Als je haar zou zien na zo'n behandeling, zei ik tegen hem, zou je geen toestemming meer geven voor een volgende.'

Ze glimlachte even terwijl ze de zonwering verschikte totdat hij weer precies hetzelfde hing.

'Ik vond het heel angstig om zo met hem te discussiëren, Nora. We praatten bijna drie kwartier. Maar ik had een gevoel alsof je vlak voor een aanstormende auto stond en ik je moest redden. Dat was het enige waar ik aan dacht.'

'Hij heeft het gewoon niet begrepen. Dokters vertellen je nooit precies wat ze gaan doen.'

'Hij liet me een tijdschrift zien dat hij van de dokter had gekregen. Daar stond in dat die schoktherapie een middel was tegen ernstige depressies. Maar ook dat de patiënten hun geheugen kunnen kwijtraken en vergeten wie ze zijn.'

'Neal probeerde alleen te helpen. Hij wist het niet.'

Ze hing mijn ochtendjas over de rug van de stoel en streek de vouwen glad.

'Ga nu maar slapen', zei ze en vertrok.

Ik lag nog weken in bed, doodmoe, uitgeput en soms ook woedend. Ik dacht terug aan alles wat ik me kon herinneren sinds die middag dat ik in de tuin stond te werken en Clea over de wei naar me toe zag rijden alsof de duivel haar op de hielen zat. Ik huilde omdat ik Simon nooit meer zou kunnen aanraken of met hem zou kunnen praten. Zijn gemis was als een voortdurende, lichamelijke pijn. Ik was boos dat ik de hogere macht niet kon straffen die zijn dood had gewild, dat ik hem niet kon wurgen zodat hij mijn kind zou uitspuwen voordat hij stikte.

Maar ik kreeg er ook genoeg van om steeds in bed te liggen,

in diezelfde kamer. Ik scharrelde een tijdje beneden rond, in mijn ochtendjas, totdat het me ging vervelen. Ten slotte stapte ik naar buiten om te zien hoe hoog de rivier was gestegen sinds de laatste regen. Ik liep door de velden, met een stok als wapen tegen de mocassinslangen die me konden aanvallen met hun opengesperde kaken. Ik kon mezelf er niet toe brengen hetzelfde pad te volgen waarlangs we Simon hadden teruggebracht, daarom liep ik naar een plek in de buurt, met uitzicht over het verdronken land. Het was nu één grote watervlakte, waar de toppen van de bomen als kleine struiken bovenuit staken.

Neal was altijd arrogant geweest over de rivier. Ik had hem gezegd dat zij onvoorspelbaar was, maar hij hield vol dat de genie gewoon een paar extra dammen en dijken had kunnen aanleggen om voorgoed een eind te maken aan de overstromingen, net als in Tennessee. Elk jaar had hij dat gezegd, behalve in de vijf overstromingsjaren, toen hij alleen maar over de schade praatte en over de stommelingen die zich niet lieten verzekeren.

Vanaf de heuvel zag ik niets dan water, tot aan de horizon. Dit gebeurde niet snel en onverwachts, zoals een tornado of een sneeuwstorm, maar heel traag en meedogenloos. Vastbesloten heroverde de rivier het land dat haar ontstolen was, en voorlopig zou ze het niet meer teruggeven.

Maggie en ik gingen er iedere morgen op uit om slangen te zoeken tussen de bloemperken, het onkruid langs het hek en het hoge gras van het weiland. We droegen laarzen en dikke handschoenen en we namen een grote mand met een deksel mee. Ik wond de slangen die we vonden om de tanden van een lange hark, maar ze gleden er vaak af voordat ik ze in de mand kon gooien. Maggie drukte haar slangen met een schoffel tegen de grond en greep ze dan vlak achter hun kop.

'Zo heeft Grace het me geleerd', zei ze. 'We maakten ze nooit dood.'

'Ozzie was zo snel dat hij niet eens een hark of een schoffel nodig had. Die greep ze meteen.'

Maggie floot bewonderend. Daarna droegen we de mand

naar de roeiboot die lag afgemeerd aan de half ondergelopen trap van de achtertuin naar de oever. Ik roeide een eindje het water op en Maggie ging op de boeg staan. Ze keerde de mand om en duwde de slangen met een roeiriem het water in, zodat ze stroomafwaarts dreven.

'We kunnen ook hun koppen eraf slaan', zei ze, 'maar Grace zei altijd dat zelfs slangen hun nut hebben in deze wereld.'

Ik zag ze wegzwemmen als zwarte S'en. Daarna roeiden we terug om te lunchen op de veranda, waar het beschut en koeler was. We keken naar de schaduwen van de bladeren in het gras en de zonnestralen die werden onderbroken door de wiegende takken. We zetten het laatste paardenvoer neer voor de vluchtende herten en het hondenvoer voor de vossen. We sliepen, we lazen, we zeiden niet veel. Toen we na het avondeten de afwas hadden gedaan, zaten we weer in schommelstoelen op de veranda en staarden naar de vuurvliegjes tot het tijd was om te gaan slapen.

Het water kwam zo hoog dat zelfs de weg overstroomde. De buren aan de oostkant roeiden naar ons toe en sleepten hun bootjes op het hoge land van ons erf. Een van de mannen, meestal Jack Rothermich, nam ons boodschappenlijstje mee en reed met de trekker twee kilometer door een halve meter water naar het punt waar de weg weer droog was. Daar werd hij opgewacht door andere buren, die hem naar de stad reden. Via dezelfde route kwam hij terug met de boodschappen voor iedereen die plotseling op een eiland woonde.

Eerst vond ik hun aanwezigheid nogal storend, maar na een paar dagen begon ik uit te kijken naar hun komst. Terwijl we wachtten, vertelden de mannen dat het slib van de overstroming het land vruchtbaarder zou maken, hoewel ze nog heel wat werk zouden hebben om het nieuwe onkruid te wieden. De vrouwen, bevrijd van hun dagelijkse werk, kwamen gezellig op de veranda zitten terwijl Maggie en ik limonade inschonken. Niemand zei iets over Simon.

Ik belde elke dag met Clea, die honderduit praatte over haar vakantiebaantje. Ik sprak ook veel met Neal, maar hij vond het te gevaarlijk om haar naar de boerderij te laten komen, zelfs als het water wat gezakt zou zijn en de weg weer vrij was. Ze kon door een slang worden gebeten of gedeprimeerd raken door de herinneringen. Ik was nog te moe om met hem te discussiëren, dus liet ik het erbij. Hoewel ik wist dat een confrontatie onvermijdelijk was, alsof het nummer drie of vier was op een lijstje van dingen die ik nog moest doen zodra ik eraan toekwam.

Begin augustus, toen het water begon te zakken, haalde ik Simons spullen tevoorschijn, die ik aan het begin van de zomer samen met Maggie had ingepakt. Zijn letter-jack, de foto's, een gestreepte steen, een oude hondenhalsband, een dagboek dat hij sporadisch had bijgehouden sinds de lagere school – dingen van geen enkele waarde, behalve dat ze van Simon waren geweest. Ten slotte borg ik ze weer op, zonder te weten waar ik precies naar had gezocht.

Maggie en ik verfden de beige muren van zijn kamer blauw en het houtwerk glanzend wit. Zij naaide nieuwe gordijnen van gebloemd jute en haalde een van Graces spreien voor het bed. We zetten de meubels anders neer en hingen nieuwe prenten op. Ze vond het een leuke kamer, zei ze, maar toch bleef ze beneden slapen, in het kamertje op de veranda, dat ooit van Grace was geweest.

Twee dagen nadat we klaar waren, gooide ik de deuren en ramen van de stal wijdopen. Ik liep door de zadelkamer en streek met mijn vingers over de bitten, de stijgbeugels en de zadelriemen, en sloeg hier en daar het spinrag weg. Ik zat een hele tijd op een baal stro en staarde door de schemerige stal naar de wei erachter, waar het gras groenwit leek in het felle licht van de middagzon.

Ik wist dat het onzin was, maar ik had half verwacht dat ik Ozzie daar zou treffen, of in elk geval zijn vertrouwde aanwezigheid zou voelen, zoals in het ziekenhuis. Ik dacht aan hem zoals ik hem het afgelopen jaar bezig had gezien, als hij een paard naar de bak bracht of over een hoef gebogen stond. Hij was er altijd geweest, om met me te praten en me gezelschap te houden. Opeens miste ik hem.

Ik herinnerde me hem met Simon, naast elkaar als ze Zad verzorgden, of Ozzie in de bak terwijl hij instructies naar

Simon riep als ze oefenden, of samen te paard als ze door het veld verdwenen. Maar opeens zag ik Simon en Zad weer vallen, alsof ik het van een kilometer afstand had gezien en op dat denkbeeldige moment te ver weg was geweest om iets te kunnen doen.

Ik dacht aan Grace en Maggie, die het leven weer hadden opgepakt na de dood van hun kinderen, en ik voelde me een baby. Ik wilde niet doorgaan, maar ik wist dat het moest. Ik verlangde naar Clea. Ik wilde verder met het leven.

Maar toen ik Neal belde om hem te vragen of hij en Clea weer thuis kwamen wonen, zei hij dat hij goed nieuws had. Hij had promotie gemaakt en zou naar Chicago worden overgeplaatst. Ik wist eerst niet wat ik moest zeggen, maar toen viel het me in.

'Dat gaat niet', zei ik.

'Er is geen discussie over', zei hij.

'We moeten eerst praten.'

'Ik heb al ja gezegd.'

Ik wilde het niet, maar ik begon te huilen. Van mijn breekbare gemoedsrust was niets meer over. Ik zei hem dat ik op de boerderij zou blijven, wat er ook gebeurde, maar hij antwoordde dat hij onze gezamenlijke rekening al gesloten had.

'De bank vroeg of je incapabel was', zei hij. 'Wat moest ik zeggen? Op dat moment was dat zo.'

'Zeg dan maar dat het veranderd is. Dat ze het weer ongedaan maken.'

'Je hebt nu toch geen zin in al die rompslomp, Nora? Wacht nou maar even. Dan geef ik je in de tussentijd wel geld.'

'Het gaat prima met me. Ik kan het best aan.'

Maar ik twijfelde, zeker omdat de bank en de dokter en Neal allemaal vonden dat het slechter met me ging dan ik zelf dacht.

Aan de andere kant van de lijn hoorde ik Neal ongeduldig hoesten en met zijn stoel schrapen.

'Uiteindelijk moet je daar toch weg', zei hij.

'Wat?' vroeg ik.

'Omdat alles gaat veranderen. Ik heb met een makelaar gesproken en hij denkt dat we een goede prijs kunnen krijgen voor de boerderij.'

'Maar je hebt nog geen woord tegen mij gezegd!' protesteerde ik.

'Ik moet met mijn werk mee verhuizen. Je wilt toch eten, neem ik aan?'

Ik smeet de hoorn op de haak en stond trillend over de telefoon gebogen. Maggie, die de was had opgehangen, kwam binnen en sloeg haar armen om me heen. Ze was een beetje vochtig en rook heel schoon, als nat wasgoed. Ik legde mijn hoofd tegen haar schouder zoals ik niet meer had gedaan sinds ik een klein meisje was en vluchtte in haar omhelzing voor deze nieuwe dreiging.

Ik had er graag met Ozzie over willen praten, maar ik wist niet waar hij was. Ik wilde hem zeggen dat ik er genoeg van had een vreemde te zijn. Dat wist ik nu. Ik was totaal uitgeput, alsof ik nu pas merkte hoeveel inspanning het me al die jaren had gekost om Neal Mahler niet in de weg te lopen en hoe gevaarlijk het was om bij hem te blijven.

HERFST

Nu daagt het me dat ik niet slechts
één man ben geweest, maar vele,
En zo vaak ben gestorven
zonder besef van hoe ik herboren werd.

Pablo Neruda

HOOFDSTUK 12

Ozzie
Kline

Goedkope motels zijn allemaal hetzelfde en door die uniformiteit verdwijnt je besef van tijd. Mensen houden de tijd bij aan de hand van poolsterren, dingen die zo van het alledaagse afwijken dat ze duidelijk in het geheugen blijven hangen. Voor of na Simons dood, bijvoorbeeld. Voor of na het moment dat ik Nora als een vluchtelinge zag. Maar al die anonieme kamers pletten de tijd tot één lang en grauw lint, totdat ik niet meer wist welke dag of welke maand het was en al mijn herinneringen in die brij verdronken.

Na een paar dagen onderweg begon ik als een filosoof te klinken. Ik kon er niets aan doen. Tussen mijn baantjes en in de auto had ik immers alle tijd om na te denken. Toen ik uit LaCote vertrok, hoopte ik dat de eenzaamheid me de ruimte zou geven om al die gevoelens op een rij te zetten die me zo hadden verward toen ik weer thuis was, die oude herinneringen die ik had aangezien voor liefde, vermengd met meegevoel toen Simon stierf. Tegen de tijd dat ik Nora vijfhonderd kilometer achter me had gelaten, begon ik te beseffen dat ik niet om háár was teruggekomen, meer dan een jaar geleden, maar om een plek te vinden waar ik thuishoorde.

Op weg naar Canada keek ik rond naar een stuk land dat ik zou kunnen kopen, een boerderij waar ik mijn eigen paarden kon fokken. Ik stopte in kleine stadjes en vroeg de makelaars om me te laten zien wat er te koop stond. Ik las de advertenties in de plaatselijke kranten en belde zelf boeren om te horen hoeveel ze vroegen. Als ik onderweg een lap grond zag met een leuk groepje huizen en schuren, vroeg ik me af hoe het zou zijn om daar te wonen, om op een zomerochtend de veranda op te stappen en te zien hoe de veulens elkaar achterna zaten in de wei.

Maar geen enkele boerderij was precies wat ik zocht en ik kreeg genoeg van de eenzaamheid. In de kleine restaurants in de stadjes waar ik doorheen reed, knoopte ik gesprekken aan omdat een hond op de lange duur toch niet voldoende gezelschap was.

Het viel soms niet mee om contact te krijgen en dat herinnerde me weer aan Nora. Een paar dagen nadat ik bij de Mahlers in dienst was gekomen, stapte ze de stal binnen, knikte in het voorbijgaan en liet de deur open alsof ze verwachtte dat de butler hem wel dicht zou doen. Zo liep ze ook toen ze nog een meisje was, geaccentueerd door het feit dat ze meestal rijlaarzen droeg. Ik vond het leuk om dat na al die jaren weer te zien, zoals ze met haar heupen zwaaide en stevige stappen nam, alsof ze precies wist waar ze heenging.

Hoe dan ook, ze pakte de roskam en begon Zad te borstelen. Eerst trok ze rechte banen van zijn schoften naar zijn croupe, en daarna ging ze er dwars overheen, zodat ze op en neer golfden als de straalstroom op een weerkaart. Zo nu en dan deed ze een stap terug om haar werk te bewonderen alsof het een vingerschilderij was. Ik moest erom lachen.

'Wat is er zo grappig?' vroeg ze, alsof ze dat niet wist.

'Je kunt dat paard beter op een schildersezel hangen.'

'Dat hoeft niet. Ze blijft uit zichzelf al staan.'

Nora gleed met haar handen over Zads flank en streek de banen glad. Haar hand streek helemaal over Zads rug, tot aan haar staart, en volgde de contouren zoals de wind de heuvels en dalen volgt.

'Jij tekende vroeger.' Ze leunde tegen het paard. 'Voordat we elkaar echt kenden.'

Toen grijnsde ze en hield haar hoofd schuin alsof ze verder niets hoefde te zeggen. Maar ik had al jaren niet meer getekend.

'Is dat zo?' vroeg ik, onnozel als altijd.

'Toe nou, Oz. Toen we zestien waren hield je tekenleraar een tentoonstelling in de bibliotheek. Jij had een satyr getekend, met dik glimmend krijt, heel wat beter dan al die slechte landschappen en vazen met bloemen. Ik kon het niet geloven.'

'Dat ik wist wat een satyr was?'

Ze maakte een snel gebaar, alsof dat er niet toe deed. 'De volgende keer dat ik je zag zei ik hoe goed ik je vond.'

'Ik had het gepikt, weet je dat? Nagetekend van een fontein in het museum van St. Louis. Ik heb nooit echt goed kunnen tekenen. Ik wist meer van paarden.'

'Ik vond het mooi en dat zei ik je ook', zei Nora. 'Dat was de eerste keer dat we over iets anders praatten dan over paardrijden.'

'Dan heeft het toch nut gehad.'

Ik knipoogde als een slechte versierder.

'Dat is moeilijk, weet je. Een gesprek beginnen.' Afwezig wikkelde ze een streng van Zads manen om haar vinger. 'Toen ik zwanger was, kwamen mensen overal naar me toe. Op straat of in winkels. Ook mensen die ik helemaal niet kende. Dan vroegen ze hoe ik me voelde of hoe ver ik was en of ik een meisje of een jongen wilde. Als ze naar me keken, zagen ze meteen wat op dat moment het belangrijkste was in mijn leven, en konden daarop inhaken.

Ze vertelden me over hun eigen baby's, een zwangerschap zus, een bevalling zo. Oudere vrouwen hadden het soms over baby's die waren gestorven. Doodgeboren, in het kraambed gestorven of aan de wiegendood. Ze konden die kinderen niet vergeten, zeiden ze. Maar als ze waren blijven leven, zouden ze ouder zijn geweest dan mijn eigen ouders, realiseerde ik me achteraf.

Ze maakten me ook bang. Ik had grote moeite om niet te gaan huilen of in paniek te raken, maar ik was altijd vastbesloten geweest dat mijn baby's zouden leven. Toen ik van Simon in verwachting was, heb ik zelfs een keer *Dit kind zal leven* op een briefje geschreven en het in mijn bureaula opgeborgen, omdat ik geen andere manier wist om het vast te leggen. Ik heb het nog steeds.'

151

Toen keek Nora me aan alsof ze wachtte op het antwoord op een vraag die mij was ontgaan. Maar ze had een oude snaar geraakt en ik merkte dat ik voor het eerst in jaren weer tekeningetjes maakte. Meestal fragmenten. Zo begon het altijd. Het voorbeen en de hoef van een Arabier, dan de achterhand en de staart. Daarna Zads hoofd, met haar grote ogen, als een mooie baby. Toen een baby, misschien wel Simon, en Nora in verwachting.

Ik was er niet bij geweest en ik kon alleen maar gissen hoe ze er toen had uitgezien. Jong en slank, maar met een dikke buik. In een wijde blouse, als een schilderskiel, en platte schoenen om niet te vallen of haar rug te verrekken. Ik probeerde me haar voor te stellen om haar te kunnen tekenen, maar ze veranderde steeds in een merrie die naar me toe liep, met een ronde, opgeblazen buik, groot en waggelend als een pakezel met stapels manden.

Ik verlangde ook naar deze Nora. Ik was graag teruggegaan in de tijd, zodat ik mijn handen op haar buik had kunnen leggen, als ze het goed had gevonden, om de baby te voelen schoppen. Zodat ik haar had kunnen waarschuwen om haar leven een andere wending te geven, omdat dit kind anders níet zo lang zou leven als wij wilden.

Onderweg probeerde ik haar weer te tekenen. Maar dan kreeg ik zo'n spijt dat ik naar buiten moest voordat de muren van de motelkamer op me af kwamen of de leegte van de kampeerplaats me naar de strot vloog. In eettentjes schetste ik de serveersters of andere klanten op servetjes en gaf hun de portretten. Soms keken ze alleen maar verward en liepen weg, maar meestal vonden ze het wel leuk, zeker als ik hen mooier maakte.

Als de klanten een verse kop koffie voor zich hadden staan, of als de serveersters het niet te druk hadden, vertelden ze me hoeveel ze op hun moeder of hun vader leken, dat hun zus de knapste van de familie was of hun broer de lelijkste, of op wie hun kinderen leken. Ze hielden verhalen over al die mensen en ik vertelde hun over mijn familie.

Ik zei nooit dat mijn grootouders elkaar nauwelijks tolereerden en dat het huis waar we woonden naar uien en schimmel stonk. Dat mijn moeder alle problemen negeerde die ze niet aankon, waaronder haar man. Dat mijn vader me sloeg totdat ik zeventien was en bij een vriend introk die ook van huis was weggelopen. Nee, ik verzon een familie die bij mijn stemming paste, meestal een groepje van heldhaftige kleine mensen, die me na een tijdje bekender en vertrouwder voorkwamen dan de familie met wie ik werkelijk had samengeleefd.

Toen, op een avond na het eten, opgefokt door te veel cafeïne, liep ik in mijn eentje door een park en ging op een bankje zitten. Ik wist dat ik terug moest om de hond uit te laten, maar ik kon dat kamertje niet onder ogen zien. Ik was een man van middelbare leeftijd, zonder relaties en vol zelfmedelijden. Ongelukkig en onaangepast.

In het maanlicht hadden het park, de struiken, zelfs mijn schoenen, een ongelooflijk mooie zilverglans, die schril contrasteerde met mijn sombere, negatieve stemming. Ik zat daar op dat bankje en deed alsof ik mijn vader was voordat hij aan kanker was gestorven, uitgeteerd als een oude pop zonder vulling, met een platte schoot en zijn armen slap langs zijn lichaam. Ik tilde mijn hand op zoals ik hem dat had zien doen. Ik hield zijn zilveren hand trillend voor mijn gezicht en vroeg me af hoe het zou zijn als je de kracht uit al je spieren voelde wegvloeien.

De zwaartekracht drukte me neer. Een van de heksen van Salem was zo gestorven, een van de mannen. Ze hadden een plank op zijn borst gelegd en er stenen op gestapeld tot hij niet sterk genoeg meer was om dat gewicht omhoog te krijgen, zodat hij stikte. Ik haalde diep adem, met dezelfde voldoening als na een trek van een sigaret als je uren niet hebt gerookt, en stelde me voor hoe het moest zijn om te sterven omdat je de lucht vlak onder je neus niet eens kon inademen.

Toen ik op mijn kamertje kwam, ging de hond op zijn rug liggen, met zijn poten omhoog. Ik aaide hem stevig over zijn buik, in de hoop dat daar nog een spoor was achtergebleven van Nora's aanraking. Zo'n zielige klootzak was ik toen. Ik pakte een oude tennisbal en floot naar de hond. We liepen naar een braakliggend stuk grond aan de overkant van de straat. Ik gooide de bal zo ver als ik kon en riep naar Bandit dat hij hem moest apporteren. De hond vloog er achteraan maar remde af toen hij bij de schaduwen kwam waar de bal was neergekomen en verdwenen. Ik wist ook niet waar hij was. Langs de randen van het zilveren veld heerste een diepe duisternis waar alleen een uil nog iets zou kunnen zien. Maar de hond snuffelde, verdween in het donker, kwam na een tijdje weer terug en liet de bal aan mijn voeten vallen. Ik gooide hem weer, half nieuwsgierig of Bandit hem nog eens in het donker zou kunnen vinden. Na twintig minuten dook hij weer op en ging een paar meter bij me vandaan liggen met de bal tussen zijn poten – een hond in staking, met zijn tong uit zijn bek, hijgend van de inspanning.

Ik ging naast hem in het gras liggen en keek omhoog naar de lucht. Het was zo laat en zo stil dat ik de laatste man op aarde leek, of Adam, de allereerste. De grond voelde stevig en solide onder mijn rug, alsof ik zo lang onderweg was geweest dat ik was vergeten dat iets zo onbeweeglijk kon zijn.

Ooit hadden Nora en ik zo op het football-veld gelegen na een wedstrijd. Op het feest na afloop had ik haar bij de hand genomen en langzaam met haar gedanst – een excuus om haar te kunnen vasthouden. Maar er waren te veel mensen en ik zocht wat ruimte en afzondering, zodat we ten slotte in de gymzaal waren uitgekomen. Ze vroeg niet waar we heengingen, de betegelde gang door, langs jongelui die op de parkeerplaats rondhingen of tegen auto's leunden in de straat. Ik bleef zoeken naar een rustig plekje en vond het pas in het kleine stadion, midden op dat grote, donkere veld.

Uren geleden had half LaCote zich de kelen schor geschreeuwd op de tribunes, maar nu was het de rustigste plaats van de hele stad, nog stiller dan de zijstraten waar de politie patrouilleerde om kinderen in auto's te betrappen. En het was er donker, maar niet zo donker dat we elkaar niet konden zien. We gingen op de 50-yardlijn zitten, precies in het midden, en Nora nestelde zich tegen me aan. Het leek alsof we kilometers buiten de stad waren en we moesten lachen bij de gedachte dat niemand aan deze plek zou denken als ze ons toevallig zouden zoeken.

Misschien hebben we nog even gepraat, hoewel ik echt niet meer weet waarover, daarvoor is het te lang geleden. De details kan ik me ook niet meer herinneren, behalve dat we allebei in dezelfde gelukkige, enigszins opstandige stemming waren, vol van onszelf, onbekommerd en vrij. Alleen wij tweeën, zoals we samen konden zijn als er niets tussen ons in was. We lagen tegen elkaar aan, net zo stevig als de grond onder ons. Nora en ik, samen compleet.

Ik kan het niet uitleggen. Mannen en vrouwen sjouwen meestal zoveel andere dingen met zich mee: zorgen, trots, verleden en toekomst, te veel liefde of niet genoeg. Ze hebben hun familie bij zich, de restanten van de dag en de herinneringen aan iedereen van wie ze ooit hebben gehouden of dachten te houden. Hun blik wordt gekleurd door zoveel grieven en wensen dat ze in gedachten een heel ander mens maken van hun geliefde. Of ze bedenken wat ze in ruil willen ontvangen voor wat ze zelf hebben gegeven. En nou ja, soms stelt het lichaam zijn eigen eisen en letten ze nergens meer op.

Wat de reden ook is, mensen hebben maar zelden aandacht en waardering voor het moment zelf, zoals het werkelijk is. Het komt niet vaak voor dat twee geliefden elkaar ontmoeten met hun totale wezen, en verder niets. Alsof ze allebei een seconde eerder waren geschapen en nog zo onschuldig zijn dat ze niet weten dat er daarna nog iets komt of dat er nog iets anders in de schepping bestaat, zelfs geen God. Ik weet niet hoe ik het moet uitdrukken. Soms, heel soms, gebeurt dat opeens. En dan is het volmaakt, alsof je klaarwakker bent, allebei tegelijk. Alsof je het bloed door haar en je eigen aderen voelt stromen en al je spieren elektrisch geladen zijn.

Mijn hele leven heb ik dat alleen meegemaakt met Nora, en vooral die avond toen we zeventien waren. Alle tegenstellingen verdwenen zolang ze maar tegen me aan lag en ik haar haar, haar lippen en haar borsten kon aanraken. We lagen stevig op de grond, maar zweefden tegelijkertijd zo hoog dat al het andere als een zwarte ruimte naast ons wegviel.

Misschien was dat een deel van mijn probleem met haar. Die momenten die te mooi waren om echt te zijn. Toeval. Geluk. Magie. Niets wat ik zelf zou kunnen bepalen, zeker niet met enige regelmaat. We hadden tegen de wens van haar vader kunnen ingaan, maar ik denk niet dat ik ooit had kunnen voldoen aan de verwachtingen die Frank Rhymer – en Nora, via hem – van een echtgenoot koesterde. Ik had zelfs naar mijn eigen maatstaven niet genoeg van haar kunnen houden en haar kunnen geven wat ze verdiende.

Maar toch kwam ik nooit over haar heen en was geen enkele vrouw ooit genoeg voor me. Toen ik daar in het maanlicht lag, met het gehijg van de hond als het tikken van de klok, wist ik niet of ik dat alles nu uit mijn hoofd moest zetten of mezelf voor mijn kop moest slaan omdat ik haar had laten gaan. Ik staarde recht omhoog en voelde me begraven onder al die ruimte en afstand. Een soort dood, niet zo definitief als van Simon, maar toch een vorm van sterven. En ik was kwaad op Nora omdat ze me hier zo eenzaam tegen de grond hield gedrukt, met mijn rug plat tegen de aarde.

Na die avond hield ik op met tekenen. Ik nam me voor om een tijdje op één plaats te blijven werken voordat ik verderging naar het noorden. Ik hoopte dat ik me dan prettiger zou voelen, net als in LaCote, de laatste keer. Maar in elke volgende stad voelde ik me een buitenstaander, zonder vertrouwde herkenningspunten of oude vrienden die een anker vormden. Ik miste de rivier, waar je op de oever kon staan en je zonder je te bewegen een deel ervan voelde, en van alle rivieren die ermee verbonden waren en de gebieden waar ze doorheen stroomden, tot aan de oceaan en verder nog.

Ik miste zelfs de ligging van LaCote aan de Missouri, met dat rechte stratenpatroon dat zo duidelijk vanaf de oever was ontstaan. In steden zonder water kon ik nooit het centrum vinden of me oriënteren. Als ik eenzaam werd, zocht ik daarom maar een vrouw als anker, in de hoop dat zij de oplossing zou zijn. Een serveerster met nachtdienst, een paardenbezitter in een dure rijbroek en Engelse laarzen, een straatmadelief die niet alleen wilde zijn. Vrouwen die niet knap of begeerlijk of wat dan ook konden zijn als een man hun dat niet vertelde. Vrouwen die ik kon helpen.

Niet dat ik loog. Wat ik over hen zei, had de waarheid kunnen zijn als ze hun kansen hadden gegrepen. En als ik mijn tong in hun oor liet glijden en dingen fluisterde waardoor ze verzaligd tegen me aan kropen, hoe kortstondig ook, dacht ik altijd: *Dit is hoe het Woord ooit Vlees is geworden.*

Ik streek met mijn lippen langs hun gezicht en hun hals, snoof hun parfum op, lelietjes-van-dalen of anjers of Chanel, en rook wat ze gegeten en gedronken hadden. Ik fluisterde een lied voor iedere vrouw en ze voelden zich groeien zolang ik hun die woorden inblies.

Omdat Nora altijd terugkeerde in mijn gedachten, op manieren waar ik niets tegen kon doen, hoopte ik maar dat die andere vrouwen even anoniem zouden blijven als de motelkamers of de kampeerplaatsen waar ik sliep. Maar terwijl ik hen streelde en naar hen luisterde, terwijl ik keek naar hun ogen, hun lippen en hun gebaren als ze praatten en praatten en praatten, kregen ze steeds meer gestalte in hun dromen en eigenaardigheden. De overeenkomst waar ik op hoopte was alleen hun angst en onzekerheid diep van binnen, als bij paarden die met geweld zijn getemd, in plaats van met liefde.

Er zijn onvoorstelbaar veel manieren om een dier wreed te behandelen. Toen de cowboys in het westen de mustangs wilden temmen om snel geld te verdienen, sprongen ze op de bokkende dieren en sloegen een whiskyfles met water op hun hoofd kapot als ze zich verzetten. Dat deed niet veel pijn, omdat paarden zo'n dikke schedel hebben, maar de mustangs dachten dat het hun eigen bloed was dat over hun neus liep en verzetten zich daarom niet meer.

Ik wist niet waar een man een vrouw mee moest slaan om hetzelfde te bereiken. Maar met genoeg slaag, scheldpartijen en alle combinaties daarvan, kon het niet moeilijk zijn om dezelfde zenuwachtige reactie op te roepen, die angstige ogen en die neiging om in het kleinste hoekje weg te kruipen. Ik zei steeds dat ze naar míj moesten luisteren en niet naar degene die hen had wijsgemaakt dat ze niet goed genoeg waren. Ze ontspanden en openden zich als lelies, en ik raakte hen aan zoals je een veulen voor het eerst over de neus strijkt, zodat ze aan me zouden wennen, terwijl ik mijn handen over hun lichaam liet gaan en alles aan hen prees.

Daarna beroerden ze zichzelf alsof ze nooit hadden geweten dat ze zo prachtig waren. Na een tijdje werd ik zo goed in die truc om hen hun eigen schoonheid te laten ontdekken dat ik het als een goede daad ging beschouwen. De barmhartige Samaritaan, als je wilt. Een variatie op de oude verhalen van Leda en Maria, met de man die zich nu in zijn ware gedaante liet zien en de vrouwen zwanger maakte van zichzelf.

Maar evenmin als in de stadjes voelde ik me bij die vrouwen ooit echt thuis, en ten slotte wilde ik altijd ontsnappen aan iets wat me op de lange duur nog ongelukkiger maakte dan de eenzaamheid. Ik verzon verhalen om de pijn van mijn plotselinge vertrek te verzachten. Niet meer dan dat. Ik gaf hun een zoet verdriet om te koesteren, als een gouden medaillon bij wijze van afscheidscadeau.

'Ik had dit niet moeten doen', zei ik dan. 'Maar toen ik jou zag, stond ik machteloos.'

Ik zei dat ik ernstig ziek was en dat zij me de liefde hadden gegeven om er bovenop te komen. Of dat ik het liefst bij hen zou blijven maar dat mijn vrouw krankzinnig was of niet wilde scheiden. Als ze maar dachten dat ze zo bijzonder waren dat ik hen nooit zou kunnen vergeten en dat ik zou zijn gebleven als het had gekund.

Het was vooral die bevestiging van hun waarde waar ze naar hunkerden en ze vonden het niet erg dat ik wegging voordat ze die zekerheid weer konden verliezen. Ze huilden bij het afscheid, maar hun tranen waren bitterzoet, dacht ik, zoals ze huilden bij een mooie film. Zo vond ik halfslachtige excuses voor wat ik deed en betaalde ik hen terug voor de troost die ze me hadden gegeven. Maar nog dagen later vervloekte ik mezelf omdat ik me weer zo dom en onbekommerd in een relatie had gestort die achteraf geen enkele toekomst had gehad.

Bovendien veranderde het spel onderweg. Het was begonnen met het idee dat ik een vrouw wilde die zo weinig op Nora leek dat ik haar zou kunnen vergeten. Maar ze veranderden allemaal in haar, en wat ik hun vertelde zou ik zo graag tegen háár hebben gefluisterd. Dat ze mooi was en sterk, dat niets haar zou kunnen breken, niet Simons dood, niet het verlies van Zad of de hardvochtigheid van Neal.

Ik legde een overtuiging in mijn stem die alleen voor háár bedoeld was. Ik hield vol en gaf niet op, als bij een paard met een koliek. *Als je blijft liggen, ga je dood, verdomme. Sta op en loop de kronkels eruit, anders pleeg je zelfmoord.* Ze moesten het wel proberen, hoewel die eerste bewegingen zo'n pijn deden dat ze dachten dat ze juist daaraan zouden bezwijken. Ik zei maar steeds wat Nora moest horen: *Opstaan, anders ben je verslagen.* En ik merkte dat sommigen zich inderdaad omhoog hesen en probeerden op eigen benen te staan – het begin van een oplossing die zo simpel leek, als ze maar hadden geweten dat ze het in zich hadden.

Voor mij vormden die contacten en het afscheid de korte seizoenen van mijn leven, een cyclus die altijd terugkwam bij Nora, totdat ik op een nacht samen was met een meisje dat niet veel ouder kon zijn dan Simon was geweest. Ik had haar ontmoet op een concours, haar paard beslagen en haar laten zien hoe ze met een handvol modder kon voorkomen dat zijn hoeven barstten. Daarna bleef ze om me heen hangen en vroeg van alles over paardenvoeten. Ze stond tegen een deurpost van de stal en bewoog haar been op en neer als een kat die zich tegen een muur wreef, totdat ik me nauwelijks nog op mijn werk kon concentreren. Toen ik de laatste twee paarden had afgewerkt, bood ze aan om me de stad te laten zien en de beste plaats om te eten. We zaten drie uur te praten in het café. Ze had het uitgemaakt met haar vriendje en van haar vader mocht ze niet van school af. Maar één ding was duidelijk, dat deze vrouw alleen in leeftijd voor mij onderdeed.

Ik vertelde haar over Nora en het meisje lachte.

'Waarom neem je niet gewoon wat je wilt?'

'Omdat ik daar een prijs voor moet betalen', zei ik.

'Het kost je nu veel meer, omdat je haar niet hebt', vond ze.

Daarna reed ze met me mee de stad uit, over een zandweg

naar de top van een heuvel met uitzicht over het boerenland. Het schijnsel van de stad verlichtte de horizon en ik zat te staren als een toerist. Ze wees me de richting van Chicago in het zuiden, en waar haar oma woonde. Ze boog zich over de stoel om het huis aan te wijzen en toen ze haar arm optilde, drukte haar borst tegen me aan. Ze gleed als water in mijn armen.

Ik had haar met rust willen laten omdat ze nog zo jong was, maar ze overspoelde me. Ze nam mijn gezicht in haar handen, glimlachte en kuste me hard. Dat we in een geparkeerde auto zaten, deed me aan Nora denken. En het feit dat ze zo jong en open was – het gevoel dat niets nog belangrijk was, behalve wij.

Ik hapte naar adem en vroeg: 'En je vriendje dan?'

'En jouw vriendin?'

'Ze is niet mijn vriendin.'

'O jawel', zei het meisje. 'Of luister je niet naar je eigen woorden?'

Ik probeerde haar ogen te onderscheiden in hun masker van schaduw, maar ik zag alleen haar scheve grijns.

'Ter ere van haar', zei ze. 'Laat mij maar een beetje zien hoe je van haar houdt.'

We vreeën met onze armen en schouders tegen het stuur geklemd, onze kleren half uit en als boeien om onze benen gewikkeld. Ze kromde haar rug en groef haar vingers in mijn armen. Toen schreeuwde ze het uit, een lied van genot en kracht, zoals Nora dat ook had gekund. Ik gaf alles wat ik had, steunend op een arm om haar niet te verpletteren, en na afloop liet ik mijn voorhoofd tegen het hare rusten om weer bij zinnen te komen.

Ik wilde bij Nora zijn. Opeens was het helder. Ik wilde met haar praten. Haar gezelschap, haar nabijheid, haar aanraking. Ik wilde het soort leven dat zij leidde, het soort werk dat zij deed. In elk geval wilde ik zien of het weer goed met haar ging en of ik misschien iets kon doen, hoe onbeduidend ook, om haar te helpen.

De volgende dag ging ik op weg naar huis. Niet dat ik een duidelijk plan had wat ik moest doen als ik daar eenmaal was.

Ik reed ook niet rechtstreeks terug, maar met veel omwegen, zoals een hond die een spoor volgt en het hele terrein bestrijkt, zonder iets over te slaan, zich bewust van alles, ook het onzichtbare, en vertrouwend op zijn zintuigen om hem naar huis te brengen.

HOOFDSTUK 13

Maggie
Rhymer

Die herfst schreef hij haar elke week vanuit Evanston. Over zijn appartement in Ridge, vlak bij de buurt waar hij was opgegroeid. Er woonde nu geen familie meer, maar soms zag hij mensen die hij meende te herkennen en vroeg zich af of hij naar hen toe moest gaan om te zien of ze zich hem nog herinnerden. In ieder geval kende hij de slager en een van de bedienden bij de bank en zei hallo alsof hij nooit was weggeweest. Hij woonde op loopafstand van het postkantoor, de drogist, de stomerij, de kruidenier, de bioscoop en genoeg restaurants. Hij zat maar twee straten van het station van de El waarmee hij naar zijn kantoor in het centrum van Chicago reed en Clea naar haar katholieke meisjesschool even buiten de Loop.

'Alles is hier geweldig', schreef hij. 'Je zult het fantastisch vinden.'

Eén keer beschreef hij de wind die vanaf het meer door State Street waaide, zodat de deftige dames met hun gehandschoende handen naar hun rokken en hoeden grepen. Hij ging graag lunchen in de Field's Walnut Room, waar mensen in hun eentje aan een tafeltje zaten, met hun tassen en pakjes op de lege stoel tegenover hen, en een perziksalade en kwark op bruinbrood bestelden. Ze bogen zich wat naar voren om een hap te nemen en leunden dan weer naar achteren om te kauwen. Soms droegen ze een hoed met een voile die de bovenkant van hun gezicht bedekte.

'Ik wil ook zo'n hoed voor jou kopen', schreef hij aan Nora. 'Ik zie je al aan een tafeltje in de hoedenwinkel zitten, terwijl het meisje je honderd verschillende laat zien voordat je er een vindt die je bevalt. Daarna wandelen we samen door Michigan Avenue, jij met die ronde doos in je hand en die mooie hoed en een duur pakje.'

Als ze naar Chicago – Chi Town, de Windy City of Toddling Town – kwam, zou hij een kamer boeken in het Palmer House voor een tweede huwelijksreis. Ze zouden gaan winkelen in de shops van het hotel en koffie drinken in de lounge met de engeltjes op het plafond. En ze zouden gelukkiger zijn dan ze ooit waren geweest.

Soms, op het laatste velletje, probeerde hij haar zelfs weer in seks te interesseren: 'Je hoeft alleen maar je ogen dicht te doen, zonder je te bewegen. Het maakt mij niet uit, als ik maar mijn gang mag gaan.'

Nora stond in de keuken en las de brieven als ze kwamen. Ze fronste haar voorhoofd en schudde haar hoofd alsof ze een aanzoek had gekregen van een Tibetaan die haar had gevraagd om tot zijn harem toe te treden of non te worden. Ze haalde haar schouders op en gooide de brieven op de keukentafel.

'Ik heb geen idee waar hij het over heeft', zei ze.

Daarna liep ze naar de stal alsof ze dacht dat de paarden daar 's nachts weer waren teruggezet. Ze maakte het tuig schoon, veegde de stallen en harkte de bak aan. Ik zei dat ze haar oude klanten moest bellen of moest adverteren dat de stal weer open was, maar Nora verzon allerlei excuses – ze zouden wel niet thuis zijn, of ze zaten net te eten, of het was al te laat om te bellen. De ware reden zei ze niet: dat ze bang was dat haar klanten niets meer met haar te maken wilden hebben omdat Neals praatjes hen ervan hadden overtuigd dat ze te geschift was om nog goed voor de paarden te kunnen zorgen. Daarna moest ze toegeven dat ze zonder enige goede reden Clea al acht maanden van het schooljaar niet had gezien.

Dat was de afspraak. Meer kon ik er niet uithalen, zonder een ruzie te beginnen waar Nora nog niet aan toe was. Neal had de opbrengst van mijn huis in zijn appartement in Evanston geïnvesteerd. Nora en ik bleven op de boerderij en Clea verdeelde haar tijd ongelijk tussen hen beiden. Neal had zonder veel problemen toegestemd omdat hij verwachtte dat Nora hem al gauw zou missen en gehoorzaam naar Chicago zou komen, zeker nu hij haar weer het hof maakte.

'Misschien houden we de boerderij wel en kan ze 's zomers bij jou logeren', had hij gezegd voordat hij wegging. Blijkbaar ging hij ervan uit dat de boerderij nu mijn verantwoordelijkheid was. 'Ik weet werkelijk niet wat ze in de hitte van Missouri zoekt terwijl ze in Chicago aan het meer zou kunnen zitten. Maar als zij zich door de muggen wil laten opvreten en gek wil worden van de vochtigheid, is dat haar probleem.'

'Hoe kan een gezin nou op twee plaatsen wonen?' vroeg ik.

'Dat was ook niet de bedoeling', zei hij, priemend met zijn wijsvinger in de lucht. 'Maar als Clea zou trouwen, kunnen we nu in de krant laten zetten: *De heer en mevrouw Neal Mahler uit Evanston én LaCote kondigen het huwelijk aan van hun dochter*, net als die rijke snobs.'

Ik belde drie advocaten voordat ik er een vond die wilde luisteren. De eerste zei dat hij katholiek was en geen huwelijkszaken deed. De tweede was een kennis van Neal en was bang voor een botsing van belangen. De derde was bereid een afspraak te maken. Ik ging naar hem toe en hij maakte aantekeningen terwijl ik mijn verhaal deed. Ik kende hem vaag, zoals je in LaCote iedereen kent. Zijn familie bezat het rouwcentrum waar we Simons wake hadden gehouden en zijn vrouw had bij mij op school een paar klassen lager gezeten. Toen hij mijn hand pakte en zei dat het allemaal erg verdrietig was, verbaasde het me niet dat hij de situatie kende.

Ik vertelde hem dat Nora nog niet helemaal de oude was sinds het ongeluk, en dat ik daarom alle informatie wilde opvragen, zodat zij wist waar ze aan toe was. Heel begrijpelijk, zei hij, nu Simon en het paard er niet meer waren. Maar het zou heel moeilijk voor haar worden om de voogdij over Clea te krijgen terwijl ze van haar man gescheiden leefde.

'Omdat ze nog getrouwd zijn, zal de rechter beslissen dat de vader alle recht heeft om zijn kind mee te nemen, zolang het haar aan niets ontbreekt. Maar als uw dochter een eis tot echtscheiding indient, wordt de voogdijkwestie een onderdeel van de scheidingsprocedure en in dat geval worden de kinderen meestal aan de moeder toegewezen.'

Toen ik terugreed naar de boerderij, vroeg ik me af waarom het zo lang had geduurd voordat we op het idee van een scheiding waren gekomen. Misschien hadden de katholieke opvattingen van Frank en Neal toch invloed gehad op Nora en mezelf, of misschien kwam het doordat er in LaCote zo weinig gescheiden werd. Nora keek verbaasd toen ik haar ernaar vroeg.

'Maar ik kan niet scheiden', zei ze. 'Dat is niet goed.'

'Het is ook niet goed zoals hij zich gedraagt.'

Maar Nora zei dat hij van streek was, net als zij, en dat dit niet het moment was om zulke ingrijpende beslissingen te nemen. Daarna liep ze de deur uit en verdween door het veld.

Als ik mensen tegenkwam die ik kende, deed ik alsof ik haast had en geen tijd voor een praatje. Ik had geen zin in die akelige verhalen die Neal had rondgestrooid: dat hij zielsveel van haar hield maar dat zij te egoïstisch was om met hem mee te gaan.

Ik wilde niet eens praten over andere dingen – onschuldige onderwerpen zoals het weer of de burgemeester – omdat ik wist dat de mensen toch alleen maar in Nora geïnteresseerd waren. Nora, die haar eigen leventje niet wilde opgeven voor haar kind, wat het ergste was wat een vrouw kon doen, afgezien van de hoer spelen.

Niet dat we zulke innige contacten met het stadje onderhielden. De buren kwamen zelden langs, of vice versa. Met haar deftige manieren en haar goede opleiding was Grace altijd een buitenstaander geweest, vooral omdat ze zo'n sterke, efficiënte vrouw was. Meer dan eens hadden mensen tegen me gezegd dat ze blij waren dat ze haar hadden zien huilen na de begrafenissen van Frankie en Charlie, omdat ze toch menselijk bleek te zijn.

'Ik kan niet begrijpen', zei ze tegen me, terwijl ze met haar vuist tegen haar dijbeen sloeg, 'dat ze troost vonden in mijn verdriet.'

Maar ze leerde ons onafhankelijk te zijn en dus werden Nora en ik meestal aan onszelf overgelaten. Ik vroeg haar om mee te gaan winkelen of naar St. Louis te rijden voor een museum of een toneelstuk. Ik belde zelfs Ozzie Kline om te zien of hij terug was en Bandit naar de boerderij wilde brengen. Maar zijn nummer was al zo lang afgesloten dat iemand anders het had gekregen, en die begreep geen woord van wat ik zei.

'Voorlopig ga ik hier niet weg', zei Nora, alsof iemand zou proberen haar land te stelen als ze even de deur uit was. 'Maar voor Clea is het beter om een tijdje bij die herinneringen weg te zijn.'

Ik sprak haar niet tegen. Het was haar beslissing. Ze zat als een spin in het midden, en de onzichtbare draden van het web kwamen samen in haar buik. Maar geen levend wezen bracht ze in beweging en ze trilden alleen nog door de wind die passeerde, op weg naar andere plaatsen.

Nadat Neal en Clea eind augustus naar Evanston waren verhuisd, vond hij dat ze eerst moest wennen voordat ze weer thuiskwam. Hoe langer Clea wegbleef, des te somberder Nora werd. Ze schreef haar iedere dag, hoewel ze niet veel te vertellen had. Nora opperde vooral dat ze 'samen dingen konden doen' als Clea thuiskwam. Maar afgezien van lezen en naar de film gaan hadden ze nooit veel gemeen gehad buiten het dagelijkse leven. Ze spraken elkaar bij het eten en op andere korte momenten als ze de nieuwtjes van de dag uitwisselden. Nu die band niet meer bestond, scheen Nora niet te weten wat ze ervoor in de plaats moest stellen.

Behalve brieven schrijven deed Nora niets anders dan de boerderij inspecteren. We maakten nog steeds jacht op slangen. De onschadelijke soorten lieten we liggen waar ze door de overstroming terecht waren gekomen, maar de mocassins zetten we terug in de rivier, die zich langzaam weer terugtrok in haar bedding.

Het land kwam trapsgewijs naar boven, met richels van afval, als vuile randen in een badkuip. De bomen die zo ver onder water hadden gestaan waren hun bladeren kwijtgeraakt alsof het al winter was, hoewel de sumak op het hogere land nog maar nauwelijks rood was verkleurd.

'Ze zijn verdronken', zei Nora toen we onze weg zochten over de heuvels, glijdend door de modder, tussen het drijfhout door. 'De wortels hebben zo lang onder water gestaan dat ze zijn gestikt.'

De bomen stonden om ons heen als verdwaalde geesten. 'Ik heb hem gezegd dat het water niet tot het huis zou komen', zei Nora. Toen klaagde ze dat we geen paarden meer hadden om op te rijden. Dat was toch te gevaarlijk geweest met de modder en de slangen, zei ik, maar ze antwoordde alleen: 'Het is allemaal zijn schuld.'

'We sparen wel genoeg om nieuwe paarden te kopen', zei ik, hoewel Neal ons niet eens genoeg geld gaf om de hele maand door te komen.

Steeds vaker liet ik haar er alleen op uitgaan. Dat scheen ze prettiger te vinden en ik was blij dat ik even aan haar somberheid kon ontsnappen. Van achter een raam op de bovenverdieping zag ik haar door de wei ploeteren en de hekken sluiten alsof dat nog zin had. Ze droeg laarzen, had een schep bij zich en bleef uren weg. Soms nam ze boterhammen mee en een kleine thermosfles in de zak van haar overall. Op andere dagen kwam ze terug naar huis en aten we samen op de veranda. Ze bracht botten mee en legde die op de leuning, naast een paar late tomaten die nog rijp moesten worden, en een pot met de laatste zinnia's.

Met de tuinslang spoelde ze de modder van de donkere hoeven en de rugwervels, bleekte ze daarna in chloor en droogde ze in de zon. Het water had een paar ondiepe paardengraven in het verdronken land weggespoeld, zei ze. Uit elk graf nam ze wat mee en de rest begroef ze weer.

'Ik kan ze niet zomaar weer in de grond stoppen', zei ze, terwijl ze een rugwervel om haar duim stak en ronddraaide als een ring. 'Nu nog niet.'

Toen ik haar zo bezig zag met het wassen van die botten, twijfelde ik of ik er verstandig aan had gedaan om me tegen de schoktherapie te verzetten. Maar hoe meer ze er verzamelde en sorteerde, des te levendiger en actiever ze werd. Iedere dag ging ze op weg om te herstellen wat de overstroming had verstoord. Als ze terugkwam, was ze hongerig en verbrand door de zon, en 's avonds werkte ze met de botten, mompelend in zichzelf terwijl ze bedacht van welk paar ze afkomstig konden zijn. Ik werd er zelf ook door gegrepen.

Ze vertelde me waar ze vandaan kwamen en of ze nog gedeeltelijk onder het zand hadden gelegen of helemaal waren weggespoeld. 'Wie?' vroeg ze, terwijl ze een platte rib omhoog hield, grijs en versleten, of een bot uit een dijbeen, met die aparte honingraatstructuur. 'Heel oud', zei ze. 'Een van Graces paarden.'

In de schemer, bij de geur van laat gras en oud stof, probeerde ik me alle namen te herinneren die ik had gekend. Ik dacht dat het vergeefse moeite was, maar Nora vroeg hoe al die paarden van vóór haar tijd er hadden uitgezien en wat voor persoonlijkheid en eigenaardigheden ze hadden gehad. Voor het eerst sinds Simons dood leek ze weer ergens in geïnteresseerd, dus groef ik zo diep mogelijk in mijn geheugen.

Heel langzaam kwamen de paarden weer in mijn herinnering, de eenvoudigste het eerst – Missy, de Shetland-pony waarop ik had leren rijden, en Lady, de kleine roodbruine merrie die alleen van mij was. Ik kreeg zelfs spijt dat ik ooit met rijden was gestopt. Hoe meer Nora me vroeg, des te meer details ik opdiepte, hoewel de beelden soms ongrijpbaar in mijn gedachten bleven hangen, zonder plaats of tijd. Maar ik vertelde haar alles wat ik nog wist en ik herinnerde me meer dan ik voor mogelijk had gehouden.

We gingen op zoek naar een paar boeken die ergens in de kelder moesten liggen, diep weggeborgen. Het kostte ons twee dagen, maar toen vonden we ze onder in een doos die in de kruipruimte was geschoven: Graces boekhouding, met haar aantekeningen. En de namen van de paarden. Barney, Champ, Cid en Maeve. Gus, Tess, Neauty en Joe. Grace had ze allemaal getekend, het hele paard *en profil* en het hoofd van voren, in close-up. Dunne arceringen en krachtige lijnen. Sterren, blessen en vlekken. Sokken, stippels en pinto-stippen. Het karakter van ieder paard duidelijk in de gelaatstrekken, de ogen net

169

zo intelligent als die van een mens. Ze had ook gegevens over de training en het fokken bijgehouden. En hoe ze waren gestorven, ook als ze zelf had afgeschoten. Ze schreef erover als een moeder over haar kinderen, hoewel ik nooit zo'n dagboek over mij had teruggevonden. Maar dat was een vergeeflijk gebrek. Haar verleden vulde de leegte van de late zomer en hield Nora bezig.

Nora legde de wervels op een rij en probeerde door het gewicht en de dichtheid te bepalen van welk paard ze geweest konden zijn. Ze vertelde me dat een hoek van Zads graf ook was weggespoeld, zodat er een stukje natte, modderige huid te zien was.

'Ik heb het weer dichtgegooid en de aarde platgeslagen met de achterkant van de schop.'

Ze zei het heel zakelijk. Toen, op een ochtend, bracht ze alle botten weer terug naar waar ze ze gevonden had en zette Graces boeken in de boekenkast van de studeerkamer. Nog steeds wilde ze haar oude klanten niet bellen en ik kon Ozzie Kline niet te pakken krijgen of iemand vinden die hem had gezien. Maar nadat ik urenlang met Neal had gebeld, schreef Clea dat ze begin oktober een lang weekend naar huis zou komen.

Nora en ik gingen naar het station om haar af te halen. We waren een uur te vroeg.

Ze droeg een wollen pakje, roodbruin als herfstbladeren, met kalfsleren pumps, witte handschoenen en een rond hoedje met een kleine zwarte voile. Haar rokje zat strak als een potlood en haar koffers waren splinternieuw. De kruier tilde ze op het perron. Zelf had ze nog een kleine weekendtas in haar hand. Achter het station stond toch echt de watertank met LACOTE in hoge witte letters, maar Clea leek uit een heel andere wereld gekomen, die voor ons onbereikbaar was. En ze had de sfeer meegenomen. Ze kuste de lucht naast onze oren, staarde langs ons heen en bleef toen wachten, in de pose van een fotomodel, tot de kruier haar derde koffer had gepakt.

'Je had niet zoveel hoeven mee te nemen', zei Nora. 'De meeste van je kleren hangen nog in de kast.'

'Ik heb nieuwe gekocht', zei Clea. 'Paps en ik zijn wezen winkelen.'

Toe maar. De koffers zaten vol met geruite plooirokjes, vilten kokerrokjes, bijpassende sweaters en vestjes in de juiste kleuren, corduroy jumpers met blouses, de meeste nog met de labels van Marshall Field of Carson Pirie Scott – genoeg kleren voor een paar weken. De sfeer tijdens het avondeten was heel beleefd. Clea depte haar mond en de zorgvuldig aangebrachte roze lippenstift liet een afdruk na op haar servet. Ze at met één hand in haar schoot en de bestudeerde elegance van iemand die meer op haar tafelmanieren dan op het eten let.

Op de boerderij was niets gebeurd, behalve het sorteren van de botten, en daar praatten we niet over. Toen we Clea naar haar school vroegen, begon ze een lang verhaal met allerlei verwijzingen naar Chicago waar we niets van begrepen. En ze had het regelmatig over ene Frankie.

'Is dat je vriendje?' vroeg Nora ten slotte.

'Frankie is een *meisje*', zei Clea. 'Een afkorting van Frances. Dat weet toch iedereen?'

'Als je haar kent, ja', zei ik.

Clea sloeg haar ogen ten hemel. Ik had haar graag een draai om haar oren gegeven om haar manieren te leren. Maar ik was bang dat ze nooit meer terug zou komen en Nora leek zich gelukkiger te voelen nu zij er was.

'Ik ga uit.' Ze stond op om van tafel te gaan. 'Een paar vrienden komen me halen voor de wedstrijd van LaCote High.'

'Welke vrienden?' vroeg Nora.

'O, die ken je niet.'

Nora boog zich naar voren alsof ze nog wat wilde zeggen, maar sloeg toen haar ogen neer en haalde haar schouders op. Net als ik, dacht ik. Bang om haar dochter te verjagen.

De lichten van een auto gleden over het keukenraam. We hoorden een claxon. Als we er iets van zeiden dat ze zomaar wegliep, zou ze dan uit wraak bij Neal blijven?

'Blijf maar niet op', zei Clea terwijl ze de gang door liep en haar jack van het haakje achter de deur griste.

Natuurlijk deed ik dat wel en ik hoorde Nora ook lopen in

haar kamer naast de mijne. Het was al na middernacht toen er een auto stopte. Clea en de jongen waren nauwelijks te onderscheiden van de schaduwen om hen heen. Zo nu en dan was er een elleboog, een arm of de kromming van een rug te zien in het licht van de veranda, dat net voorbij de rand van het dashboard van de auto viel.

Ik dacht terug aan een winterse avond waarop ik ook met een jongen in een geparkeerde auto had gezeten. Ik wist zijn naam niet eens meer. De hitte tussen ons had mijn aandacht afgeleid van mijn bevroren tenen. Later had ik op mijn bed gezeten en ze gemasseerd om de bloedsomloop weer op gang te brengen, hoewel ik alleen nog mijn zoet gekneusde en tintelende lippen voelde.

Ik bewoog mijn tenen, die nu stijf waren van ouderdom. Tegen het eind van haar leven had Grace geklaagd dat haar botten zo kraakten. Ik ergerde me eraan dat ze die lichamelijke dingen zo belangrijk vond, maar nu begreep ik het. Ik bracht mijn oor naar mijn schouder en toen mijn kin naar mijn borst om mijn nek- en rugwervels te voelen. Voor het eerst van mijn leven vroeg ik me af of Grace zich op het moment van haar dood nog bewust was geweest van die botten die door haar hele lichaam liepen.

Ik zette die gedachten uit mijn hoofd. Het werd tijd om Clea binnen te roepen, maar voordat ik naar beneden kon gaan om op de beslagen raampjes van de auto te tikken, opende de jongen het portier en trok haar met zich mee. Hij tilde haar op en kuste haar toen hij haar weer neerzette. Ze liepen naar het huis, met hun armen om elkaar heen. Halverwege het pad en onder aan het trapje bleven ze weer staan om elkaar te kussen. Het duurde een hele tijd voordat ik de deur hoorde opengaan, en nog een minuut voordat de jongen terugliep naar de auto. Ik probeerde aan zijn tred te zien wat voor een type hij was. Hij liep rustig en zelfverzekerd, tevreden met zijn lichaam.

De volgende morgen om tien uur kwam hij haar weer ophalen. Nora vroeg Clea of hij binnen wilde komen om hallo te zeggen. Tommy Steiner droeg een strakke spijkerbroek en een marineblauw letter-jack met boterkleurige mouwen. Hij was een blonde jongen met bruine ogen, die wist dat hij er goed uitzag en dat heel vanzelfsprekend vond. Hij keek ons recht aan toen hij ons een hand gaf, maar wierp snelle blikken naar Clea, alsof hij bang was dat ze zomaar zou verdwijnen.

Ik zei tegen Clea dat ze om zes uur thuis moest zijn voor het eten, maar 's avonds ging ze weer met Tommy uit en de volgende morgen naar de ochtendmis. Nora scheen het niet erg te vinden dat ze op stap ging, zolang ze maar hier was en niet in Chicago. Als ze met Tommy vertrok, bleef Nora achter het raam staan totdat de auto uit het gezicht verdwenen was.

'Ik ben blij dat ze gelukkig is', zei ze.

Ik was allang blij dat ze niet meer dat hooghartige, verwende kreng was dat wij van de trein hadden gehaald.

Tom ging met ons mee naar het station op zondagmiddag en Clea huilde bijna toen ze afscheid nam. Twee dagen later kwam ik hem tegen toen hij kauwgom kocht bij de kiosk, en een dag later bij de benzinepomp, hoewel ik me niet kon herinneren dat ik hem ooit eerder in de stad had gezien. Hij zwaaide naar me, een kort handgebaar en een knikje. Ik liep naar hem toe om een praatje te maken en hij scheen blij me te zien, alsof we elkaar allebei als een substituut voor Clea zagen.

Hij reed in een grijze Plymouth '32 met grote spatborden en stoelen als divans. Van binnen was de wagen zo ruim als een klein huis. Tom zei dat hij hem had gekocht van een oude man die er niet meer in kon rijden, maar dat hij nog tiptop in orde was. Er moest alleen een nieuwe ontsteking in. Ik bewonderde de auto om Tom Steiner aan de praat te houden zodat ik hem kon horen en zien zoals Clea, om uit de eerste hand te ervaren wat zij me niet wilde vertellen. Hij leunde tegen het brede spatbord en haakte zijn duimen achter de broeksband van zijn jeans. Terwijl de tank werd volgegooid, vroeg ik hem wat hij verder nog deed, en hij begon over football.

Ik hield niet van football, maar hij was linker verdediger en zijn team was nog ongeslagen. Zijn ogen straalden en hij hield zijn handen gekromd alsof hij de bal wilde vangen en naar voren doorspelen. Ik vond zijn liefde voor de sport wel roerend en het kuiltje in zijn kin charmant. Hij leek wat op Simon, deze jongen op wie Clea verliefd was en die ik als een spionne had aangesproken.

Hij vroeg me of er een kans was dat Clea's vader terug zou komen naar LaCote, maar ik zei nee. Het was de eerste keer dat ik het zo definitief zei, maar ik wist dat het zo was. Toen vroeg hij of Clea's moeder naar Chicago zou verhuizen en weer zei ik nee.

'Maar Clea komt wel op bezoek', zei ik.

'Schrale troost', zei hij. 'Haar vader is natuurlijk naar Chicago verhuisd om haar bij mij vandaan te halen. Hij zal haar heus wel bij zich houden.'

'Nee, dat denk ik niet', begon ik, en ik had meteen spijt dat ik zo als een ouder klonk.

'U moest eens horen wat hij allemaal over me zegt', zei de jongen. En ik dacht eraan hoe mijn man Frank jaren geleden tekeer was gegaan over Ozzie Kline.

Op weg naar huis reed ik tussen de maïsvelden door. De oogst werd binnengehaald en de stengels lagen lang, dun en droog voor de combine, als oude yogi's. Ik was verbaasd dat de herfst zo snel en onverbiddelijk was gekomen, en hoe ik zo zeker wist dat Clea van nu af aan tussen Neal en Nora heen en weer zou moeten reizen. Ik miste Grace en ik treurde om Simon. Ik was verdrietig om de veranderingen in mijn leven.

Maar toen ik ons pad opreed, stopte ik meteen. Het was een overweldigende ervaring. De driehoeken van de daken verhieven zich helder tegen het diepe azuurblauw dat je alleen in oktober ziet. Het laatste bruine gras had een warme gloed. De zon viel over de rode bladeren van de lampionplant en de heldergele pompoenen. Een groep vogels scheerde door de lucht en hun schaduwen staken voor me uit de weg over. Ze streken kwetterend neer en vulden de struiken met een tumult als van kinderen die om een plaatsje vochten. Ver weg, tegen de stille lucht, volgde een vlucht eenden de rivier naar het zuiden. Als ik mijn adem inhield, kon ik hun gesnater horen, en bijna het klapwieken van hun vleugels. De wereld brak mijn hart met haar schoonheid en haar prachtige, sterke, beweeglijke schepselen. Op dat moment wenste ik vurig dat ik voor altijd op de aarde zou mogen blijven.

Toen ik stopte bij het huis, zag ik achter de schuur de achterklep van Ozzie Klines rode pick-up, scheef en gedeukt, met lak die op sommige plaatsen tot zachtroze was geoxideerd en overal dofzilveren strepen vertoonde. Toen ik de motor afzette en het raampje omlaag draaide, hoorde ik vaag zijn stem en die van Nora. Ze zaten tegenover elkaar op strobalen achter de schuur. Ozzie had een grasspriet tussen zijn tanden en Nora nam lange halen van haar sigaret.

Ik had hem niet meer gezien sinds de begrafenis, bijna zes maanden geleden. Hij keek op en stak zijn kin naar voren als begroeting. De tijd leek een hoofdstuk over te slaan en heel even dacht ik dat ik zijn afwezigheid had gedroomd of zijn geest zojuist in Tommy Steiner had gezien.

'Hallo, Maggie', zei hij.

'Ik heb geprobeerd je te bellen', zei ik.

'Ik ben weggeweest', antwoordde hij.

Naar het noorden, helemaal tot in Canada, waar hij op een luchtbed had geslapen, onder een tentje op de laadbak van zijn pick-up, meestal levend van wat de jacht en de visvangst hem opleverden. Het was er fris, maar de muskieten waren zo groot als bommenwerpers. Hij reisde graag in zijn eentje naar verre uithoeken.

'Ik moest hier een tijdje weg.'

Ik ging op een van de strobalen zitten, die waren overgebleven van het voorjaar. Ze roken muf en schimmelig en ze voelden koel en vochtig aan. Ozzie vertelde dat hij vanuit Canada weer naar het zuiden was afgezakt en onderweg allerlei baantjes had gehad als paardenknecht, hoefsmid en pikeur op de concoursen en kermissen die zich van het noorden naar het zuiden uitstrekten als stapstenen in een rivier. Hij vertelde over de zuiplappen in de goktenten, die iedereen belazerden die ze niet mochten – en dat was zowat de hele wereld. Over stoere cowboys die huilden als kleine kinderen wanneer hun prijskoeien naar de markt werden afgevoerd. Over de dikke dame op de kermis, honderdvijftig kilo zwaar, die een oogje op hem had en ontroostbaar was toen hij haar niet zag zitten.

175

'Wie heb je dan wél getroost?' plaagde Nora hem.

'Te veel om op te noemen', zei hij.

Ik wilde vragen wat er met Bandit was gebeurd, maar ik was bang dat hij was gestorven of weggelopen. 'Toe nou', zei Nora en ze schopte hem met de neus van haar schoen tegen zijn voet. 'Hoeveel harten heb je gebroken?'

'Mijn lippen zijn verzegeld', lachte hij.

Ik vroeg hem of hij bleef eten en ze liepen langs de moestuin om wat pompoenen mee te nemen. Toen tilde Ozzie opeens zijn hoofd op, keek naar de heuvel en floot.

Ik herkende de hond eerst niet. Border Collies hebben een dikke vacht, maar als ze geschoren zijn, zien ze er nogal vreemd en mager uit, als poedels. Bandit kwam naar ons toe rennen als een reusachtig naakt konijn op de vlucht. Ik riep hem. Hij remde af en draaide zich naar me toe. Maar toen floot Ozzie weer. Zonder zich te bedenken rende hij verder, sprong over het tuinhek en bleef toen staan, zijn magere staart woest kwispelend tegen Ozzies benen.

Toen ik hen had ingehaald, gaf Ozzie de hond bevel om te blijven zitten, zodat ik hem kon aaien. Onder het nieuwe donshaar was zijn roze huid te zien.

'Stinkdier', zei Oz. 'Hij zat achter een stinkdier aan en toen hij terugkwam stonk hij een uur in de wind. Ik heb nog overwogen om hem af te leveren bij het asiel, maar dan had ik me een verrader gevoeld en bovendien stonk de auto toch al. Dus heb ik een teil genomen, en alle blikken tomatensap die er in de Hannibal Safeway te krijgen waren, en hem ondergedompeld totdat de lucht weer een beetje te harden was.

Hij rook toen als een bedorven Bloody Mary en zo zag hij er ook uit, met allemaal klitten in zijn haar en een krankzinnige roze vacht, dus leek het me beter dat hij maar helemaal geschoren werd. Ik moest de trimster extra betalen. Ze zei dat ze nog nooit zoiets smerigs had gezien en geroken. Nou, zei ik, als je hem een paar uur eerder had meegemaakt, zou je me nu dankbaar zijn dat ik je zo'n keurige hond had gebracht.

Na het scheren leek hij wel een rekruut bij de marine, maar zijn vacht begint al terug te groeien en ik heb hem zo vaak in het bad gedaan dat hij nu naar viooltjes ruikt, hoewel ik dat niet kan zeggen van mijn auto. Iedere avond zet ik een open fles Airwick op de vloer, met dat groene ding zo ver mogelijk omhoog getrokken, maar als ik de fles weghaal, is die stank weer terug.'

Nora zat te lachen alsof ze nog nooit zoiets grappigs had gehoord.

'Je verdiende loon! Dan had je dat beest maar niet mee moeten nemen', zei ze.

'Mijn verdiende loon?' vroeg hij. 'Het is jóuw hond, dame! Ik heb alleen op hem gepast om hem te redden.'

Nora knielde bij Bandit neer en betastte hem alsof ze zijn gewicht wilde raden of zijn gedachten lezen.

'Waarom zou hij zoiets hebben gedaan?' vroeg ze. 'Ik heb nooit begrepen wat hij tegen hem had.'

'Een zondebok', zei Oz. 'Dat is alles.'

'Nou', zei ik, 'laten we maar gaan eten anders wordt het middernacht.'

Ik liep naar het huis, zo ver voor hen uit dat ik niet kon verstaan wat ze zeiden. Maar ik genoot van de klank van hun stemmen die de late middag vulden als de fontein in het restaurant waar Frank en ik naartoe gingen toen we pas verliefd waren. Het stromende water had de stiltes in onze gesprekken zo mooi overbrugd.

We maakten het eten klaar en na afloop schoven we de vuile borden weg en bleven om de tafel zitten.

'Ik heb een paardje gevonden dat je zou bevallen', zei Oz ten slotte.

'Daar heb ik geen geld voor', zei Nora.

Het licht in de kamer was geel en triest.

'De eigenares was een oude vriendin van Grace. Ze wil het paard wel ruilen voor haar veulens als ze die krijgt.'

Nora speelde met haar vork.

'Ze is grijs, net als Zad. Ik kan je erheen brengen om te kijken, als je tijd hebt.'

Ik hield mijn adem in, bang dat Nora zou instorten, in huilen zou uitbarsten of kwaad zou weglopen. Maar ze schoof heen en weer op haar stoel en klemde haar lippen op elkaar. Ik ademde weer uit, alsof we een test hadden doorstaan die ik voor onmogelijk had gehouden.

Toen Oz wilde opstappen, stond Nora nog een tijd met hem te praten op de veranda. De koele nachtlucht stroomde door de deur naar binnen. Hij leunde tegen de deurpost. Nora sloeg haar armen om zich heen tegen de kou en lachte om iets grappigs dat hij zei toen ze zich omdraaide om naar binnen te gaan.

Ik lag in bed en kon niet slapen. De klok sloeg één uur en toen twee. Ik staarde in het donker, dat als zwart water door de kamer golfde, tot ik dacht dat ik de silhouetten van paarden naar me toe zag zwemmen. Ozzie was op de een of andere manier veranderd. Het leek wel of hij wist hoe hij een deel van die enorme leegte kon vullen waar Nora en ik al die tijd in hadden geleefd.

Nora ook. Ze leek veel meisjesachtiger en meer op haar gemak dan ik haar in tijden had gezien. Oplettend en alert. Net als Clea met haar vriendje. Heel anders, alsof de mensen en het leven weer waren teruggekeerd na die stille, natte zomer.

De volgende middag belde ik Tommy Steiner en vroeg hem of hij Clea over twee weken zou willen zien en in dat weekend bij ons wilde komen eten, en alle andere weekends als ze op bezoek kwam. Daarna belde ik Clea in Chicago, op een tijd dat ik zeker wist dat Neal nog op kantoor was, en zei dat ik Tom tegen het lijf was gelopen bij het pompstation.

'Zeg maar tegen je vader dat je moeder vreselijk van streek raakt zonder jou en dat hij anders weer overnieuw kan beginnen.'

Ik hoorde haar ademen aan de andere kant van de lijn.

'Dus jij vindt Tommy wel aardig?'

'Hij doet me denken aan een jongen op wie je moeder verliefd was toen ze maar iets ouder was dan jij.'

Ze snoof even.

'Maar Clea, vergeet niet wat ik je vorige zomer heb gezegd over voorzichtig zijn.'

Ze gaf geen antwoord.

'Weet je wat ik bedoel?'

Toen ze nog steeds niets zei, gaf ik haar de voorlichting waaraan geen van haar beide ouders de afgelopen zomer waarschijnlijk waren toegekomen. Het werd tijd dat ze die dingen wist. Ik praatte te snel, maar ik was blij met de anonimiteit van de telefoon en ik vermeed de technische beschrijvingen door te verwijzen naar wat ze over paarden wist.

'Heb je het begrepen?' vroeg ik.

'Ja', zei ze.

Weer luisterde ik naar haar ademhaling en de afstand van de telefoonlijn.

'Hij zal je graag weer zien', zei ik ten slotte. 'Wij allemaal.'

Toen lachte ze op een manier die ik uitlegde als een mengeling van blijdschap dat ze hem snel zou zien en opluchting dat ik klaar was met mijn instructies.

Nadat we hadden opgehangen, zat ik nog een tijdje aan het telefoonsnoer te plukken. Ik werd heen en weer geslingerd tussen dankbaarheid dat ze troost had gevonden bij Tommy Steiner en aarzeling of ik condooms voor hen moest kopen, voor alle zekerheid. Maar voor het eerst sinds Simons dood zag ik de contouren van wat er ging gebeuren en voelde ik kleine golfjes van vreugde op plekjes die zo lang leeg waren geweest.

HOOFDSTUK 14

Clea
Mahler

Toen mijn ouders gescheiden gingen wonen, nam ik zo vaak de trein dat de conducteurs van het station LaSalle me bij naam kenden. Ik moest hen Joseph en Ezekiel en Fern noemen en ze plaagden me dat ik bij mijn vriendje op bezoek ging. Hun gezichten lichtten op als ze me over het perron zagen aankomen en ze pakten meteen mijn koffer om me te helpen instappen.

Bij hen voelde ik me meer op mijn gemak dan bij mijn vader, die steeds verstrooider werd hoe langer mijn moeder koppig bleef. Eerst vond ik het wel leuk dat we iedere avond in het Orrington gingen eten en dat ik alle kleren mocht kopen die ik wilde. Maar na een tijdje kreeg ik er genoeg van om me op te tutten voor etentjes die de halve avond duurden en waarbij hij alleen maar over zijn kantoor praatte. De ene avond werd ik als een volwassene behandeld en de volgende dag kwam die oude dove dame van verderop bij me oppassen omdat hij pas laat thuis was.

Ik deed alsof het appartement van Tom en mij was. Ik vond het niet vervelend om het huishouden te doen als ik me voorstelde dat Tommy op de bank zat en waardering had voor wat ik deed. Ik praatte zelfs hardop tegen hem en streek met mijn hand over mijn kussen alsof het zijn borst was. Maar dat ging ten slotte ook vervelen en ik werd steeds ongeduriger.

Mijn vader vond het wel prettig dat ik bij hem woonde.

181

Tegen de vrienden die hij 's avonds meebracht pochte hij dat hij mijn enige ouder was en hij genoot van hun geschokte reactie als hij vertelde dat Nora niet in staat was voor me te zorgen. Maar in de praktijk vond hij me maar lastig.

Als hij me naar LaCote bracht, zat hij met zijn koffertje open op zijn schoot en las zijn stukken, en zodra de trein het station had verlaten ging ik achterin zitten om met de conducteurs te kletsen.

Eerst klaagde mijn vader dat Maggie steeds zeurde dat ik thuis moest komen en dat ik kribbig was omdat we niet gingen. Maar toen Ozzie Kline een tijdje terug was, wilde pappa elke keer mee. Toen kregen we die toestand met Thanksgiving, dat hij in Chicago wilde vieren, en daarna besloot hij opeens dan we 'naar huis' moesten ter wille van mijn moeder.

Als we de trein naar LaCote namen, vroeg hij een van de verzekeringsagenten een auto bij het station te zetten. Onderweg naar de boerderij keek hij opzij naar alle tegenliggers om te zien of mijn moeder ons niet passeerde. Voordat hij mijn koffer bij de deur zette, keek hij al rond of hij haar niet ergens zag. Als ze er niet was, vroeg hij Maggie of ze koffie wilde zetten en verzon hij dingen om over mijn moeder te praten. Als ze in de stal was, ging hij haar halen. Als ze een wandeling maakte bij de rivier, wachtte hij soms twee uur of langer voordat hij terugging.

Eerst leek het wel of hij was gekomen om een polis af te sluiten. Dan zei hij tegen mijn moeder hoe goed ze eruitzag en hoe flink ze zich hield. Maar het eindigde er altijd mee dat hij vroeg wanneer ze naar Chicago zou verhuizen. Dan sloeg ze haar armen over elkaar en zei: 'Neal, daar hebben we het al duizend keer over gehad.' Waarop hij de deur uit stormde en over zijn schouder riep: 'Nora, ik begrijp niet waarom je zo moeilijk doet.'

Als hij me op zondag tegen het eind van de middag weer kwam halen, leek hij nog steeds gekwetst. Hij keek naar mijn moeder zoals jongens doen als ze je niet mogen kussen. Zij deed alsof ze niet merkte dat hij overal achter haar aan liep, maar als ze met haar rug naar hem toe stond, trok ze gezichten of rolde met haar ogen.

Op een gegeven moment was ik liever in die trein tussen Evanston en LaCote blijven zitten, zonder aan een van beide kanten uit te stappen. Dan zouden ze allebei gelukkig zijn geweest op een wraakzuchtige manier, omdat ik dan nooit meer één minuut bij de ander was geweest.

Maar in elk geval stond Maggie aan mijn kant en had ik Tommy. Ik weet niet met wie ik anders had moeten praten. Tegen mijn vader mocht ik geen woord over Simon zeggen en dat was niet makkelijk. Soms begon ik over iets wat me als klein kind was overkomen, herinnerde me dat Simon in het verhaal voorkwam en hield mijn mond.

'Wat?' vroeg mijn vader dan.

'Niks', zei ik.

En mijn moeder hield me overal in de gaten. Ze keek hoe ik zat te eten of te lezen, mijn haar kamde, mijn veters strikte of mijn huiswerk deed. Toen ik haar vroeg waar dat goed voor was, zei ze: 'Ik kijk alleen maar.'

'Je hebt me al eerder gezien', zei ik.

'Ik wil me alles precies kunnen herinneren', zei ze.

Ik kreeg het lugubere gevoel dat ze al die herinneringen wilde opslaan voor het geval ik ook jong zou sterven, net als Simon.

Toen ze me vroeg of ik hem miste, zei ik: 'Natuurlijk. Dat is toch logisch?' Als zij begon over iets wat hij als kind had gedaan, zelfs iets grappigs, zoals toen hij mijn speelgoed had gekidnapt en me briefjes met verzoeken om losgeld had gestuurd, wist ik niet hoe ik moest reageren zonder te huilen.

Tommy kwam meteen zodra ik was aangekomen. Dan gingen we in de huiskamer zitten, waar mijn moeder en Maggie ons met rust lieten. Maar toch was ik zenuwachtig dat ze zouden binnenkomen als Tommy zijn hand onder mijn truitje had, dus meestal reden we naar St. Louis, waar we niemand kenden. Daar gingen we naar de film, of uit eten. Soms wandelden we door de dierentuin, waar na oktober niet veel mensen meer kwamen, of door het museum, waar we elkaars hand konden vasthouden. We spreidden ook weleens een deken uit bij een van de lagunes en lagen daar te kussen, dicht tegen elkaar aan genesteld om de kou buiten te sluiten.

Tommy voorkwam dat ik het gevoel kreeg of ik helemaal uit elkaar viel. Ik moest er niet aan denken dat ik hem zou moeten missen. Maar dat kon ik niet aan mijn vader uitleggen. Als hij brieven schreef en pappa was eerder bij de post dan ik, kon hij het nooit nalaten om te zeggen: 'Die jongen interesseert je toch niet meer?' Of: 'Ik weet dat je veel te verstandig bent om je met zo'n knul in te laten.'

Dus ontsnapten we naar Art Hill onder het standbeeld van St. Louis met zijn geheven zwaard – mijn been over dat van Tommy en mijn hand op zijn borst. Daar kon ik hem in het openbaar zoenen, echt tongen, niet van die kleine kusjes. Daar kon hij rustig met zijn arm om me heen lopen. In LaCote ging dat niet, omdat iedereen er zo bemoeiziek was dat ik zelfs niet wilde dat een standbeeld ons zou zien.

In St. Louis voelde ik ook Simon niet in mijn buurt, zoals in LaCote en vooral bij mijn moeder thuis. Ik dacht niet dat zijn geest zou verschijnen of zoiets doms, en ik was niet bang dat hij me kwaad zou doen. Maar ik had het gevoel dat een bepaald deel van hem misschien was achtergebleven op de plaats waar hij had geleefd en ik wilde niet dat hij me met Tommy zou zien, evenmin als mijn ouders.

Simon was altijd mijn privé-leger geweest en ik had een zekere faam dankzij hem. Groepen jongens weken uiteen als ik voorbijkwam en meisjes waren aardig tegen me om bij hem in een goed blaadje te komen. Maar als Tom me op de achterbank van een auto op schoot trok en we nauwelijks konden wachten tot niemand meer op ons lette zodat we de hele weg naar huis konden zitten vrijen, wilde ik alleen nog mezelf zijn, niet Simons zusje of Neal Mahlers dochter – alleen ik en Tommy, die hun eigen weg gingen.

Mijn moeder vroeg altijd naar hem. Dan zat ze tegenover me aan de keukentafel en boog zich wat naar voren, wachtend op mijn antwoord. Ik vertelde haar alles wat ik vond dat een moeder moest weten. Dat hij in de hoogste klas zat en in het football-team speelde en niet wist of hij genoeg geld had voor de universiteit. En dat hij aardig was.

'Wat betekent dat?' vroeg ze.

'Aardig betekent aardig', zei ik.

Ik wilde haar vragen naar Ozzie Kline. Toen hij terugkwam, werkte hij weer in de stal en de bak. Ik lette wel op hem om te zien wat Simon had gezien, maar ik kon niets bijzonders ontdekken. Maar de volgende keer dat ik thuiskwam, liep hij zonder te kloppen het huis binnen en zette koffie of smeerde brood alsof hij er woonde en zat 's avonds bij mijn moeder en Maggie. Begin november had hij zijn intrek genomen in de vishut bij de rivier. Zelfs als hij en Nora kaartten of mah-jong speelden, moest ze hem laten zien of ze een goede kaart of een goede steen gekregen had. Daar plaagde hij haar mee en hij noemde haar 'Pokerface'. Er was iets tussen hen.

Maar 's avonds laat ging hij altijd terug naar zijn hut. Als ik laat thuiskwam of midden in de nacht opstond voor een glas water, liep ik langs haar kamer en keek door de kier naar binnen. Als ze nog wakker was zei ik welterusten, alsof dat mijn bedoeling was. Soms, als Tommy me had thuisgebracht, zaten mamma en Oz nog te praten, onder die ene lamp. Ze vroegen altijd of ik erbij kwam zitten, en dat deed ik een paar minuten, maar ik had toch het gevoel dat ik stoorde.

Als ik de trap opliep, probeerde ik hen af te luisteren, maar ze wachtten een tijdje voordat ze verdergingen met hun gesprek. Meestal praatten ze nog even over mij. Eén keer, toen ik een hele tijd halverwege de trap was blijven staan om te horen waar ze het over hadden, zei mijn moeder: 'Ik hoop dat ze niet in moeilijkheden komt.' En Ozzie Kline zei: 'Niet meer dan wij, op die leeftijd.'

Toen lachte ze. 'Nou, dat is een geruststelling. Wij hebben gewoon geluk gehad, dat weet je ook wel.'

'Nee, dat is niet waar', zei Oz. 'Ik was altijd heel voorzichtig met je.'

Het bleef een tijdje stil en daarna praatten ze zo zacht dat ik het niet meer kon verstaan.

Die nacht lag ik nog een hele tijd wakker. De takken van de bomen sloegen tegen het huis en wierpen springerige schaduwen over de muren, zoals altijd in november. Ik trok een extra deken over me heen en huiverde, niet van de kou maar bij de gedachte aan mijn moeder met Ozzie Kline. Ik probeerde me hen voor te stellen zoals Tommy en ik, maar dat lukte me niet. De volgende morgen, toen Oz het ontbijt maakte, probeerde ik hem als mijn stiefvader te zien. Hij neuriede wat, haalde de koffiepot van het gas en brandde zijn vingers toen hij het filter eruit pakte. Zijn schoenen waren afgetrapt en modderig, zijn flanellen overhemd versleten op de ellebogen en zijn haar te lang boven zijn oren. Ik vroeg me af wat mijn moeder in hem zag en waarom ze niets beters kon krijgen. Ze had hem helemaal niet nodig. Toen hij vroeg of hij ook een ei voor mij moest koken, zei ik nee en pakte de cornflakes. Ik begon te eten en keek naar zijn rug achter het fornuis. Ik vond het genant dat hij stond te koken als een vrouw.

Toen kwam mijn moeder binnen, met rode wangen, in een wolk van kou. Ze gooide haar geruite jack over een stoel en raakte even mijn schouder aan toen ze langs me liep. Samen met Ozzie steunde ze haar ellebogen op het aanrecht en keek uit het raam. Ze praatten even, met hun billen naar achteren. Niets bijzonders, gewoon over de twee paarden die ze in pension hadden.

Hij zette de eieren voor haar neer en ze gingen zitten om te eten. Hij zat op de stoel van mijn vader en zij naast hem, op Simons plaats, niet aan de overkant.

De cornflakes smaakten naar papier en het was veel te warm in de keuken. Alles was anders. Ze hadden de lege ruimtes opnieuw ingevuld, alsof ze Simons dood en het bestaan van mijn vader totaal vergeten waren.

Ik zette mijn bakje in de gootsteen en draaide de kraan open tot de melk en de cornflakes als een fontein over de rand spoelden.

'Geen honger?' vroeg mijn moeder.

'Nee.'

'Je moet haar nu de les lezen over hongerende kindertjes in Armenië', zei Ozzie. 'Wat ben jij nou voor een moeder?'

Mamma rolde met haar ogen en lachte.

'En dan zegt zij dat we haar cornflakes maar in een pakketje moeten doen om op te sturen.'

Wat een stom gezwets! Ik pakte mijn jas van het haakje bij de achterdeur.

'Ik ga een eind lopen', zei ik.

Ik nam het pad naar de hoofdweg omdat ik niet wist waar ik anders heen moest. De wind joeg door de kale takken en het dode gras. Mijn ogen werden zo koud dat ik hun ronde vorm kon voelen. Misschien waren mijn moeder en Ozzie alleen maar goede vrienden. Maar ik had geen zin om terug naar huis te gaan, en ook niet om verder te lopen. Ik wilde eigenlijk nérgens zijn, behalve bij Tommy, en wij waren nog te jong voor een eigen huis.

Ik zou het liefst heel snel zijn opgegroeid, zodat ik dezelfde macht zou hebben als volwassenen om te doen wat ik wilde. Maar dat zou nog wel even duren. En tot die tijd strekte een eenzame, grauwe eeuwigheid zich voor me uit. Ik verlangde naar Tommy's armen om dat gevoel weg te nemen, heel even maar. Daar zou ik alles voor over hebben gehad: dat stralende, warme gevoel dat ik bij hem kreeg en dat al het andere buitensloot.

HOOFDSTUK 15

Neal

Mahler

Ik kon Nora er niet van overtuigen dat ze, als ze zou verhuizen, geen financiële problemen meer zou hebben. Dan kon ze een taxi nemen, wanneer ze maar wilde, om met Clea te gaan winkelen in de Loop totdat de pakjes niet meer te tillen waren. En ze mocht het appartement opnieuw inrichten. Dat zou ik wel leuk vinden, wat vrouwelijke accenten, zoals snoepschalen en beeldjes, vazen en schilderijen, en tapijten op de vloer.

Ik had een bank gekocht en een stoel, een staande lamp, een eettafel en bedden. Maar het leek nog steeds erg kaal. Ik probeerde Clea te interesseren en soms kocht ze wel iets aardigs, zoals gipsplaquettes met appelen en peren voor de keuken. Die kon je ophangen, zodat het leek of de andere kant was afgesneden. Om haar te plagen vroeg ik: 'Waar is de rest? Die vent heeft je afgekloven fruit verkocht.'

Toen werd ze kwaad. Ik bleef voor haar kamer staan en zei dat ze ons het huis uit zouden zetten als ze zo met de deuren bleef slaan. Maar ze gaf geen antwoord, zelfs geen zucht. Ze was heel nukkig geworden na dat eerste weekend in LaCote. Ze sloot zich elke avond op haar kamer op, waar ze platen draaide en in een dagboek schreef dat ze achter slot en grendel bewaarde. Het ene moment was alles oké, maar dan opeens had ik het verbruid, zonder dat ik wist waarom.

Ik zei tegen Clea dat het me de keel uithing, zeker na wat er de afgelopen zes maanden allemaal was gebeurd. Ze kon ten-

189

minste beleefd tegen me blijven. Ik had haar altijd alles gegeven en daarvoor verdiende ik enig respect. Vooral omdat ze zoveel meer had dan de meeste andere kinderen. Daarna werd ze pijnlijk beleefd en zei op alles 'Ja, pappa', en at zo keurig alsof ze bij de koning van Engeland op bezoek was. Toen ik daar wat van zei, antwoordde ze: 'Nou, jij wilde toch dat ik me netjes zou gedragen?'

'Zo bedoelde ik het niet, dat weet je wel.'

'Dan moet je duidelijker zeggen wat je wilt', vond ze.

Ze pakte haar Engelse boek en wees me *The Monkey's Paw* aan. 'Dat moet je lezen', zei ze. 'Het is erg goed.'

Ik vond dat meisjes zoals zij betere boeken moesten lezen, zoals *David Copperfield* of *Lorna Doone*. Niet die onzin over de doden die terugkeerden omdat de ouders niet precies de juiste woorden zeiden.

'Toch begreep je best wat ik bedoelde', zei ik.

'Je moet je zorgvuldiger uitdrukken', antwoordde ze.

Ze zat met het boek op schoot. Zelfs in haar wijde schooluniform waren de rondingen van haar borsten en haar heupen goed te zien. Met haar hazelnootogen en haar hoge jukbeenderen zag ik mijn eigen gezicht in haar, zoals Simon in zijn jeugd zoveel op Nora had geleken. Het was een beetje verontrustend om in Clea dezelfde trekken te zien als 's ochtends in mijn scheerspiegel, maar dan wat kleiner en in iets andere verhoudingen.

Er waren nog meer dingen die me dwarszaten. Als ze ongesteld was, verborg ze haar maandverband onder in de vuilnisemmer, zodat ik het niet zou zien. Ze sloot zich elke morgen in de badkamer op en maakte daar een heel kabaal – de kranen, het toilet, rinkelend glas en ten slotte een zacht geritsel. Daarna liep ze haastig de gang door naar de keuken, met het verpakte rechthoekje als een kleine mummie. Ik hoorde het deksel open en dicht gaan en vervolgens maakte ze een omweg door de huiskamer alsof ze een glas water was gaan drinken of de afwas had gedaan.

Ze had ook andere geheimen die zich recht onder mijn neus afspeelden. Zo zat ze 's avonds in haar stoel ellenlange brieven aan die jongen te schrijven alsof ze haar huiswerk maakte. Ze bewaarde zijn brieven onder een trui die ze zelden droeg, keurig op volgorde en in een strak stapeltje gebonden. Ze zouden wel vol staan met verklaringen van kalverliefde. Maar hij was te ver weg om veel schade te kunnen aanrichten.

Ze moest zich wat meer op haar schoolwerk concentreren, dus stelde ik regels in. Na school moest ze meteen naar huis komen tenzij ze andere activiteiten had. Ik verwachtte van haar dat ze het appartement opruimde en de keuken schoonhield op dagen dat de werkster niet kwam. Ze moest vier uur per avond studeren en haar telefoongesprekken beperken tot vijf minuten. Dat vond ze niet leuk, maar het was niet mijn taak om leuk te zijn als ik vond dat het niet goed met haar ging.

Toen ik haar vertelde dat ik Nora en Maggie voor Thanksgiving had uitgenodigd, kreeg ze bijna een toeval. Ik zei dat we uitgebreid uit eten zouden gaan in het Orrington Hotel en de volgende dag de kerstetalages zouden bekijken. Maar Clea mokte en stribbelde tegen tot ik toegaf en beloofde dat we naar LaCote zouden gaan.

Toen de kinderen nog klein waren, hadden we de traditie om de dag na Thanksgiving naar St. Louis te rijden om de etalages van Stix en Famous en Vandervort's te zien, die voor de feestdagen speciaal waren ingericht met mechanische figuren en kerststallen en elektrische treinstellen, zo groot dat ze een hele hoeketalage in beslag namen.

In die tijd leken we wel zo'n kerstkaart – de kinderen en Nora die met grote ogen naar elfjes keken die met hamertjes op speelgoed stonden te slaan, of rendieren die werden ingespannen. Ik stond meestal een eindje verderop en wachtte tot ze uit de drukte naar me toe kwamen rennen. 'Heb je dit gezien, en dat?' Zo'n gezinnetje op het omslag van de *Saturday Evening Post*. Als ik Nora zo zag, met de kinderen huppelend aan haar zij, voelde ik me als een herder, trots dat ik hen allemaal zo'n veilig en gelukkig leven kon bieden.

Ik dacht aan de reisjes die ik zelf als kind had gemaakt en mijn eigen moeder die riep dat ik mijn arm binnen de auto moest houden omdat hij er anders zou worden afgerukt. Ik vond het leuk om mijn handpalm omhoog te houden tegen de wind in, als een vlieger, maar toch deed ik wat ze zei, omdat ik wist dat ze gelijk had.

Zoals Nora en Clea nu ook naar mij moesten luisteren. Ze hoorden hier, bij mij, in Chicago. Waar die jongen niet in de buurt van mijn dochter kon komen. Waar mijn zoon misschien veilig zou zijn geweest.

De avond dat we ruzie maakten over Thanksgiving trapte Clea met haar voet tegen haar stoel en wilde me niet aankijken. Ik werd zo boos dat ik bijna zei: 'Oké, ga dan maar voorgoed naar je moeder terug en kijk hoe je dat bevalt.'

Ik nam het Nora kwalijk dat ze me in dat dilemma had gebracht, maar ik was ook bezorgd of ze het wel redde. Ik belde regelmatig met oude vrienden om te horen of hun nieuwe agent hun verzekeringen goed beheerde. Dan zei ik erbij dat Nora nog niet in staat was om te verhuizen maar dat ze me moesten waarschuwen als ze iets nodig had.

Volgens hen ging alles goed. Ze vertelden dat Ozzie Kline weer terug was en een paar vroegere pensionpaarden had teruggehaald.

'Hij doet het zware werk zolang jij er niet bent', zeiden ze allemaal. 'Hij doet alles wat haar te veel is.'

'Ozzie en Nora hebben altijd goed met elkaar overweg gekund', zei Jack Rothermich tegen me in oktober. 'Al sinds de middelbare school.'

Ik vroeg hem waarom. Hij lachte alsof dat een onnozele vraag was.

'Ze mochten elkaar gewoon', zei hij.

'Hoe?' vroeg ik.

'Als kinderen. Misschien koopt hij de boerderij wel van je als jullie voorgoed naar Chicago vertrekken.'

Ik vroeg me af of Ozzie Kline al die tijd dat hij voor mij had gewerkt op mijn eigendom of op mijn vrouw had zitten vlassen.

Ook voordat ik hem in dienst nam, had Nora nooit interesse gehad in seks. Ze nam nooit het initiatief, ze draaide zich om als ik toenadering zocht, of ze bleef doodstil liggen, als een koude vis. Ik wist niet waarom ze zo frigide was. Ik had weleens gehoord over vrouwen die kil waren of later in hun leven zo waren geworden. Maar ik wist niet wat de oorzaak was, behalve dat er iets mis was met Nora dat ze misschien van die oude Grace had geërfd. Een erfelijke afwijking waardoor ze niet van mannen hield.

Ik kon me niet voorstellen dat ze werkelijk iets had gedaan met Kline. Maar wie wist hoe ingewikkeld hij de zaak had gemaakt door die paarden weer terug te halen? Kort daarna schreef ik Nora om te zeggen dat het niet veilig voor Clea was om in haar eentje te reizen. Zelfs als we de kruier een fooi gaven om op haar te letten, kon ze nog door verdachte types worden aangesproken. Toen de trein de eerste keer te laat kwam, was ik bang dat er een ongeluk was gebeurd. Toen ze daarna niet meteen uitstapte, dacht ik dat ze was ontvoerd. Ik wilde al naar de stationschef lopen toen ze nonchalant te voorschijn kwam tussen twee jonge snuiters in strakke spijkerbroeken die rechtstreeks uit een gokhal afkomstig leken.

Toen ik haar koffers pakte, vroeg ik haar wie ze waren. Ze lachte. Ze hadden een gesprekje met haar willen aanknopen en stoere verhalen gehouden over de renpaarden die ze bezaten in Cahokia.

'Ik vroeg ze naar de namen en ze moesten haastig wat verzinnen', giechelde ze. 'Die waren ze *vergeten*, zeiden ze. Daarna vroeg ik of ze Ozzie Kline kenden. Ze deden alsof ze diep nadachten en zeiden toen: "O ja, de vent achter het loket van de totalisator? Die kleine oude jockey die kreupel loopt?" Nee, zei ik, de hoefsmid, de trainer. Iedereen kent Ozzie Kline.'

Hoe had ze kunnen denken dat haar verhaal over een gewone paardenknecht van middelbare leeftijd haar had kunnen beschermen tegen dit soort figuren?

Omstreeks die tijd begonnen de dromen. Ik had nog nooit eerder gedroomd. Nooit. Zelfs niet als kind. Andere mensen hadden dromen, maar ik niet. Nora kwam voortdurend aan het ontbijt met verhalen als: 'Ik droomde dat ik dood was', of: 'We zaten allemaal in een reddingssloep die dreigde om te slaan', of:

193

'Ik stond op het punt geboren te worden, maar ik klom weer terug in mijn moeder.'

Toen Grace nog leefde, had ze Nora daarin aangemoedigd, omdat ze zogenaamd al die onzin kon interpreteren. Dan zat ze aan de koffie, keek peinzend uit het raam en luisterde naar de details. Als Nora zich niet alles meer kon herinneren, zei Grace dat ze het maar moest verzinnen.

'Wat dénk je dat er gebeurd zou zijn?'

En Grace analyseerde dat gewoon alsof het een echte droom was, hoewel ze ook over echte dromen niets zinnigs wist te zeggen. Maar dan concludeerde ze: 'Je bent nerveus of je voelt je verwaarloosd', of: 'Je bent van gedachten veranderd over een plek waar je dacht dat je naartoe ging in je leven.' Met een stelligheid alsof het de beursberichten waren.

Maar later in de herfst had ik drie keer dezelfde droom, die ook bij me bleef als ik wakker was, hoe ik ook probeerde er vanaf te komen. We zaten allemaal in een glazen huis van twee verdiepingen, met een vloer ertussen. Nora, Clea, Simon en ikzelf. Het was avond en het schijnsel van het huis verlichtte de takken van de bomen voor de ramen. Het was dus donker, maar alle vogels zongen nog en kwetterden tegen ons vanaf een balkon dat rond de hele eerste verdieping liep.

Toen hoorde ik het geluid aanzwellen, als van een hele groep trekvogels die zich verzamelt en in een bos neerstrijkt. Ik kon Simon nergens vinden, maar Clea drukte haar gezicht tegen het glas en wees naar een grote zwarte kraai met een bruine lijster in zijn snavel. De lijster had een witte borst met bruine spikkels en zijn veren waren plakkerig en verfomfaaid. De kraai ging er krijsend mee vandoor.

Kraaien doden geen lijsters, dacht ik, en vliegen er niet mee weg. Maar deze keek me aan met een zwart glinsterend oog, alsof hij wist wat hij deed. Maar Nora leek zich geen zorgen te maken.

Toen ik hier in augustus kwam wonen, had Hal, een van de agenten op kantoor, gevraagd of Nora en ik een keertje kwamen eten. Ik zei hem dat ze nog wat dingen in LaCote te doen had voordat ze kon verhuizen. Later nodigde hij me nog eens uit met Thanksgiving, maar ik zei dat we het in Missouri zouden vieren.

'Gaat het wel goed?' vroeg hij.

'Ja hoor, maar er is nog veel te regelen.'

'Nou ja', zei hij, 'als ze hier aankomt, laat ze mijn vrouw dan bellen. Betsy zal haar graag helpen. Het is moeilijk voor de vrouwen om helemaal opnieuw te beginnen.'

'Dan ken je Nora niet', zei ik. 'Die regelt altijd alles voor me.'

Toen hij vertrok, bleef ik nog een tijdje zitten, verlangend naar de Nora die ik hem had beschreven. De metalen dossierkasten tegen de muur, de papieren op mijn vloeiblad en vooral het licht van de tl-buizen maakten alles hard en realistisch – heel anders dan de Nora die ik vroeger had gekend. Opeens werd ik bevangen door een pijnlijk verlangen naar een vrouw die ik nergens meer kon vinden en van wie ik niet eens kon bewijzen dat ze ooit had bestaan.

'Daar gaat Neal Mahler', hoorde ik mijn personeel bijna fluisteren, achter mijn rug. 'Hij had een vrouw, maar hij kon haar niet houden.'

Ik wist niet eens waarom Nora zo onverschillig geworden was. Ik had goed voor haar gezorgd en ik was haar trouw gebleven, hoewel ik genoeg kansen voor een slippertje had gehad. Ik wist hoe verdrietig ze was om Simons dood. Maar soms was ik bang dat haar verdriet besmettelijk was, net als haar dromen. Stel dat ik te veel aan Simon zou gaan denken, zodat ik 's ochtends niet meer uit bed kon komen, niet meer kon eten of werken? Wat moesten we dan?

Ik zag het personeel langs het melkglas van mijn kantoordeur lopen, als figuren in een sneeuwstorm, langs mijn naam, die in spiegelschrift op het glas stond, alsof het Russisch was of Chinees. Ik probeerde mijn gedachten op Nora te concentreren als een lichtstraal uit mijn hoofd naar het hare, vierhonderd kilometer bij me vandaan. Veel geleerden geloven dat de menselijke geest die macht bezit. Dus probeerde ik haar te laten denken zoals de Nora die ik aan Hal had beschreven: *Nora, doe niet zo onverschillig. Nora, gedraag je. Nora, doe me dit niet aan.*

Ik herinnerde me haar weer zoals ik haar de eerste keer had

gezien, toen ik na een college was blijven staan om een sigaret op te steken. Ik hield van die eerste trekken, als je de nicotine in je longen zoog nadat je een uurtje niet had gerookt. Het was een prachtige dag in de late zomer en ik stond voor de universiteit, terwijl de rook mijn longen vulde en de zon op mijn hoofd brandde.

Een paar studenten speelden touch-football op de binnenplaats – voornamelijk jongens, maar ook een paar meisjes in sportbroekjes. Nora's shirt hing uit haar short en ze had honingkleurig haar, dat los op haar schouders viel en een gouden glans had in de zon. Ik wist dat het een cliché was toen ik het dacht, maar toch was het zo. Een van de jongens plaagde haar door te proberen de bal uit haar handen te slaan.

'Meisjes moeten geen mannensporten doen', pestte hij haar.

Ze deed een stap terug, boog haar hoofd en ging in de aanval. Ze raakte hem vol in zijn maag en voordat hij wist wat er gebeurde, lag hij op de grond en was Nora op weg naar de touchdown.

Hij kwam achter haar aan, tilde haar op en smeet haar in een van de olievaten die ze als vuilnisbakken gebruikten. Ik had nog nooit zo gelachen als toen ik zag hoe ze spugend en sissend uit dat vat probeerde te klauteren zonder om te vallen. Een andere jongen trok haar eruit en nam haar in zijn armen. Een meisje streek haar haar glad en de anderen kwamen om haar heen staan. Ze waren allemaal dol op haar, dat zag ik wel, en op dat moment hield ik ook van haar, zo mooi als ze was, zo stoer en zo vol leven.

En daarom hield ik nog steeds van haar. Als ze maar íets uit die tijd had overgehouden, zou het nooit zo uit de hand gelopen zijn. Ik herinnerde me hoe ik 's nachts mijn hand uitstak en haar nachtpon losknoopte. Hoe warm haar huid aanvoelde en hoe haar tepels hard werden onder mijn zacht strelende vingers. Dan kromde ze haar rug en schreeuwde, zo klein tussen mijn benen. Ze hielp me klaarkomen en nam al die vermoeiende rusteloosheid van me over, zodat ik in slaap kon vallen met mijn armen om haar heen.

Het eerste weekend dat ik uit Chicago weer terug was in

LaCote, legde ik mijn hoofd op haar arm, maar ze deinsde terug alsof ze me nooit meer wilde aanraken. Toen ik met haar wilde praten over Clea, keek ze schichtig om zich heen en zei dat ze de paarden moest verzorgen of Ozzie Kline iets moest vragen. Al mijn opgekropte gevoelens voor haar zochten zich 's nachts een uitweg in dromen die zich verspreidden als huiduitslag. In die dromen zag ik haar ver boven de grond, terwijl ze achteruit liep door de lucht en me wenkte.

De weekends daarna probeerde ik onze gesprekken zakelijk te houden en de aanwezigheid van Ozzie Kline te negeren. Maar steeds als ze opkeek van de krant die ze zat te lezen of met rode wangen door de achterdeur binnenkwam, wist ik hoe ik het had gemist om haar alleen maar te zíen. Ik wilde haar haar strelen en haar gezicht aanraken zodat ze haar ogen zou sluiten, met haar lippen iets van elkaar. Ik wilde mijn handen tegen haar rug drukken. Ze had me eens verteld dat Arabische paarden één rugwervel minder hebben dan de andere rassen, waardoor hun rug sterker is. Ik wilde elk botje van haar rug aanraken om haar net zo sterk te maken – een gebrek waardoor ze krachtiger werd.

Ik wist niet wat ik moest doen om haar te laten blijken dat ik het beste voor haar wilde. Daarom zei ik twee weken geleden: 'Ik heb nagedacht over wat je zei over het geld.' Toen ging ik zitten en schreef een cheque uit voor een deel van het extra geld waarom ze had gevraagd. Ze keek over mijn schouder toen ik de inkt afvloeide en schoof de cheque met een puntje onder de suikerpot.

Toen bracht ze me naar de deur, weer een beetje als de oude Nora. Ze lachte en praatte en vroeg me hoe het met mijn werk ging. Ze vertelde me wat ze de vorige week had gedaan en dat het steeds beter ging met Clea. De problemen tussen ons leken opeens niet meer zo onoverkomelijk. Als ik een spoor van financiële broodkruimels legde, zou ze me uiteindelijk wel volgen naar huis.

Maar het duurde niet lang. De volgende keer dat ik haar belde, was ze weer de kribbige, lastige Nora. Ik vroeg me af hoe lang ze dat spelletje nog wilde volhouden en hoe vaak ik met mijn stomme kop voor haar glimlach zou moeten betalen.

Ik had altijd gewild dat ze gelukkig zou worden, echt waar. Maar zoals het gezegde luidt: er is een tijd van komen en een tijd van gaan. Eerst moest ze maar naar Evanston komen. En als we ons daar voorgoed hadden gevestigd, zou ik haar wel gelukkig maken. Dat nam ik me heilig voor.

HOOFDSTUK 16

Nora
Mahler

De vorige week, toen Neal me weer vroeg wanneer ik naar Chicago zou verhuizen, zei ik dat ik er doodmoe van werd om daar steeds over te praten.

'Alsof je me met een mes achterna zit en het me al mijn energie kost om mezelf te verdedigen.'

Hij schudde zijn hoofd. Voor het eerst stonden zijn ogen ook vermoeid en had hij lijnen in zijn gezicht, net als ik. Dit hele gedoe maakte ons oud en lelijk.

'Waar heb je het over, Nora? Ik heb een heel uur aan deze tafel gezeten zonder niet één keer mijn stem te verheffen.'

'Maar je houdt nooit op.'

'Als ik je echt zou aanvallen, wat zou je dan doen?'

Maggie, die bij het aanrecht een schaal stond om te wassen, keek op, met haar handen nog in het water.

'Nou, Nora?' vroeg hij. 'Kijk eens om je heen. Waar is die titanenstrijd waar je het over had?'

Zelfs de stoelen, kaarsrecht om de tafel, spraken me tegen.

'Ik probeer je tijd te geven', zei hij, 'maar we moeten wel samen verder.'

Daarna schudde hij weer zijn hoofd en vertrok zonder nog een woord te zeggen. Ik schonk een kop koffie in, hoewel mijn handen trilden en mijn hartslag flink was opgejaagd door de pot die ik al op had. Mijn moeder stond een steelpan te schuren en hield hem schuin tegen het licht om te zien of alle eierresten waren verdwenen.

'Ik weet het ook niet', zei ze zonder op te kijken. 'Maar je zult nu toch een beslissing moeten nemen.'

Ze zette de pan in het afdruiprek en droogde haar handen.

'Je hebt een advocaat nodig', zei ze.

'Waarvoor?'

'Dat heb ik je al uitgelegd. Om te krijgen waar je recht op hebt.'

'Niet nu', zei ik.

Ik liep naar de veranda en ging op de schommel zitten. Het was een warme, zonnige dag en Ozzie kwam net met de trekker van het verdronken land, waar hij de grond had geëgaliseerd die door de overstroming was opgewoeld. Sinds Maggie hem had gevraagd om in de vishut aan de rivier te komen wonen, had hij in de boerderij de kraanleertjes, de losse draden en de kapotte planken gerepareerd waar we de hele zomer niets aan hadden gedaan. Hij bracht verse worst en appelmoes die hij zelf had gemaakt en plantte armenvol bruine chrysanten. Al die kleine extra's waar ik zonder het te weten zo naar had verlangd.

Ik legde mijn hoofd in mijn nek en keek naar de wisselende hoeken van de ketting tegen de zoldering van smalle plafondplanken. Hun keurige geometrische patronen werkten rustgevend. De leegte begon zich te vullen zoals de eerste stoel in een lege kamer de somberheid verdrijft. En ik was blij dat Oz aan de voet van de heuvel sliep.

Hij stapte de veranda op en vroeg me of ik hem wilde helpen bij het repareren van de gootsteen, die lekte. Hij legde zijn gereedschap en de nieuwe verchroomde zwanenhals op een oude handdoek, verdween met zijn hoofd en zijn schouders onder het aanrecht en vroeg me om hem de grootste tang aan te geven.

Ik knielde naast zijn benen en heupen, die de keuken in staken, en dacht eraan hoe ze net zo op de voorbank hadden gelegen toen we nog achttien waren en de auto hadden geparkeerd bij de Round, een afgelegen bosje waar een zijriviertje doorheen liep. Soms kwamen er herten drinken, of sloop er een wasbeer of een buidelrat voorbij als we heel stil waren. In het maanlicht leek het water vloeibaar zilver en op bewolkte avonden vormden de bomen een zwarte muur. We zaten uren te praten en soms vreeën we, zo vredig en versmolten dat ik me nu niet meer kon voorstellen dat zoiets ooit in míjn leven was gebeurd, al was het dan lang geleden.

De tang gleed weg en Oz vloekte toen hij zijn elleboog stootte in de krappe ruimte.

'Hé, Nora', zei hij, half opgericht, zodat hij me vanonder het aanrecht kon aankijken. Hij wreef over zijn arm. 'Ik kwam Tom Conner tegen in de winkel. Toen ik zei dat ik hier werkte, begon hij te lachen om die nacht dat we klem kwamen te zitten bij Fox Hill. Weet je nog?'

Ik had toen gelogen dat ik naar de bibliotheek ging. In plaats daarvan hadden we de hele avond rondgereden achter in Toms auto. Toen ik op de klok in het dashboard keek, was het acht uur, maar kilometers verder was er nog geen minuut verstreken. Oz en ik schrokken ons ongelukkig. We moesten naar huis voordat mijn vader argwaan zou krijgen.

Tom zei dat hij een kortere route wist. Hij sloeg een zandweg in die zich al gauw tot een paadje versmalde en ten slotte uitkwam in een weiland met diepe voren waar de wielen in vastliepen. Hij en Oz stapten uit om te duwen en ik moest sturen door het struikgewas, dat als grillige kerstbomen achter de bumpers bleef haken.

'Je had steeds je voet op de rem, verdomme!' zei Oz nu. 'Wij liepen ons rot te duwen, zonder dat we vooruitkwamen, en toen ik ging kijken zat je als een oud dametje achter het stuur met je voet op de rem.'

Hij liet zich lachend weer onder het aanrecht zakken.

'Dat wist ik niet', zei ik.

'Dat een auto niet vooruit wil als je remt?'

'Je had me niet gezegd wat ik moest doen.'

Hij kwam weer overeind, zo ver als dat kon zonder zijn hoofd te stoten, en keek me opeens ernstig aan.

'Heb ik wat verkeerd gezegd?'

'Nou, ik wilde niet dat we te hard zouden rijden.'

201

'Je kunt niet hard rijden in een wei met koeienvlaaien, kindje.'

Ik haalde mijn schouders op, een beetje schuldig, zoals ik me ook tegenover Neal zou hebben gevoeld. En zijn oude koosnaampje verbaasde me.

'Ik dacht dat je het grappig zou vinden.'

Weer haalde ik mijn schouders op. Hij kwam onder het aanrecht vandaan alsof hij mijn handen wilde pakken, maar hij streelde alleen even met zijn vinger over mijn knokkels.

'Ik wilde je aan het lachen maken. Je hebt een leuke lach en die hoor ik niet vaak genoeg.'

'Ik was bang dat je nog steeds boos zou zijn.'

'Ik was toen ook niet boos op je, al had je me bijna een hernia bezorgd.'

Hij grijnsde en ik giechelde onwillekeurig. Daarna haalden we nog een hele tijd herinneringen op en nam Ozzie me mee terug naar momenten waar ik te snel aan voorbij was gegaan toen ik zeventien was, vooral omdat ik ze voor mijn vader verborgen had moeten houden. Maar sinds de schokbehandeling die het recente verleden wat vager maakte, waren die oude herinneringen duidelijker geworden, als eilandjes die niet door het water waren overstroomd. Toen ik ze weer zag, allemaal afzonderlijk, vroeg ik me weer af waarom ik Oz had laten gaan.

De volgende zondag harkten we samen de moerbeibladeren uit de zinnia's en klopten de aarde van de wortels weer in de gaten terug. Ik herinnerde me andere jaren, als ik in de herfst met Simon in de tuin werkte en ontspannen met hem praatte. Of nog langer geleden, als ik de bladeren op een hoop veegde, zodat Clea en hij er middenin konden springen, of er de contouren van een huis mee vormde, waarin ze samen speelden. Het was weer zo'n associatie waardoor ik de bitterheid van Simons afwezigheid nauwelijks kon verdragen. Maar hoe meer rommel ik met Ozzie opruimde, des te meer de tuin zich opende, zoals Japanse kamers en schilderijen ook zo prettig leeg kunnen zijn.

'Hoe hebben we het eigenlijk uitgemaakt?' vroeg ik. 'Dat weet ik niet meer.

Ik bleef harken en probeerde een blaar in de holte tussen mijn duim en mijn hand bij de steel van de hark vandaan te houden. Ozzie bleef staan en keek naar me.

'Je ging steeds vaker met Neal en die andere studenten uit en ten slotte wilde je me niet meer zien.'

Ik harkte wat langzamer.

'Ik had nooit verwacht dat het aan zou blijven', zei hij. 'Je stond altijd te ver boven me. Maar een tijdlang was ik net een jong hondje dat niet kon accepteren dat het voorbij was. Ik bleef maar achter je aanrennen.'

'Dat klinkt heel harteloos van me, zoals jij het zegt.'

'Je deed gewoon wat je vond dat je moest doen', zei hij.

Ozzie begon weer te harken. Het geschraap en geritsel camoufleerde de stilte tussen ons. Ik probeerde me de redenen te herinneren. Mijn vader had altijd gezegd: 'Pas op dat ik je nooit met hem betrap.' Zijn afkeuring en mijn eigen beangstigende verlangen waren me te veel geweest.

'Eén keer, tijdens een veldslag, ben ik gevangen genomen', zei Oz, met zijn hoofd over zijn hark gebogen. 'In alle rook en verwarring was ik mijn eigen linie voorbijgelopen. Het was mijn eigen schuld dat ik niet oplette en in vijandelijk terrein terechtkwam. Ik weet niet waarom die Duitse jongen me niet doodde, behalve dat hij nog erg jong was, net als Simon. Ik kwam om de hoek van een boerderij, met mijn buik zowat tegen zijn bajonet. Hij had hem er zo in kunnen rammen. Maar misschien was hij ook bang en wilde hij een excuus om aan de strijd te ontsnappen. Want hij nam me mee naar binnen en dwong me om op mijn buik te gaan liggen. Toen sloeg hij me met de kolf van zijn geweer tegen mijn hoofd, maar niet zo hard dat ik het bewustzijn verloor. Hij zette zijn voet op mijn rug en bond mijn polsen aan mijn enkels. Ten slotte viel hij in slaap, met onze twee geweren in zijn armen, terwijl overal om ons heen de bommen insloegen.

Op dat moment vroeg ik me af wat jij deed, zoveel kilometers bij mij vandaan. Of je lag te vrijen met je man terwijl ik die touwen probeerde los te krijgen.

Toen ik me had bevrijd, sneed ik zijn keel door. Ik kon hem

203

niet krijgsgevangen nemen omdat ik zelf niet wist hoe ik bij onze linies terug moest komen. En ik kon hem mijn wapen niet ontfutselen zonder hem wakker te maken en weer mijn leven te riskeren. Dus trok ik het mes uit zijn zak en stond ik even later met het bloed in mijn laarzen. Ik moest ervan kotsen. En steeds vroeg ik me af waar jij was en waarom wij niet samen waren.'

Snel liep hij weg en begon een ander perk te harken, aan de overkant van de tuin. Ik wist niet wat ik moest zeggen. Ik was geschokt en het deed me verdriet wat hij had moeten doorstaan. Het was een angstige maar op een vreemde manier ook geruststellende gedachte dat hij, als het nodig zou zijn, mij met dezelfde hardheid zou kunnen beschermen. Verontrustend maar ook roerend dat hij op dat moment aan mij had gedacht.

Opeens herinnerde ik me de oude hartstochten die ik zo lang niet had gevoeld dat ik ze bijna was vergeten in mijn jaren met Neal. Ik was zo innig met Ozzie verbonden geweest. Iedere middag, voordat hij kwam, doorzocht ik dozen met herinneringen. Oude kranten en foto's en zelfs brieven van hem, in de marge geïllustreerd met tekeningen van paarden met mij op hun rug. Oude woorden. 'Je zult nooit weten hoeveel je voor me betekent', en: 'Je mag met mijn hart doen wat je wilt.'

Rozetten die ik met paardrijden had gewonnen, voordat ik opzettelijk begon te verliezen. Voor een concours kwam Oz soms kijken als ik oefende. Dan leunde hij tegen een muur of ging halverwege de lege tribune zitten, met zijn benen voor zich uit gestoken en zijn ellebogen op de bank achter hem. Later liep hij dan mee naar de stallen, met zijn hand achter een riem van het hoofdstel van het paard.

Als ik hem voor een wedstrijd had gezien, reed ik niet met de instructies van mijn vader in mijn hoofd, maar met het blinde vertrouwen dat Oz me had gegeven. Dan won ik gemakkelijk, niet alleen in punten maar ook in mezelf. Alsof ik door water werd gedragen. Later zocht ik hem dan op en zag hem glimlachend naar de rozet kijken, alsof hij wilde zeggen: 'Natuurlijk heb je gewonnen. Ik verwachtte niet anders.'

Hetzelfde gevoel had ik bij alles wat we deden, omdat hij me zo onvoorwaardelijk bewonderde en steunde. Als we door de schemerige gymzaal liepen op een dansfeest en ons overgaven aan de muziek. Als hij me op schoot trok achter in zijn auto, met onze handen onder elkaars jas en onze opwinding als schild tegen de kou. Als ik goede cijfers haalde op school, of een grap maakte, of gewoon voor hem stond. Altijd was hij blij met me. Na een tijdje, toen ik naakt naast hem lag en we leerden hoe we moesten vrijen, was hij eerbiedig en voorzichtig met alles wat er tussen ons gebeurde.

Van alle herinneringen die hij had opgeroepen en van alles wat ik was vergeten, had ik er één in het bijzonder bewaard, die steeds weer bij me bovenkwam als ik over het erf keek of in bed lag, vlak voordat ik insliep. Niet lang nadat we verliefd waren geworden, gingen we sleetjerijden op een oud metalen Cola-reclamebord dat we hadden gevonden. We grepen ons aan elkaar vast toen we snel en onbestuurbaar de heuvel af stormden, botsend tegen bomen, totdat we eraf werden gegooid en met onze armen om elkaar in de sneeuw belandden.

Toen we terugliepen naar zijn auto, bleef hij halverwege staan en kuste me. We bleven staan vrijen, midden in dat winterse veld, tot het donker werd en de hemel zich donkerblauw kleurde. Hij nam mijn gezicht in zijn handen, volgde met zijn vingers de lijnen van de botten, alsof hij ze op de tast wilde leren kennen, en keek dan even om te controleren wat hij voelde. We waren twee afzonderlijke individuen, maar toch zonder enige afstand, een tweeëenheid zoals de nonnetjes de Drievuldigheid probeerden uit te leggen.

Het verlangen maakte zich in ons vrij, het begin van die heerlijke, gevaarlijke begeerte die we voor elkaar voelden, alsof we samen in dezelfde huid bestonden. En daarna wilden we meer. Altijd meer, zonder dat we ons een einde konden voorstellen.

Wat ik met Ozzie deed, zou ik nooit met een andere jongen hebben gedaan. Bij hem voelde ik me altijd compleet, zonder schuld, verwachtingen of angst. Ik had het gevoel dat hij me alle geheimen kon vertellen die ik moest weten en me naar plaatsen kon brengen die, net als het heelal zelf, steeds verder uitdijden naar de oneindigheid en geen middelpunt hadden waar ik kon staan, behalve met hem.

Toen Oz me had verteld hoe hij die Duitse jongen had gedood, was ik elke middag rusteloos, alsof de dag niet kon beginnen voordat hij terugkwam van zijn werk. Ik wandelde door het verdronken land, waar in de laagste delen nog steeds plassen stonden door de overstroming. Voor het eerst probeerde ik het verschil te begrijpen tussen wat ik bij Oz had geleerd en daarna had toegepast om Neal te overleven – bij voorbaat een illusie.

En nog scherper voelde ik het gemis van Simon, de geweldige leegte die hij om mij heen had achtergelaten. Die leegte probeerde ik te vullen met wat ouders hun kinderen niet vertellen maar wat ik ooit tegen Simon had willen zeggen voordat die kans voorgoed verkeken was. Ik stelde me Simon voor met Janie, volwassen en getrouwd en met kinderen. Simon als liefhebbende echtgenoot en vader, zoals ik me Ozzie ooit had voorgesteld.

Maar ik was er niet zeker van dat het bij Simon zo gemakkelijk zou zijn gegaan, evenmin als ik Ozzie en mezelf zoveel kans had toegedacht. Ik had zoveel dingen over het hoofd gezien toen ik de toekomst probeerde te voorspellen.

Toen ik achttien was, voelde ik me zo veilig bij Oz dat ik dacht dat die veiligheid overal te vinden was. Tegelijkertijd was ik kwetsbaar, alsof ik geen huid had. Ik vroeg me af of Simon hetzelfde had gevoeld, maar er afstand van had gedaan omdat hij mij als voorbeeld had gezien.

Waarom wist ik niet precies hoe hij van Janie had gehouden? Wat voor toekomst hij voor hen had gezien?

Het was nu nog slechts lege ruimte, die ik met mijn woorden vulde. In mijn wanhoop om het verleden vast te houden, vroeg ik me af welke fouten ik had gemaakt, op welke manier ik Simon kon hebben geschaad. Wat ik nog zou kunnen veranderen om het beter te doen met Clea.

Ik dacht aan mijn vader, die mijn kinderen nooit hadden gekend, en bemerkte tot mijn schrik dat ik zijn woorden gebruikte en nu pas begreep hoe die mij hadden gevormd. Een vrouw die zich niet goed kleedde was 'ordinair', een schuchtere vrouw een 'bange muis' en een te zelfverzekerde vrouw 'bazig'. Een gescheiden vrouw was 'dat mens' en ongehuwde moeders hadden 'niet goed opgepast'. Meisjes die te dicht bij hun vriendjes zaten, hand in hand met jongens over straat liepen of op andere manieren hun verliefdheid lieten blijken, waren 'zedeloos' of 'goedkoop'. Hij liet weinig ruimte over waarin nog plaats was voor goede vrouwen, zoals hij mij weinig ruimte had gelaten door alles af te meten aan twee momenten, 'voordat je gaat studeren' en 'als je getrouwd bent'.

Elke zondag nam hij me mee naar de mis en zat ik op de voorbank van zijn grijze Pontiac, met het opperhoofd in amberkleurige kunsthars op de motorkap. We knielden onder gebrandschilderde ramen, rood en blauw als doorschijnende Perzische tapijten, en ademden de zware wierook in. Ook al kwamen we altijd vroeg om de beste parkeerplaats te krijgen, toch waren de ongetrouwde vrouwen er eerder, alsof ze er de nacht hadden doorgebracht met hun gebedenboek en hun rozenkrans. Maar mijn vader zei dat ze niets anders te doen hadden dan naar de kerk te gaan, die arme ouwe vrijsters.

Maar toen een van de vele moeders, zwanger of met een pasgeboren baby in haar armen, haar kinderen door het gangpad loodste, zei mijn vader: 'Zo, die is weer bezig geweest.'

Hij legde een bladwijzer bij de mis van die zondag en boog zich naar me toe. 'Als iedereen dat zou doen', fluisterde hij, 'wat moest er dan van de wereld worden?'

Terwijl onze oude monseigneur de liederen zong, vals als een kraai en op de toon van een prevelende dronkaard, staarde ik naar het halfbegrepen Latijn in mijn gebedenboek. Een goede vrouw, concludeerde ik, was blijkbaar net zoiets als de perfecte amazone die mijn vader van mij wilde maken. Ik zag de woede op zijn gezicht als hij naar de vrouwen keek die van het smalle pad van zijn verwachtingen afweken. En later in de manege, als ik mijn ellebogen, mijn knieën of mijn enkels niet goed hield, keek hij net zo naar mij.

'Als iedereen zo zou rijden', zei hij, 'waar blijven we dan?'

Ik bleef mijn best doen, totdat ik bijna huilde van ellende, alleen voor die onverwachte grijns, die hand op mijn schouder of die prijzende woorden waar zijn vrienden bij waren. Want dan voelde ik me overstroomd door een wit en stralend licht. Ik ploeterde, ik vocht en ik sloeg met mijn vuisten tegen het glas van zijn hart, omdat ik aan die momenten verslaafd was als een junkie. Complimentjes van anderen, zelfs Grace, wogen nooit op tegen één waarderend woord van hem.

Maar toen ik negentien was en hij aan een beroerte overleed, was mijn eerste gedachte – voordat al die andere emoties loskwamen na de eerste schok – dat ik eindelijk vrij was. Dat ik nu Ozzie mee naar huis kon nemen of zonder zadel kon galopperen. Ik overwoog serieus om er als een wilde indiaan vandoor te gaan, schreeuwend en joelend op mijn kleine roodbruine merrie, maar opeens leek ik op zo'n tekenfilmfiguur die voorbij de rand van de afgrond rent en haastig naar de rots moet terugkrabbelen om niet neer te storten.

In de weken daarna had ik geen eigen plannen of wensen meer. En na de eerste dagen waarin hij me had getroost, trok ik me ook van Ozzie terug. Ik overtuigde mezelf ervan dat hij me alleen maar problemen kon bezorgen, zoals ik op mijn twaalfde had geloofd dat een meisje al zwanger kon raken door alleen maar naar een man te verlangen.

Gedeeltelijk was ik niet met Neal getrouwd omdat ik zoveel van hem hield of hij van mij, maar omdat hij dezelfde duidelijke grenzen stelde als Frank Rhymer. En ik *werd* die grenzen en sloot me op in zijn borstkas als een te late baby die nooit geboren zal worden.

Grace had een voorgevoel over Neal Mahler, net als met paarden. Ze kneep haar ogen tot spleetjes omdat ze hem niet helemaal kon peilen, en soms durfde ik te zweren dat haar neusvleugels trilden alsof ze zijn geur opsnoof. Een paar keer vroeg ze mij waarom ik juist hém had gekozen. Ik antwoordde dat hij betrouwbaar en toegewijd was, en dat hij na zijn verhuizing uit Chicago eerst zijn kantoor op poten had gezet voordat hij me om mijn hand had gevraagd.

'Wil hij de rest dan niet?'

Ik keek haar nijdig aan.

'Hou je van hem?' vroeg ze.

'Dat is toch de enige reden om te trouwen?'

Ze pakte een sinaasappel van een schaal, gooide hem omhoog en ving hem op zonder te kijken.

'Soms is liefde een ander woord voor iets wat we niet durven te benoemen. Als je het mij zou hebben gevraagd toen ik trouwde, zou ik ook hebben gezegd dat het liefde was. Zo hoorde het, dus dat maakte ik ervan. Maar in werkelijkheid...' ze boog zich naar me toe, 'wilde ik van huis weg, en in die tijd had een meisje nog een jongeman nodig om haar mee te nemen. Hij wilde naar het westen, waar corsetten en goede manieren niet belangrijk waren, en hij wilde paarden fokken. Net als ik. Maar natuurlijk pakte het heel anders uit dan ik had verwacht.'

Ze drukte haar duim in de sinaasappel, pelde hem in grillige vierkantjes en bood me een partje aan.

'Miste je hem niet toen hij stierf?' vroeg ik.

Ze zoog het sap uit de zijkant van een partje terwijl ze nadacht.

'Hij was pas zevenentwintig. Een hersenbloeding, weet je. Ik stond aan het aanrecht hardgekookte eieren te pellen. De jongens speelden op de grond en sloegen met houten lepels tegen steelpannetjes. Je moeder was nog maar een baby en werd net wakker uit een slaapje. Ik had nog twee eieren te pellen, maar ik hoorde haar boven al tekeergaan. Als ik niet gauw naar haar toe zou gaan, zou ze helemaal rood en bezweet zijn. Toen ik je grootvader met een hak op weg zag om de tomatenbedden te wieden, dacht ik hoe vrij hij eigenlijk was. Heel anders dan ik, met mijn kinderen, zoals een buidelrat haar jongen met zich meesleept aan haar tepels en haar staart.

Nou ja, ik had de eieren in koud water gelegd en de schalen kwamen er gemakkelijk af, bijna heel nog. Dat vond ik mooi, die gladde witte schalen, die door een vliesje bijeen werden gehouden als een breekbaar pantser. Ik was geïrriteerd dat ik haast moest maken om Maggie te voeden. Het was middag, met kleine, hoekige schaduwen. Ik weet niet waarom ik me juist die schaduwen herinner en niet zijn gezicht, op dat moment. Alleen de schaduwen en dat ik zo jaloers was dat hij onbekommerd over het erf kon lopen.

Mijn melk begon in kringetjes tegen mijn blouse te lekken toen hij plotseling bleef staan, alsof iemand achter hem zijn naam had geroepen. Het volgende moment zakte hij in elkaar en sloeg met zijn hoofd tegen de grond, die hard was van de droogte.

Hij stierf niet meteen. Ze brachten hem naar het ziekenhuis in LaCote, maar ik mocht niet mee met de ambulance. De broeders duwden me weg en zeiden dat ik het niet zou kunnen verdragen.

"Verdragen?" riep ik maar steeds. "Hij is mijn man!"

"Straks val je flauw en moeten we jou ook nog verzorgen."

"Ik ben nog nooit van mijn leven flauwgevallen", riep ik, maar ze versperden me allebei de weg.

"Haal iemand om op de kinderen te passen en kom dan later maar", zei een van hen, wijzend op de jongens die verslagen op de veranda stonden.

Dus ging ik een uur later naar het ziekenhuis, toen ik een buurvrouw had gevraagd om op de kinderen te passen. Hij lag in de operatiekamer en ze hadden een gaatje in zijn hoofd geboord om de druk te verlichten, want iets anders wisten ze toen nog niet. Maar hij stierf op die tafel en toen ik hem zag, zat zijn hoofd helemaal in het verband. Hij leek wel een sultan.

Zelfs als ik hem niet had gekend, zou ik verdrietig zijn geweest dat een jonge vader zo vroegtijdig was gestorven. Maar ik was vooral bang om mezelf. Zonder hem zouden de kinderen en ik niets meer te eten hebben. Of ik zou op mijn knieën terug moeten kruipen naar mijn ouders, die de rest van mijn leven zes keer per dag zouden roepen dat ze het wel hadden voorspeld.

Maar veel tijd om na te denken had ik niet. Die avond, toen ik terugkwam uit het ziekenhuis, wilde ik alleen zijn en ik stuurde de buurvrouw weg. Ik moest het de jongens vertellen, ze troosten en ze in bad doen. Je moeder moest worden gevoed, het vee had verzorging nodig en tot overmaat van ramp was de tarwe bijna rijp en klaar om die week te worden geoogst.

Dus ging ik aan het werk en deed alles waar geen hulp bij nodig was. Die avond om één uur stond ik nog in de bak om water te pompen in de grote gegalvaniseerde trog. Het was warm en benauwd, de paarden verdrongen elkaar bij het water en ik stond te huilen omdat ik verdronk in mijn eigen leven. Ik herinner me dat moment alsof het in barnsteen is gegoten, zoals ik daar stond met al die paarden om me heen, en de geur van hun huid, hun adem en hun mest als een massieve muur in de vochtige atmosfeer. Ik wist dat ik ze op stal moest zetten, maar ik had geen idee hoe. Ik had weleens geholpen, maar het leek of ik alles vergeten was.

Opeens kreeg ik er genoeg van om te staan janken als een idioot. Al mijn zenuwen lagen bloot en mijn botten voelden hol en gewichtloos aan. Ik had mijn hele leven gereden en ik wist genoeg van paarden om ze te kunnen verzorgen. Ik had heel wat geleerd door te kijken wat je grootvader deed en te luisteren naar wat hij zei. Nu ik het zelf moest doen, werd ik voornamelijk gedreven door een soort woede.

Ik greep het dichtstbijzijnde paard bij zijn halster en trok me omhoog. Het was zo donker dat ik niet goed zag wie het was, maar toen ik een rondje door de bak had gereden, wist ik dat het Maeve moest zijn, het lievelingspaard van je opa. Ik reed rondjes, met haar manen in mijn vuist geklemd. Het ene moment voelde ik me wanhopig dat je grootvader was gestorven, het volgende moment vermaande ik mezelf om niet bang te zijn. Het zou best lukken.

Ik draaide de merrie naar de andere toe en dwong ze in dezelfde cirkels die ik reed, tot ze allemaal met me mee liepen in de donkere bak. Ik weet niet hoe lang ik zo bleef rijden, maar ik wilde ze tegen me aan voelen strijken en bonken en hun gesnuif en gehinnik horen, als een bewijs van leven.

Zo ben ik toen begonnen, Nora, en dat viel niet mee. Maar toen ik eenmaal gewend was de boerderij en mijn gezin te bestieren, kreeg ik er plezier in. Ik genoot van de tarweoogst en van de paarden in de bak en de kinderen op het erf. Omdat ik wist dat het mijn werk was. Ik had het nergens voor willen ruilen, niet voor rijkdom, bedienden en vrije tijd.'

Ze zuchtte diep, als een zwemmer die bovenkomt voor lucht, en stak me het laatste partje van de sinaasappel toe.

'Ik hield meer van dat leven dan ik ooit van je grootvader had gehouden, voor zover ik het me herinner. Hij was een brave echtgenoot, maar hij kende me niet – niet echt – en het was veel prettiger om mijn eigen beslissingen te nemen en niet altijd de instructies van een ander af te wachten.'

Ze likte het sap van haar vingers en grijnsde.

'Maar met Neal zal het anders zijn', zei ik.

Ze haalde haar schouder op.

'Mannen zijn geweldige wezens, maar wij denken altijd dat ze ons tegen alle kwaad kunnen beschermen.'

Toen kuste ze me op mijn wang. Haar adem rook naar sinaasappel.

Ik wilde haar bewijzen dat ik gelijk had gehad met Neal. Ik liep in mijn eentje de kerk door omdat ik geen naaste mannelijke familieleden had om me weg te geven. Maar ik wist dat mijn vader Neal een geschikte schoonzoon zou hebben gevonden en dat hij trots zou zijn geweest op mijn trouwjurk.

Ik wilde dat mezelf niet bekennen, dat ik twintig jaar geleden uit lafheid was getrouwd. Ik vroeg me af of ik mezelf nu ook een rad voor ogen draaide over mezelf en Ozzie. Stel dat ik helemaal niet zoveel van hem hield, maar gewoon een gemakkelijke manier zocht om van Neal af te komen, of terugverlangde naar een romantisch verleden dat alleen in mijn fantasie bestond?

Maar de momenten met Ozzie leken net zo teder en ontspannen als ik ze me herinnerde. Beter nog. Ik volgde hem over het pad naar het verdronken land, zoals ik vroeger achter hem aanliep over de dansvloer, en keek naar zijn rug zoals ik bijna een kwart eeuw geleden ook had gedaan, als mijn handen de jongen streelden die hij toen was. Bladeren dwarrelden omlaag als grote sneeuwvlokken en daalden met zachte klapjes op ons hoofd en onze schouders neer. De rij bomen langs de heuvel stond als een muur van dof geslagen koper in de zon.

Ik bedacht hoe anders mijn leven zou zijn verlopen als hij

me alleen maar in zijn armen had genomen en me had gezegd: 'Je hoeft niet bang te zijn.' Niet voor mijn vader, voor mezelf of de liefde tussen Oz en mij. Ik was boos dat hij niet sterk genoeg was geweest om mijn hand te nemen en me ons eigen pad te wijzen. Heel even maakte ik mezelf wijs dat ik dan met hem mee zou zijn gegaan.

Ik volgde Ozzie over hetzelfde spoor als toen ik naar Simon was toegereden. Maar ik zag het als iets wat een andere vrouw was overkomen, heel ver weg, zoals ik Neals vrouw zag, of Franks dochter, of de vrouw met wie Ozzie had kunnen trouwen. Allemaal vrouwen op grote afstand, die ik alleen kende van horen zeggen. Ik voelde mezelf omhoog zweven, ondanks hun gewicht op mijn schouders. Ze bestonden allemaal naast elkaar, alsof ze nooit door de omstandigheden waren beknot of van hun mogelijkheden beroofd.

Die vrouwen had ik altijd om me heen gehad, ik was hen *geweest*, maar ik had hen niet goed willen bekijken. Ik vroeg me af wat ik nog meer niet in mezelf had gezien. En wat ik in Oz zag dat er misschien helemaal niet was.

WINTER

En daar, in de stilte, in het midden
van de dag, in een vuile, troosteloze winter,
was de intense aanwezigheid van de paarden
als bloed, als ritme, als het wenkende licht
van al het bestaan.
Ik zag, ik zag, en het zien kwam tot leven.

Pablo Neruda

HOOFDSTUK 17

Clea
Mahler

Zodra ik in de Engelse les las: 'Dit is de winter van ons onbehagen', wist ik dat het op mezelf sloeg, gevangen als ik was tussen een vader die wilde dat ik veertig zou zijn en een moeder die dacht dat ze zestien was. Maggie vond dat ze moesten scheiden, maar daar wilde ik niets over horen of iets van weten totdat het allemaal voorbij was. Toen mijn vader overkwam voor St. Nick's Day, had hij de kerstcadeaus al bij zich, waarschijnlijk om mijn moeder te laten zien hoeveel hij voor haar had gekocht en haar de tijd te geven net zoveel voor hem te kopen.

Hij vroeg me om haar te gaan zoeken. Maggie zei dat ze in de stal was bij de nieuwste pensiongasten die de vorige dag waren aangekomen. Toen ik het erf overstak, maakten de bomen een geluid als van stromend water en blies de wind mijn jas open. Ik bleef staan om hem dicht te knopen en zag door een raam van de stal dat mijn moeder en Ozzie een kleine gespikkelde Shetland stonden te kammen in het gangpad.

Ze stonden aan weerskanten, lachend en pratend, terwijl ze hem borstelden van zijn schouders tot zijn achterhand. Oz stak zijn hand uit om de neus te aaien van een Appaloosa die met zijn gevlekte hoofd over de deur van zijn box stond. Een bruine cyperse poes streek langs zijn benen. Mijn moeder boog zich over de rug van de pony zoals mannen in een bar, en Ozzie steunde ook zijn elleboog op het paard, zodat hun onderarmen

217

elkaar raakten. Ik hoorde niet wat ze zeiden. Ik kon zelfs hun gezichten niet zien. Maar ze stonden daar zo ontspannen, met de pony tussen hen in, zoals mijn moeder nooit met mijn vader was omgegaan. Ozzie had steeds meer pensionpaarden gehaald en mijn moeder was weer zichzelf. Ze zag er zelfs beter uit dan ik me haar herinnerde van vóór de lente.

Toen ze de eerste twee paarden kreeg, had mijn vader gezegd dat ze er niet voor zou kunnen zorgen. Wacht maar, zei hij, tot het haar te veel wordt en ze er de bui aan geeft. Maar dat was niet gebeurd, en nu zou ze hier nooit meer weggaan. Dat wist ik zonder het te vragen. Ze zou volhouden dat ze de paarden niet kon achterlaten, zoals mijn vader beweerde dat hij niet op zijn werk gemist kon worden. En dus zou ik als een tennisbal tussen hen heen en weer blijven stuiteren.

Ik liep terug naar het huis en zei tegen mijn vader dat ik haar niet kon vinden. Maggie zei dat ze waarschijnlijk het veld in was met de paarden. Dat kon wel even gaan duren, dacht ze. Eindelijk gaf mijn vader de moed op en stapte naar buiten, precies op het moment dat mijn moeder de stal uitkwam met Ozzie Kline achter zich aan, als haar vriendje op het schoolbal. Mijn vader bleef bij zijn auto staan en zei nijdig dat ze toch minstens thuis kon zijn als hij de moeite nam om mij te brengen. Ozzie antwoordde dat ze thuis was geweest en even later stonden ze alledrie te bekvechten.

Ik ging naar mijn kamer tot Tommy kwam. Later nam hij me mee om me een vishut bij Grafton te laten zien die zijn vader net had gekocht – een hut op stelten, net zo een als Simon en ik vroeger hadden om bij onze ouders vandaan te zijn en waar hij later met Janie naartoe ging op avonden dat mijn vader en moeder niet thuis waren. Dan reed hij het pad af met de motor uit en de koplampen gedoofd, alsof ik doof was en de banden niet over de steentjes hoorde. Als ik uit mijn raam keek, zag ik Simon en Janie haastig het erf oversteken met een zaklantaarn, die ze pas aandeden als ze boven aan de trap waren die in de heuvel was uitgehakt. Ik verraadde hen nooit, maar ik was wel boos als ik hem tussen de bomen zag verdwijnen, alsof hij me bedroog door zo stiekem te doen en mij er achteraf niets over te vertellen.

Toen ik met Tommy bij de hut in Grafton aankwam, voelde ik me net zo volwassen als Janie met Simon. We stopten bij de ladder naar de hoge deur en hij liet de koplampen nog even branden. Sneeuwvlokken dansten in de lichtbundels en daarachter stroomde de Mississippi als een donker, glinsterend lint.

'Gaan we niet naar binnen?' vroeg ik.

'Ik heb geen sleutel.'

Hij doofde de lichten en sloeg zijn arm om me heen. Ik legde mijn hoofd tegen zijn borst en mijn knie tegen het stuur. Ik genoot van het verschil tussen mijn borsten en zijn platte borstkas en hoe vreemd en mooi hij was door dat onderscheid. Ik keek hem aan en draaide me op mijn rug, zodat ik tegen hem aan kon liggen en zijn hart voelde kloppen terwijl hij me vasthield.

Het raampje van de vishut leek precies op de ruit van de hut waar Simon en ik naartoe glipten om te praten of gewoon samen te zijn. Ik was bang dat ik zou gaan huilen. Ik had gedacht dat hij altijd veel dichter bij me zou zijn dan mijn ouders of wie dan ook in mijn leven. Ik wist dat hij niet met opzet was doodgegaan, maar toch vond ik dat hij beter had moeten oppletten en me niet alleen had mogen laten.

Ik begon geluiden te maken die ik liever voor mezelf had gehouden. In gedachten herhaalde ik steeds: 'Waarom heb je me verlaten? Waarom hield je niet genoeg van me om te blijven?' Toen ik aan Tommy probeerde uit te leggen waarom ik huilde, dacht hij dat het over hem ging. Hij streelde mijn haar, trok me nog dichter tegen zich aan en zei dat hij me niet had verlaten, dat ikzelf naar Chicago was gegaan. Maar daar was nu eenmaal niets aan te doen. Hij was altijd bij me, dacht de hele dag aan mij en bewaarde me in zijn hart. En er zou een dag komen dat we nooit meer bij elkaar vandaan hoefden te zijn.

Hoe meer ik hem probeerde uit te leggen over Simon, des te groter de verwarring, zodat ik snikkend naar de juiste woorden zocht en Tommy dacht dat ik het weer heel ergens anders over had. Daarom begonnen we maar te kussen en gingen ten slotte samen op de voorbank liggen, met onze benen gebogen

219

tegen het linkerportier. Zijn gewicht voorkwam dat ik eraf viel en het enige wat er nog toe deed was dat we dicht bij elkaar konden zijn.

Onze dikke winterkleren zaten in de weg. Eindelijk trok hij mijn sweater weer omlaag en deed mijn jas dicht. Toen pakte hij mijn hand en trok me de auto uit. We beklommen de ladder naar de hut, met alleen een zaklantaarn uit het handschoenenvakje om ons bij te lichten. Hij rammelde aan het hangslot, probeerde het open te krijgen met een van mijn haarspelden en pakte ten slotte de zware steen die als deurstopper dienst deed. Het slot overleefde de klap, maar schoot wel los uit het hout.

Hij legde de zaklantaarn op een oude keukenkast. Het licht viel door de enige kamer en wierp hoge schaduwen op de andere wand. Een tafel met stoelen, een oude klerenkast en een inzakkend tweepersoonsbed. Een leeg wapenrek, een verzameling hengels, een buitenboordmotor in onderdelen op de vloer. Een jutezak aan een touwtje voor het enige raam. Het was er koud, maar minder guur dan buiten in de wind, en zolang ik met Tommy was, had ik geen last van de kou. We bleven achter de deur staan, sloegen onze armen om elkaar heen en kusten weer. Daarna liet hij zijn handen onder mijn jas glijden en streelde mijn onderrug. De blote huid onder mijn sweater verwarmde zijn vingers.

Mijn vader zou het verschrikkelijk hebben gevonden, ook al waren Tommy en ik nog helemaal niet zo ver gegaan. Maar Simon had van Janie gehouden, dat wist ik zeker. En mijn moeder van Oz. Zij hadden dit ook gedaan en mijn vader had hen niet kunnen tegenhouden of zelfs maar geweten wat er gebeurde. Hij had het zich niet eens kunnen vóórstellen.

Ik dacht aan Maggies waarschuwing, maar haar stem leek van een andere planeet te komen, zo ver weg dat haar woorden hier niet van toepassing waren. Ik wilde niet stoppen en dit moment bederven. En daarna dacht ik nergens meer aan. Ik liet me meevoeren op een warme, glijdende beweging die alle ellende van de afgelopen maanden uitwiste – vooral de dag van Simons dood. Ik had dit niet bewust gewild, wat Tommy en ik nu deden, en ik verwonderde me erover hoe zijn heupen smaller leken te worden en precies tussen mijn benen pasten. Hoe zijn bovenlip zich krulde, zijn hand mijn borst omvatte en zijn bovenlichaam tegen het mijne drukte. Hoe hij me strak aankeek en zo langzaam bij me binnendrong dat ik niet meer voelde dan een lichte pijn.

Daarna waren we zo dicht bij elkaar dat we al het andere vergaten. Ik voelde me niet langer een weeskind, onbereikbaar voor iedereen. Naast me, *in* me, lag een ander mens die me redde van Simons dood en de zorgen om mijn ouders.

Hij streek het haar van mijn voorhoofd en zei dat hij van me hield. Ik ook van hem, zei ik. Ik wist niet zeker of dat zo was of wat houden van precies inhield. Ik wist wel dat ik dankbaar was en niet langer alleen, niet langer gevangen op één plaats, en dat leek genoeg op liefde om het zo te noemen. Genoeg om hem te zeggen: ja, ja, ik hou van je.

De volgende morgen zat ik tegenover mijn moeder, die met een puntige lepel een grapefruit at. Ozzie Kline las de strips in de zondagskrant. Ze zei dat ik 'Blondje' leuk vond, dus las hij me de teksten voor en legde de krant over de suikerpot zodat ik de plaatjes kon zien. Daarna vroeg ze naar mijn school en mijn vrienden en zelfs naar de universiteit, alsof we die morgen mijn hele leven moesten bespreken. Ozzie bemoeide zich er ook mee, maar ik had liever dat ze weer naar elkaar gingen zitten staren alsof er niets anders op de wereld bestond. Toen vroeg ze hoe het met Tommy en mij ging en wat we de vorige avond hadden gedaan. Ik hield mijn hoofd gebogen, bang dat ze het aan mijn ogen konden zien of hun eigen situatie op de mijne zouden projecteren, zoals ik me hen ook samen had voorgesteld.

Later liepen ze naar de bak en bleef ik achter met Maggie, die uit het keukenraam staarde. Ze zag dat mijn moeder een paard trainde aan een lijn, terwijl Ozzie op het hek zat.

'Je weet het zeker wel?' vroeg Maggie.

'Wat?'

'Van Ozzie en Nora?'

'Dat ze denken dat ze verliefd zijn?'

221

'Niet dénken. Ze zíjn verliefd. Zoals Grace zei dat ze waren toen ze jouw leeftijd en die van Tommy hadden.'

Opeens begreep ik wat ze maanden geleden over het vroegere vriendje van mijn moeder had gezegd.

'Niet dat ze er al veel aan hebben gedaan.' Mijn grootmoeder glimlachte.

'Hoe weet je dat zo zeker?'

Ze keek me aan.

'Dat weet ik gewoon door hoe ze met elkaar omgaan.'

'Vind je dat ze verder moeten gaan?'

Ze haalde haar schouders op.

'Nora's vader was altijd tegen hem, en hij was geen ideale man voor een gezin, maar nu ze alleen samen zijn...' Weer haalde ze haar schouders op. 'De Chinezen geloven dat een denkbeeldige rode draad de mensen verbindt die voor elkaar zijn voorbestemd en dat niets die draad kan breken – niet de tijd, de afstand of de omstandigheden.'

'Geloof jij dat ook?'

'In dit geval wel.'

'Maar pappa dan?' vroeg ik.

'Hoe kan ze nog naar hem teruggaan, na wat hij haar heeft aangedaan?'

Toen pakte ze de vier punten van het tafelkleed om de kruimels op het erf uit te schudden en ik bleef achter aan de kale tafel. 'Wat voor verschrikkelijks heeft hij dan gedaan?' wilde ik schreeuwen, maar ik kende de antwoorden, als dieren die je weleens langs de rand van een donkere weg ziet kruipen, zonder dat je ze goed kunt zien. Toen werd ik weer kwaad. Omdat mijn moeder verliefd was terwijl ze voor míj zou moeten zorgen en omdat ze door haar liefde voor Ozzie, toen en nu, ook in al die tussenliggende jaren mijn vader ontrouw was geweest.

Maggie kwam terug en legde het kleed weer over de tafel. 'Als je moeder eindelijk de moed opbrengt om echtscheiding aan te vragen', zei ze, 'zul jij moeten beslissen bij wie je wilt wonen. Steeds heen en weer reizen is belachelijk.'

'Ik wil ze allebei niet', zei ik.

'Je zult toch ergens moeten wonen.' Maggie zette haar handen op haar heupen.

Ik zou het liefst bij Tommy wonen, maar ik zei: 'Ik kan ook bij jou intrekken.'

'En Tommy blijven zien?'

Ik grijnsde onwillekeurig.

'Ik heb geen eigen huis meer. Dan zouden we bij je moeder moeten blijven.'

'Pappa kan een ander huis voor je kopen.'

'Hij heeft mijn oude huis al verkocht, en als je hier één les uit kunt leren is het: God zegene het kind dat een eigen huis bezit. Onthoud dat maar.'

Ze deed haar schort af en gooide het op het aanrecht alsof ze kwaad was. Ik haalde mijn schouders op en had zin om een potje te janken. Die middag was ik blij dat mijn vader kwam. In de trein ging ik niet eens bij de conducteurs zitten, maar zei tegen hen dat ik me niet lekker voelde. Dat gaf me de kans om mijn ogen dicht te doen en na te denken. Ik klapte de stoel naar achteren en deed alsof ik sliep, hoewel de lichtexplosies van de stations pijn deden aan de binnenkant van mijn oogleden.

Ik vroeg me af of mijn eigen moeder en Oz hetzelfde hadden gedaan als ik met Tommy, misschien wel in onze hut bij de rivier, jaren voordat ze mijn vader had ontmoet en ik geboren was. Ik kon het gewoonweg niet geloven. Ik probeerde me Oz als mijn vader voor te stellen. Hoe anders zou ik nu zijn als ik voor de helft van hem was geweest? Toen ik probeerde te bedenken of ik bij mijn vader of mijn moeder zou willen blijven, verlangde ik naar de moeder uit het verhaal over koning Salomo, die op me af zou rennen om te voorkomen dat ik in tweeën werd gehakt.

Daarna probeerde ik nergens meer aan te denken, behalve hoe ik naakt tegen Tommy aan had gelegen en hoe hij zijn ogen had gesloten toen hij in me kwam. Daarna concentreerde ik me erop om niet zwanger te worden en mijn cyclus stop te zetten. Ik bad Simon om me te beschermen, zoals hij altijd had gedaan, en bij die gedachte voelde ik me veilig en kneep ik

223

mijn ogen nog steviger dicht, luisterend naar het ritme van de wielen.

Half slaperig probeerde ik alle momenten van de vorige avond opnieuw te beleven, maar zelfs zo kort daarna wist ik niet meer precies hoe we elkaar op een bepaald ogenblik hadden vastgehouden. Dus verplaatste ik mijn gedachten naar daarna, toen ik met mijn hoofd en mijn hand op zijn borst had gelegen, mijn been over het zijne, terwijl we nog steeds innig verbonden waren en toch ook niet.

Ozzie had me eens verteld over fantoompijn – dat soldaten nog pijn konden hebben in een voet of een been dat in de oorlog was weggeschoten. Als ik heel stil zat, voelde ik Tommy's lichaam nog tegen het mijne en zijn armen om me heen, om me te beschermen tegen alles wat er mis kon gaan. Fantoomgenot. Ik gaf me eraan over.

HOOFDSTUK 18

Ozzie
Kline

Ik dacht dat het een goed idee was geweest om naar Nora terug te gaan, maar toen ik eenmaal op weg was naar LaCote, kon ik duizend redenen bedenken waarom het een grote vergissing was. De meest voor de hand liggende gaf ik nog wel toe: dat ze mijn probleem niet was en dat ik niets voor haar kon doen. De diepere, duistere redenen zag ik liever over het hoofd: dat ik zelf niet goed genoeg was en dat het heel dom van haar was geweest om ooit verliefd op me te worden.

Daar was ik minstens zo bang voor als voor haar. Genoeg mensen hadden geprobeerd me daarvan te overtuigen. Steeds als mijn vader riep dat ik nergens voor deugde, had hij me in elkaar geslagen, voor het geval ik het niet had begrepen. De ergste keer was toen ik vijftien was, twee jaar voordat ik van huis wegliep. Om twee uur 's nachts was ik met zijn auto naar het eind van de straat gereden om een paar vrienden op te pikken. Daarna reden we over de zandwegen buiten het stadje, hingen uit de raampjes en loeiden tegen de wind. Toen mijn vader opstond om te pissen, zag hij dat zijn auto was verdwenen. Tegen de tijd dat de politie ons te pakken kreeg, had hij al een paar glazen whisky op en stond hij op de veranda te wachten in zijn ondergoed.

Hij brak mijn neus, twee ribben en mijn sleutelbeen. Ik was toen al bijna net zo groot als hij, maar hij was veel zwaarder en trok zich niets aan van de schade die hij toebracht. Later ont-

225

dekte ik de macht van die onverschilligheid in mijn eigen vechtpartijen, als ik ook geen medelijden met mijn tegenstanders had, maar toen ik op mijn vijftiende door hem in elkaar werd geslagen, wist ik zeker dat hij me zou vermoorden. Ten slotte kroop ik onder de keukentafel als een hond, zodat hij geen ruimte meer had om uit te halen.

Hij schreeuwde dat hij me geen moment uit het oog kon verliezen, dat ik altijd problemen veroorzaakte – dezelfde verwijten die ik me al sinds mijn vroegste jeugd herinnerde. Toen ik jonger was en mijn moeder nog leefde, zat ze erbij en staarde langs ons heen alsof ze niets merkte van het geraas en getier.

Ik deed nooit veel op school omdat ik vanaf het eerste begin te horen kreeg dat ik heel middelmatig was. Dat ik goed kon tekenen, was toeval. Tegen de tijd dat Frank Rhymer tegen Nora zei dat ik een waardeloze figuur was, geloofde ik dat zelf ook. Afgezien van de kennis die ik te hooi en te gras over paarden had opgedaan, wist ik eigenlijk niets.

Maar Nora Rhymer, die alle jongens had kunnen krijgen, werd verliefd op mij. Ze ging zogenaamd met vriendinnetjes de stad in, om haar vader zand in de ogen te strooien, en nam het risico dat iemand hem zou vertellen dat hij haar met mij had gezien. Ze wilde met me kussen en later ook meer, in mijn auto bij de rivier, of op haar kamer als haar ouders niet thuis waren, of in de hut bij de rivier als ze kans zag om 's nachts weg te sluipen. Ik moest haar eerste zijn en ze vertrouwde me, zelfs met het gevaar dat ze zwanger zou raken. Blij en zonder problemen. Want ik scheen haar gelukkig te maken. Ik alleen, dat was juist zo'n wonder.

Ik had geen geld om haar mee uit te nemen zoals andere jongens, maar dat kon haar niet schelen. Sommige avonden deden we niets anders dan tegen elkaar aan liggen, half slapend in elkaars armen. Dan had ik een wekker bij me om ons te waarschuwen wanneer we naar huis moesten. Of we zaten uren te praten zonder ooit om een onderwerp verlegen te zitten, of we lagen eindeloos te kussen, alsof we steeds weer verwonderd waren over die aanraking. Ik genoot als ze haar hoofd in haar nek wierp en luid lachte om iets wat ik had gezegd, of glimlachte om wat ik deed of gewoon omdat ze bij me was. Er was geen enkele plek in mijn binnenste die ze niet mocht aanraken, niets wat ik haar niet zou willen geven. Ik had zelfs mijn leven willen offeren voor ons leven samen, en ik heb heel lang geloofd dat ik tot alles in staat zou zijn geweest met haar aan mijn zij.

Maar toen ze ging studeren en ik daar geen geld voor had, veranderde er iets tussen ons, alsof ze naar een plaats ging waarvan ze wist dat ik haar niet zou kunnen volgen. En toen Frank Rhymer plotseling stierf na haar eerste jaar, werd die verandering een diepe kloof.

Niet meteen. Ik mocht toen naar het huis komen en Nora hield me dicht tegen zich aan zo lang als Grace me 's avonds liet blijven. Op de begrafenis zat ik op een klapstoeltje onder het tentzeil van de familie en toen we terugliepen naar de volgwagen, hing ze tegen me aan en doordrenkte mijn overhemd met haar tranen. Maar ik kon haar niets anders zeggen dan dat het allemaal wel goed zou komen.

Eerst dacht ik dat Franks dood onze redding was. Ik beefde haast bij de gedachte dat Nora nu vrij was en dat niets ons meer in de weg kon staan. Ik kocht twee ringen en eindelijk had ik het gevoel dat ik iets belangrijks en goeds had gedaan voor mijzelf en haar.

Maar nog voordat ik haar de ringen kon laten zien, sloeg ze om als een blad aan een boom. Ze werd prikkelbaar, ik mocht haar niet meer aanraken en ze verzon allerlei smoezen waarom ze liever met haar studievrienden uitging dan met mij. Nadat ze me wekenlang had afgepoeierd, vroeg ze of ik langs wilde komen. Het was eind september, toen de duisternis al dichter werd en de blaadjes hol in de bomen ritselden. Het gele licht van de veranda en de lamp in de keuken brandden. Nora bleef in het halfdonker achter de hordeur staan, die ze gesloten hield toen ze zei dat ze me niet meer wilde zien.

'Waarom niet?' vroeg ik, nauwelijks in staat een woord uit te brengen.

'Ik heb de jongen ontmoet met wie ik waarschijnlijk ga trouwen', zei ze.

227

'Ik dacht dat ik dat was.'

'Dat is allang voorbij', zei ze. 'Dat weet je toch wel?'

Ik haalde mijn schouders op.

'Nou, je had het kúnnen weten', zei ze. 'Als je niet te dom en te slap was om het onder ogen te zien.'

Ze begon zich al om te draaien. 'Nou, heb je niets te zeggen?'

Ik kon geen woorden vinden, en anders had ik ze toch niet over mijn lippen kunnen krijgen.

In de weken daarna moet ik wel duizend keer langs haar huis zijn gereden. Ik repeteerde hoe ik naar de deur zou lopen en hoe opgelucht ik zou zijn om haar te zien. Ik zou haar zeggen dat ik haar terug wilde en alles zou weer worden zoals vroeger. Maar ik had er het lef niet voor, of de hoop dat ze ja zou zeggen. Ik had navraag gedaan en gehoord dat Neal Mahler waarschijnlijk goed voor haar zou kunnen zorgen. Met hem was ze beter af.

Diep in mijn hart had ik altijd geweten dat ze me aan de dijk zou zetten, altijd vermoed dat mijn vader toch gelijk had. Dus zocht ik mijn wilde vrienden weer op, uit de tijd voordat ik met Nora ging, en bleef permanent aangeschoten, zodat ik niet hoefde na te denken over de harde waarheid waardoor haar liefde voor mij was verdwenen.

Ik wilde haar niet bij toeval tegen het lijf lopen, dus ik moest weg uit LaCote. Ver weg. Een maand nadat ze me de bons had gegeven besloot ik naar het westen te liften om me als truckchauffeur te verhuren bij de tarweoogst. Twee avonden voordat ik vertrok, zoop ik me weer een stuk in mijn kraag. Ik zat op de rails van de rivierkranen op de hoge oever achter Main Street, dronk de Jack Daniels zo uit de fles en staarde naar de lichtjes van de auto's op de brug. Ik hoopte dat ik ter plekke bewusteloos zou raken. Maar hoeveel ik ook dronk, ik bereikte nooit het punt waarop ik niets meer wist of voelde. Nooit in mijn leven ben ik zo kapot geweest als toen. Ik kon niet bevatten hoe die drie gelukkige jaren met haar in zo'n martelende pijn hadden kunnen eindigen.

Ik had graag ieder moment met Nora Rhymer teruggekregen om het uit mijn leven te wissen. Ik wilde niets meer weten van de liefde en als een zombie door het leven gaan. Eigenlijk wilde ik dood. Maar Nora woonde nog als een withete vonk in mijn borst, op de plaats van mijn hart. Ik haatte haar omdat ze me hoop had gegeven en me toen alles had afgenomen waarvan ik dacht dat het voorgoed van mij zou zijn. Het liefst zou ik haar iets verschrikkelijks hebben aangedaan.

Maar ik wilde haar ook in mijn armen nemen en vergeven. Als ze toen de hoek om was gekomen in die oude auto van haar vader en was uitgestapt, daar op de rivieroever, had ik niets anders kunnen hopen dan dat ze in mijn armen zou komen. Maar ik wist dat het niet zou gebeuren. Ik haalde het doosje met de ringen uit mijn borstzakje, drukte op het knopje waardoor het deksel opensprong en staarde naar de diamantjes die glinsterden als de lichten van de auto's in het water van de rivier.

Het waren kleine, goedkope stenen, geen ring waar Nora trots op zou zijn geweest, en ik geneerde me dat ik dat ooit had gedacht. Zelfs de beste die ik had kunnen betalen zouden voor haar bij lange na niet mooi genoeg zijn geweest. Ik stond op, zwaaide mijn arm naar achteren en smeet het doosje door het donker over de rivier. Ik wachtte tot ik een zachte plons hoorde, ging weer op de rails zitten en huilde tot ik niet meer kon.

De volgende dag, toen ik afscheid nam van mijn vrienden, liep ik Grace tegen het lijf bij de graanhandel. Ze droeg oude, modderige schoenen en ze had haar grijze vlechten aan weerskanten van haar hoofd gebonden als de hoorns van een ram. Ik knikte en hoopte dat het daarbij zou blijven, maar ze kwam naar me toe en versperde me de weg.

Ik mocht Grace graag. Nora vertelde haar alles en soms had ze ons van tevoren verteld wanneer Frank en Maggie een avondje weg zouden zijn, met de belofte dat ze hen tot een bepaalde tijd bij het huis vandaan zou houden. Ze had mij altijd als een gelijke behandeld wanneer het om paarden ging, en nu ik voor haar stond, barstte ik bijna in huilen uit omdat ik behalve Nora nu ook Grace zou kwijtraken, en alles wat ze voor me was geweest.

Ze hield haar hoofd schuin en keek me loenzend aan. Haar

blauwe ogen waren bleek en een beetje troebel, zoals bij veel oude mensen.

'Nou', zei ze. 'Jullie voelen je allebei ellendig, maar jij wéét het, tenminste.'

Ik grijnsde zuur. Haar humor deed pijn. Grace kwam wat dichterbij, zodat anderen het niet zouden horen. Ik rook de melk en de sigaretten in haar adem.

'Wat denk je eraan te doen?'

'Ik ga hier morgen weg', zei ik. 'Naar het westen.'

'Ergens in het bijzonder?'

'Nee, als ik maar weg ben.'

'Kom je nog afscheid nemen?'

'Daar heb ik nog niet over nagedacht.'

Ze hield haar hoofd weer schuin en keek me onderzoekend aan, alsof ik een kreupel paard was dat ze moest behandelen.

'Weet je', zei ze, 'ik zal je missen. En Nora ook, durf ik te wedden. Uiteindelijk.'

Ik nam haar niet serieus, behalve op die heel schaarse momenten dat ik bijna durfde te geloven dat ze gelijk had. En zelfs dan maakte het weinig uit. Nora had haar besluit genomen en ik kon er niets aan doen dat ze me niet wilde hebben. Maar soms, na een hinderlaag of een vuurgevecht, hoorde ik Graces woorden weer en was ik trots dat ik mezelf bewezen had, al was mijn militaire moed niet meer dan een excuus voor mijn gebrek aan lef in de liefde. Want geen enkele lichamelijke pijn kon ooit zo erg zijn als de wond die Nora me had toegebracht.

Toen ik terugkwam uit Canada, die september na Simons dood, wilde ik in elk geval sterk en goed genoeg zijn om haar liefde te verdienen, zelfs al zou ik haar nooit kunnen krijgen op de manier die ik had gedroomd. Achteraf lijkt het onnozel dat ik zo bang was om haar terug te zien. Aan de andere kant is het soms beter om geen slapende honden wakker te maken, en dat wist ik misschien toen al.

Ik was bloednerveus toen ik de laatste kilometers naar haar boerderij reed. Ik had het al twee dagen uitgesteld en ik wist nog steeds niet of ik het wel durfde. Maar toen werd ik kwaad op mijn eigen lafheid en nam op het laatste moment de afslag. Ik moest Bandit meenemen, had ik bedacht, zodat het niet zo vreemd leek dat ik zomaar kwam binnenvallen. Nora stak juist het erf over en bleef staan toen ze me zag. Ze hield haar hand boven haar ogen tegen de zon en glimlachte alsof ik gewoon een verdwaalde herinnering was die toevallig bovenkwam, zoals herinneringen weleens doen.

Toen ik het portier opende, sprong Bandit over mijn schoot en vloog naar buiten. Hij bleef even staan om Nora te besnuffelen en rende toen heen en weer over het erf, met zijn neus tegen de grond. Hij snoof zo hard dat ik zeker wist dat hij zand in zijn neus kreeg.

'Hij zoekt Simon', zei ze. Bij het horen van die naam bleef Bandit staan en spitste zijn oren.

'Nee', zei ik, om het gesprek een andere wending te geven, 'honden hebben niet zo'n lang geheugen.'

'Wacht maar', zei ze. Ze hurkte op de grond en zei op zachte, zangerige toon: 'Hé, jochie, hé, Bandit. Hoe gaat het? Kom eens bij Nora. Kom dan. Kom eens naar Oz. Hier.' Ze klopte op de grond naast haar. Maar de hond bleef snuffelen en werkte alle palen van het hek af totdat Nora riep: 'Waar is Simon? Zoek Simon dan!'

Bandit bleef weer onbeweeglijk staan. Zijn ogen gingen snel heen en weer, op zoek naar een beweging, wat dan ook. Misschien had Simon zich als een konijn in het gras verborgen. Ik slikte een paar keer en vroeg me af hoe Nora zo nonchalant zijn naam kon zeggen. Maar ze sloeg haar armen om haar knieën en keek naar de hond alsof hij een rat was in een experiment dat haar theorie bewezen had.

Haar haar was een beetje vuil en naar achteren gebonden met een oud blauw lint. Haar gezicht stond vermoeid als van vrouwen die hun gezin door een zware crisis hebben gesleept. Maar ze keek strak naar de hond, met interesse, en daar was ik blij om.

'Wat is er in vredesnaam met hem gebeurd?' lachte ze. 'Het lijkt wel of hij door een dorsmachine is gehaald.'

'Stinkdier', zei ik. 'Ik moest hem laten scheren.'

'Dan had hij maar niet op de verkeerde beesten moeten jagen.'

Ik liep met haar mee en we gingen op een paar strobalen zitten die bij de deur van de schuur lagen opgestapeld. Ze bleef naar de hond kijken terwijl ze me vroeg waar ik was geweest. En ik keek naar haar toen ik haar vertelde over de kermissen, de concoursen, de klusjes en de lange ritten ertussenin. Het was niets voor Nora om je niet aan te kijken als ze luisterde of haar handen zo stil en verstrengeld op haar schoot te houden. Meestal speelde ze met een grasspriet of een lus van een teugel, draaide een haarlok om haar vinger of wapperde met haar handen als een rare Italiaan terwijl ze zelf praatte. Maar nu leek ze heel ver weg, als wrakhout op het water, maar tegelijkertijd zo zwaar als een loden pijp die meteen zou zinken.

Toen ik haar vroeg hoe het met haar ging, haalde ze haar schouders op.

'Neal is verhuisd, wist je dat al? Hij verwacht dat ik hem achterna kom.'

Ze vertelde me over de afgelopen maanden, op effen toon en met simpele woorden.

'Een man moet zijn werk volgen', zei ik ten slotte.

Ze keek me recht aan met een blik die me deed denken aan Grace als ze iemand confronteerde die een paard had mishandeld.

'Hij had werk híer', zei ze. 'En een gezin.'

Ik spreidde mijn handen. Ik had hem alleen verdedigd om het haar gemakkelijker te maken en haar nog meer strijd te besparen. Maar ze was niet meer zo intimiderend nu haar zorgvuldig opgebouwde leven in duigen lag. Ik was niet trots op die wraakzuchtige gedachte, maar het deed me wel plezier. In mijn hoofd zong het steeds: *Neal Mahler is weg,* als een onzinnig bewijs dat ze zich had vergist door mij weg te sturen toen we negentien waren. De onnozele hoop dat we gewoon opnieuw konden beginnen om te herstellen wat we fout hadden gedaan.

Toen Maggie thuiskwam en vroeg of ik bleef eten, haalden Nora en ik wat pompoenen uit de moestuin, liepen langs het verlepte loof en praatten over alles en niets, net als vroeger.

'De helft van de groente is verdronken dit seizoen', zei ze, wijzend naar de rijen. 'De planten zijn gaan rotten door alle regen en het hoge water.'

Ze legde nog een pompoen in mijn armen, veegde het zand eraf en excuseerde zich dat ze mijn shirt vuilmaakte.

'Het is al oud', zei ik. Het kon me niet schelen wat ze ermee deed, hoewel het mijn beste was.

Daarna liepen we terug naar het huis, in het gele licht en de bruine geur van het droge gras. Nora liep een paar passen voor me uit terwijl ik met de pompoenen jongleerde. Zo had ze ook gelopen toen we samen een danszaal verlieten, een half leven geleden. Ze bleef staan en keek naar de bomen in de verte. Ik bleef naast haar staan.

'Weet je', zei ze, met haar rug naar me toe, 'september is altijd een trieste maand. Het einde van de zomer en de veranderingen in het weer. Maar dit jaar kan ik er helemaal niet tegen, met het begin van het schooljaar en Clea die weg is.'

Toen zei ze iets wat ik niet kon verstaan.

'Wat?' vroeg ik en ik boog me naar haar toe.

'Ik zei', zei ze hard en boos, 'dat hij nu in de hoogste klas zou hebben gezeten.'

Ze liep weer verder, zo snel dat ik wist dat ik haar niet mocht inhalen.

Ik stapte de achterdeur binnen en legde de pompoenen in de gootsteen. Maggie spoelde het zand eraf. Boven ons stampte Nora de gang door en sloeg met een deur.

'Gaat het wel goed met haar?' vroeg ik.

Maggie trok een wenkbrauw op en sneed nijdig in de wortel die ze stond schoon te maken.

'Nou ja, niet "goed", natuurlijk', zei ik. 'Je weet wel.

Ze vertrouwt niets en niemand meer. Ze weet niet eens zeker of de grond niet onder haar voeten zal wegzakken.'

Maggie boog zich naar het raam en keek naar buiten.

'Wil jij de stal voor me afsluiten? Tegen de ochtend zou het gaan regenen, zeiden ze.'

Ik trok de staldeur dicht. De klap weergalmde door de lege ruimte. Ik was hier nog nooit geweest zonder dat er paarden stonden, zonder hun geluiden, hun geur en hun bewegingen. Het was nu nog erger. De bak was leeg, het land geteisterd door de overstroming, en de twee vrouwen alleen achtergebleven. In de vroege schemering keek ik over de wei waar het gras te hoog stond, en kreeg hetzelfde akelige gevoel als wanneer ik foto's van Hiroshima of Nagasaki zag – die platgegooide steden waar niets meer overeind stond.

Maar die leegte gaf me ook een soort zekerheid, net als de eenzaamheid van de autoweg. Genoeg ruimte om bij Nora in de buurt te blijven zonder te dichtbij te komen. De volgende dag nam ik een baantje bij de renbaan van Cahokia, omdat ik wist dat Nora me niet kon betalen en ik misschien zelfs zou moeten bijspringen, zo nu en dan. Maar ik ging bijna elke middag bij haar langs als ik klaar was, en ik deed al het zware werk dat was blijven liggen sinds Simons dood. De overstroming had het verdronken land flink omgeploegd en heel wat rotzooi achtergelaten die ik met de trekker en een ketting opruimde. Daarna repareerde ik de hekken die waren beschadigd of weggespoeld. Die situatie beviel me voorlopig wel. Ik praatte even met Nora en verdween dan om te doen wat er gedaan moest worden.

Na de eerste paar dagen zat ze al op de veranda te wachten met de thee tegen de tijd dat ik met het werk klaar was. Dan hadden we een excuus om wat langer te praten, eerst over de boerderij en het werk, en geleidelijk ook over andere dingen, als een man en een vrouw die graag in elkaars gezelschap waren.

In het begin kletste ik maar door. Ik had zoveel opgespaard om haar te vertellen, zonder dat ik het wist. Het was zelfs de eerste keer dat ik met haar over de oorlog praatte. Ik onderbrak mijn verhalen, bewandelde allerlei zijpaden en vertelde dezelfde dingen twee keer, omdat ik onze echte gesprekken bleef verwarren met alle conversaties die ik zoveel maanden en jaren in mijn hoofd met haar had gevoerd.

Ze was mijn Nora en toch ook niet. Soms leek het of er maar een seconde in ons leven was verstreken sinds we geliefden waren geweest. Als ik haar grappige anekdotes vertelde, zoals over Bandit en het stinkdier, luisterde ze ontspannen en lachte nog precies zoals toen ze negentien was. Maar op andere momenten, als we diepe gesprekken hielden, boog ze zich zo dicht naar me toe en gingen we zo lang door dat Maggie naar buiten kwam om te zien wat we deden. Maar veel te vaak werd Nora opeens moe, alsof ze geen lucht meer had, en keek ze verward om zich heen, als een halfverdronken dier dat de oever niet meer kan vinden.

Dat zag je zo vaak tijdens overstromingen. Wasberen, buidelratten of honden. Koeien, varkens, paarden, vossen, noem maar op. De rivier sleepte zonder onderscheid alles mee, en dan zag je ze zwemmen met diezelfde koppigheid, hun neus boven water en die angstige witte blik in hun ogen. En als de vermoeidheid toesloeg, zakten ze weg met een soort uitgeputte wanhoop, voordat ze zich weer omhoog werkten, nog banger dan daarvoor. Soms pakte ik de roeiboot om ze te gaan halen, of stak ik een grote tak in het water om ze naar de kant te trekken. Maar vaak waren ze zo in paniek dat ik ze niet kon redden. Dan zag je het wit van hun ogen en vluchtten ze voor me, alsof ik nog gevaarlijker was dan de rivier waar ze steeds dieper in verdwenen.

Toen ik pas terug was, zag ik die blik ook te vaak bij Nora, alsof ze de grootste moeite had om letterlijk haar hoofd boven water te houden. Op sommige dagen was ze zo moe dat ze binnen bleef en de hele dag in Graces oude studeerkamer zat, met een oude plaid om haar heen, achter de gesloten gele zonwering, die glinsterde in de zon. Ze lachte snel en geforceerd, met holle ogen, alsof haar wereld te leeg was om zich nog ergens aan vast te kunnen houden. Dan kostte het me moeite om haar uit die stemming te krijgen. Ik bleef met haar praten tot het beter ging, en plaagde haar tot ze eindelijk weer lachte en ik wist dat ze oké was. Geleidelijk wende ze eraan om mij steeds om zich heen te hebben. Als ik in de stal bezig was en niet snel genoeg terug was, kwam ze me zoeken. Eerst deed ze nog alsof ze me iets wilde vragen, over de hekken of de trekker, maar na een tijdje zei ze gewoon dat ze wilde praten.

235

Dan hield ze lange verhalen, alsof ze alles voor me had opgespaard, net als ik voor haar. Over dingen die ik wilde weten en graag zou hebben meegemaakt. Hoe ze haar kinderen had gekregen, haar paarden had grootgebracht en Grace had begraven. En dingen die ik liever niet had willen weten. Hoe Neal haar op allerlei kleine manieren had vernederd, hoe hij haar ook al voor deze zomer geestelijk had mishandeld, hoewel ze het niet zo wilde noemen.

'Hij is nu eenmaal zo', zei ze.

'Maar het deugt niet.'

Ik zei dat hij te ver was gegaan, te wreed was geweest om nog excuses te kunnen verzinnen. Ik was geschokt dat ze het zo lang had volgehouden, zo lang bij hem was gebleven, totdat hij niet langer meer in haar was geïnteresseerd maar alleen nog in Graces land.

Op een middag tegen het einde van oktober, toen ze me hielp de nieuwe draden op de hekken te spijkeren terwijl ik ze strak hield, begon ze opeens over Neal. Ze hield haar hoofd over haar werk gebogen, zodat ik zag hoe die verbazende schakering van bruin, blond en grijs het zonlicht ving.

'Elke drie of vier maanden', zei ze, 'zo regelmatig dat je de klok erop gelijk kon zetten, kwam hij me na zijn werk zoeken, zelfs als ik in de stal was, en sloeg zijn armen om me heen. Als we klaar waren met eten en de kinderen van tafel mochten, ruimde hij de borden weg, zette koffie voor me alsof hij me pas het hof maakte, vroeg hoe mijn dag geweest was en keek me strak aan terwijl hij luisterde.'

Ze lachte kort en hard.

'Dan begon hij over de paarden en hoorde me uit over dingen waarover ik normaal niet met hem praatte. Maar ik was zo onnozel om op zijn vragen in te gaan en al gauw boog hij zich naar voren met een verbaasde uitdrukking op zijn gezicht.

"Ik begrijp niet helemaal", zei hij dan, "waarom dat allemaal zoveel voor je betekent."'

Nora gaf een klap met haar hamer tegen de paal van het hek.

'Wat ik ook antwoordde – dat ik graag iets deed waar ik goed in was, dat ik plezier had in paarden en nog duizend andere

236

redenen – hij kwam steeds weer met diezelfde vraag: "Waarom dan?"

Soms ging hij wel drie uur door, of nog langer. Stom eigenlijk, dat ik daar zo gestoord van werd. Ik heb het ook nooit aan iemand verteld. Hij deed niets verkeerds, hij stelde alleen maar vragen. Iedere vrouw wil graag dat haar man haar begrijpt. Maar hij was nog erger dan de kinderen toen ze twee waren. *Waarom, waarom, waarom?* Totdat alles waar ik van hield in stof en scherven uit elkaar viel.

Ik kon hem niet uitleggen wat ik zelf zo logisch vond. Hij is intelligent genoeg. Maar wat ik ook zei, hoe vaak ik het ook herhaalde en hoe simpel ik het onder woorden bracht, hij keek steeds verbaasder en vroeg dan weer: "Waarom?" Zodat ik aan het eind van het gesprek overal aan ging twijfelen.

Heus, Oz, ik dacht dat ik gek was en dat het volslagen zinloos moest zijn wat ik deed. Ten slotte begon ik te huilen. Dan keek hij me niet-begrijpend aan en vroeg: "Waarom maak je je zo druk?"

Nu ik je dit vertel, hoor ik hoe zeurderig het klinkt. Hij deed immers niets verkeerds. Maar toch had ik na afloop altijd het gevoel dat ik hard en egoïstisch was.'

Ze gaf weer een klap tegen de paal en liet de hamer toen vallen.

'Als je het niet kunt uitleggen, dan weet je niet waar je over praat, zeiden de nonnetjes altijd tegen ons, hoewel ze zelf nooit iets over God konden uitleggen.'

Ze wilde een krammetje over de draad leggen en ik sloot mijn hand over de hare. Ik kon ook niet goed verklaren waarom het gemeen was wat Neal Mahler had gedaan, ik wist alleen dat het een geniepige manier was geweest om haar te slaan.

'Hij zat fout', zei ik. 'Hij. Niet jij.' Eindelijk keek Nora op, met een vragende blik, alsof ze niet wist of ik de waarheid sprak of niet.

Omstreeks Allerheiligen zei Maggie dat ik wel in de hut bij de rivier kon gaan wonen. Dan hoefde ik niet iedere dag heen en weer te rijden naar de stad, vooral 's avonds, als ik pas laat naar mijn gehuurde stacaravan vertrok. De vishut op zijn hoge

237

palen had de overstroming goed doorstaan. Alleen de trap moest worden vervangen en een van de palen versterkt. Maggie bood aan dat ik met hen kon meeëten en de badkamer mocht gebruiken. En 's avonds was ik altijd welkom. De hut was alleen om te slapen of als ik eens alleen wilde zijn, zei Maggie. Er stond een kolenkachel die voor genoeg warmte zorgde. Ik vond het niet erg om daar 's nachts in mijn eentje te slapen. Ik zette de meubels weer terug zoals ze twintig jaar geleden hadden gestaan en in bed keek ik naar de schaduwen zoals Nora en ik dat vroeger hadden gedaan. Als ik in slaap viel, droomde ik hoe we ooit hadden gevreeën. Ik wilde huur betalen, maar Maggie zei dat ze me al te veel schuldig waren voor mijn werk.

'Ik ben gewoon blij dat je er bent', zei ze en liep weer weg alsof het niets bijzonders was.

Al gauw hadden we een vaste routine. 's Ochtends ging ik heel vroeg naar het huis om me te wassen voordat ik naar mijn werk vertrok. Soms liep ik Nora tegen het lijf, in Simons oude roodgeruite badjas, met dikke ogen omdat ze niet geslapen had. Dan stak ze even haar hand op en glimlachte moeizaam. Terwijl ik in de badkamer was, maakte ze soms toost en koffie en liet die achter op de keukentafel. Als ik thuiskwam, zat ze altijd te wachten.

Op een zondagmiddag, half november, toen we op het erf met de hond aan het spelen waren, zei ze: 'Het is fijn om bezoek te hebben.'

'Ik ben hier te lang om het "bezoek" te noemen', zei ik.

'Nee, ik bedoel dat ik liever met jou ben dan in mijn eentje.' Ze hield haar hoofd schuin en trok aan de bal die Bandit in zijn bek had. 'Met Neal was ik liever alleen.'

Daar zei ze later nooit veel over, maar ik wist wat ze bedoelde. Ik vond het prettig om met haar en Maggie te eten, te praten terwijl zij kookten en later de afwas te doen voor hen. Na een tijdje verheugde ik me net zo op onze avonden als vroeger op een avondje alleen. Soms zaten we te kaarten, speelden mah-jong of luisterden naar de radio. Andere avonden lazen we een boek, bekeken foto's of praatten wat. Daarna pakte ik een zaklantaarn, stak het donkere erf over en liep de trap langs de heuvel af. Daar bleef ik nog even naar de rivier staan kijken terwijl ik een sigaretje rookte. Behalve dat ik in mijn eentje sliep, leek het net alsof Nora en ik getrouwd waren en dit ons leven was, ontspannen en compleet, zonder dat ik nog iets nodig had buiten haar en haar land.

Toen ik pas terug was, had Clea niet veel te zeggen tegen haar moeder en haar oma, en al helemaal niet tegen mij, omdat ik helemaal onder aan de pikorde kwam. Ze ging veel uit met haar vriendje en kwam dan met een glimlach terug. Ik kon niet zo goed met haar overweg als met Simon, maar voorlopig vond ik het voldoende als ze beleefd tegen me was. Later, toen Neal Mahler haar steeds kwam brengen, stampte hij de keuken door en keek nijdig mijn kant op als ik aan de tafel koffie dronk. Als ik opkeek van de krant en naar hem knikte, zag ik zijn adamsappel op en neer gaan, en hoe beleefder ik was, des te kwader hij werd.

Ik maakte er een punt van om tegen Nora te zeggen dat het met Clea heel goed leek te gaan. En ik zei altijd iets over Neal. Dat hij meer op een kemphaan leek dan op een man die bij zijn vrouw en dochter op bezoek kwam. Dat scheen haar gerust te stellen, alsof ze jarenlang het enige kind was geweest dat vermoedde dat de keizer spiernaakt was, en nu eindelijk bijval kreeg van een andere stem uit de menigte.

Ook deed ik serieuze pogingen om weer wat pensionpaarden terug te halen. Al de eerste avond, en daarna elke week wel een keer, vertelde ik haar over die vriendin van Grace met haar grijze Arabische veulen, maar Nora praatte liever over Simon dan over paarden, liever over haar ervaringen in Arsenal Street dan over de toekomst.

Maar omstreeks Thanksgiving liet ik de subtiele aanpak varen en haalde de eerste twee paarden binnen, bijna zonder overleg met haar. Nora stond een schone box aan te vegen toen ik naar haar toe kwam en over de deur leunde.

'De Houstons hebben een probleem', loog ik. 'Ik zei dat we wel konden helpen.'

Daarna verzon ik een verhaal dat er in hun oude stal brand was uitgebroken door kortsluiting. Goddank hadden ze de

paarden kunnen redden, maar nu moesten ze ze ergens onder-
brengen totdat de schade was hersteld. Nora keek me aan,
maar zei niets. Ze ging door met het aanvegen van de kale vloer
en ik vertelde haar niet dat de trailer al onderweg was. Toen we
de paarden uitlaadden, bleef ze binnen. Ik keek zo nu en dan
naar de ramen om te zien of ze nieuwsgierig genoeg was om
toch een blik te werpen, maar ik zag alleen de schemerige, gol-
vende weerspiegeling van de wolken in het glas. Ik maakte
zelfs twee rondjes met de paarden over het erf om zeker te
weten dat ze ze had gezien – een zwart volbloedveulen met een
ster en een roodbruine merrie, een renpaard met drie sokken
en een bles.

Ik liet ze als lokaas in de bak achter. Later reed ik nog even
op ze, binnen het zicht van het huis. Pas twee dagen later
kwam Nora naar de stal, zogenaamd om een oud fokregister
van Grace te zoeken waarvan ik zeker wist dat het binnen lag.
Ze slenterde van de zadelkamer naar de grote ruimte tussen de
boxen, waar ik de vos stond te kammen, en liep langs ons heen
alsof ze een wandelingetje maakte.

'Kijk hier eens naar, Nora', zei ik eindelijk, terwijl ik de voet
van de vos optilde en de botten betastte. 'Vind je dat we die
enkel moeten zwachtelen?'

Nu ik haar eenmaal een excuus had gegeven, kon ze zich
niet meer bedwingen en was het hek van de dam. Ze gaf me
adviezen, bemoeide zich constant met mijn werk of nam het
van me over, zodat ik na een tijdje bijna terugverlangde naar
mijn rust. Ik vroeg haar of ze me wilde helpen bij het rijden en
al gauw maakten we lange ritten over de heuvels en langs de
rivier. Zoals andere stellen tegenover elkaar aan de eettafel
zaten of 's avonds bij de haard, zo reden Nora en ik door de
winterse velden. Soms draaiden we ons naar elkaar toe als we
praatten, met één hand op de rug van het paard of een knie
over de zadelknop, zo ontspannen alsof we op een divan lagen.

We konden onmogelijk de plaats ontwijken waar Simon was
verongelukt, omdat de meeste routes daar vlak langs liepen. De
eerste keer wilde ik snel doorrijden, maar Nora hield in, zodat
ik met een boog weer terug moest. De volgende keren hield ik

haar uit mijn ooghoek in de gaten, maar ze keek niet eens opzij. Tot aan Kerstmis, twee dagen voordat Clea – en natuurlijk ook Neal – zou komen. Op het punt waar het pad zich naar de plek boog waar we Simon hadden gevonden, drukte ze haar hakken in de flanken van de vos en draaide haar scherp opzij door het natte gras en de kale struiken. Ik kwam achter haar aan, eerst nog bang dat ze een hysterische aanval zou krijgen, maar toen beschaamd dat ik net zo over haar dacht als Neal Mahler.

Nora reed in een cirkel om de plek heen, draaide het hoofd van de merrie er naartoe, jutte haar wat op en gaf haar een klapje met de teugels. Ze reed naar een plaats die ze blijkbaar als het exacte punt beschouwde waar Simon was gevallen. Misschien klopte dat ook wel. Ze gleed van het paard, liet de teugels hangen en liep naar de plek toe. Ik wachtte buiten de cirkel van platgetrapt gras, aarzelend wat ik moest doen. Nora liet zich op haar knieën zakken en riep: 'Oz.'

Ik aarzelde nog steeds, maar ze riep me weer, heel dringend en met een vreemde klank in haar stem. Voorzichtig stak ik de plek over, als een indringer. Ze zat niet te huilen, zoals ik had gedacht, maar ze had een verdrietige en verbaasde uitdrukking op haar gezicht en drukte haar handen plat tegen het gras, alsof ze naar een verloren ring zocht.

'Ik voel hem overal om me heen', zei ze. 'Ik kan gewoon niet geloven dat hij voorgoed verdwenen is, maar ik weet niet hoe ik hem moet bereiken.'

Ik knielde achter haar en ze leunde tegen me aan.

'O, Ozzie, waarom is dit ons overkomen?'

Daar had ik geen antwoord op, evenmin als op die andere vragen in mijn leven. Maar Simons dood en andere trieste gebeurtenissen leken me een reeks van toevalligheden die slechts sporadisch werd onderbroken door momenten van wilskracht en keuze, zoals de kans die ik ooit bij Nora had gekregen, en nu opnieuw.

Maar om haar te bereiken moest ik me over een grote ruimte strekken waar zij in het midden zat, zo ver weg dat ik werd uitgerekt tot het punt waarop ik bijna brak. Zelfs met al mijn spieren gespannen begon ik nog onbeheerst te trillen. Maar ik had Nora altijd bij me willen hebben en daarvoor moest ik risico's durven nemen.

Vlak voor oudjaar liepen we de heuvel af om het hek te controleren na een storm. Zeker tien minuten delibereerde ik of ik mijn arm om haar heen zou leggen, en ten slotte deed ik het, als over de rug van een merrie. Ze paste precies in de holte van mijn arm en nadat we een paar honderd meter zo hadden gelopen, trok ik haar tegen me aan. Ze keek op met een smeulende blik in haar ogen en streek met een vingertop in een halve cirkel over mijn voorhoofd naar mijn wang. Haar armen gleden om mijn hals, maar op het laatste moment duwde ze me weg en stapte achteruit. Zomaar. Ik had geen idee waarom.

'Wat doen we nou?' zei ze. 'Ik ben nog steeds getrouwd.'

Ze liep een paar passen verder en draaide zich half naar me om.

'Hij heeft al zijn beloften gebroken', zei ik.

'Het doet er niet toe wat híj heeft gedaan.'

'Geen enkele man mag zijn vrouw behandelen zoals hij jou heeft behandeld. Regels en beloften gelden niet meer, Nora, als een man je geschopt heeft als een hond.'

Daar werd ze kwaad om, en hoe meer we begonnen te bekvechten, des te duidelijker zag ik die verloren, paniekerige blik weer in haar ogen. Daar had ik haar niet van kunnen redden, ondanks al mijn inspanningen, en nu wilde ze niet eens naar rede luisteren.

Liefde was trouwens niet iets om over te bekvechten.

Ik wist nu dat we vadertje en moedertje hadden gespeeld en dat ik haar en al het moois wat ik over ons dacht zelf verzonnen had – net als mijn ideale familie, waarover ik de mensen in die eettentjes had verteld. Ze was nog altijd Nora Rhymer, met te veel macht over mannen en niet genoeg benul om te weten hoe ze ermee om moest gaan. Ons verlangen was maar een verzinsel, een spelletje om de afwezigheid van Neal Mahler mee op te vullen. Al zou ik de wereld op zijn kop zetten om haar te krijgen, dan zou het tussen ons uiteindelijk niet beter gaan dan tussen haar en Neal, en daarvoor wilde ik geen gezin kapotmaken.

Ik liet haar staan, terwijl ze nog steeds haar huwelijk verdedigde, en liep naar het bos achter het huis om een sigaret te roken en nog eens na te denken. Hoe had ik mezelf ooit kunnen wijsmaken dat dit werkelijk zo prachtig was als ik me voorstelde? Nora kwam achter me aan, en toen ik haar niet wilde aankijken, zei ze: 'Doe nou niet zo, Oz.'

Ik stak nog een sigaret op en zag de rook blauw omhoog kringelen in de lucht.

'Wees niet zo gemeen, alsjeblieft', zei ze.

Ik zei nog steeds niets. Na het donker haalde ik al mijn spullen uit de vishut. Die nacht sliep ik weer in mijn pick-up, die ik bij Grafton langs de rivier had geparkeerd. Het was krap en koud in de cabine, maar dat verdiende ik, omdat ik ooit had durven denken dat ze net zo naar mij verlangde als ik naar haar.

Maar het gaf me ook voldoening dat ik het nu onder ogen kon zien. Alsof dat deel van mij dat naar buiten was gestroomd om als een poel aan haar voeten te liggen, weer terug was waar het hoorde, in mezelf. Dat wij samen konden zijn was altijd een onnozele droom geweest, en nu die voorbij was, voelde ik me net zo energiek en opgelucht als na de zwaarste vuurgevechten. Ik zou haar blijven helpen met de paarden tot ze zichzelf weer kon redden of met Mahler mee naar Chicago was vertrokken. Dat was ik haar verschuldigd. Maar de paarden waren onze enige band – alles wat ik in redelijkheid nog kon verwachten van deze vrouw voor wie ik ooit zoveel had gevoeld.

HOOFDSTUK 19

Nora
Mahler

Ik was nog net zo bang voor Oz als ik op mijn negentiende was geweest. Maar zolang ik hem elke morgen om zes uur tegenkwam als hij het eerste paard naar de bak bracht, met de teugels los in zijn handen en onze adem als dikke stoom in de ochtendlucht, begon de dag in het juiste spoor en kon ik het einde halen.

Iedere ochtend om vijf uur krabbelde Bandit aan mijn deur en duwde hem open tot hij tegen het bureau sloeg. Dan trippelde hij de kamer door, legde geduldig zijn kin plat op het bed, trok eerst zijn ene wenkbrauw op en dan zijn andere, totdat ik op de matras klopte en hij bij me op bed sprong. Later kleedde ik me aan, nam hem mee naar buiten en stond trappelend in de kou terwijl hij de omgeving besnuffelde, op zoek naar een plaats om te plassen. De hemel was nog donker en de vogels zongen om elkaar te kunnen vinden. Ik had nooit veel zin om op te staan, maar als ik eenmaal op het erf stond, zo vroeg, verdwenen de zware gevoelens die me anders de hele dag aan het bed zouden hebben gekluisterd.

Ozzies pick-up kwam hobbelend over het pad, met de gele lichtbundels als pilaren in de grijze schemering. In de keuken gekomen leunden we tegen het aanrecht en dronken koffie uit stevige mokken, zoals ze in wegcafés gebruiken. De lamp boven de gootsteen was fel en schril vergeleken bij het zachte licht van de aangloeiende ochtend, en ik voelde me gevangen tussen dag en nacht, tussen mijn oude leven en dit nieuwe bestaan. Oz wilde niet met me praten, maar ik deed alsof we over de paarden moesten overleggen en hij gaf antwoord zolang het daarbij bleef. Daarna zetten we de mokken in de gootsteen en liepen naar de stal. Tegen de tijd dat hij naar zijn werk vertrok, was ik al met de training begonnen. Een paar uur later had Maggie de lunch klaar, had ik de hobbel van het middaguur genomen en ging het de rest van de dag heuvelafwaarts naar het einde.

Neal scheen ook een ritme te hebben gevonden voor de weekends dat hij niet op bezoek kwam. Hij schreef me elke zaterdag en postte de brieven steevast op dezelfde tijd, voordat het postkantoor om twaalf uur sloot. Ik stelde me voor dat hij zijn jasje aantrok en naar de brievenbus liep, een paar honderd meter verderop, terwijl de buren opkeken van hun lunch en hun horloges gelijk zetten als hij voorbijkwam.

In zijn brieven probeerde hij me te manipuleren, te dreigen, te overtuigen en te bevelen. Een vloed van woorden in zijn dikke, schuine handschrift. Ik probeerde me er doorheen te worstelen, hoewel zijn schuinschrift me soms net zo onbegrijpelijk voorkwam als de kromzwaarden van het Arabisch of de hoekige tempeltjes van het Koreaans. Ik zag hem als een soort landheer die berichten stuurde naar een verre buitenpost, met regels en gebruiken die zo buitenissig waren dat ze lachwekkend zouden zijn als ze niet de basis hadden gevormd van zijn instructies aan de barbaren.

Ik probeerde me hem te herinneren in de tijd dat ik nog verliefd was geweest, maar die periode leek net zo ondoorgrondelijk als de betekenis van zijn brieven. Het enige wat was overgebleven was de herinnering aan dat krankzinnige verlangen, waardoor ik hem twee keer per dag moest bellen, langs het huis reed waar hij een kamer huurde en als een gekooide tijger heen en weer liep als hij te laat was voor een afspraakje. Maar ik wist niet meer of ik nu verliefd was geweest op hém of op de gedachte om te trouwen.

Als ik ooit naar hem had verlangd, zou ik dat gevoel misschien opnieuw kunnen oproepen, hoewel al mijn liefde voor hem leek weggeborgen achter die laatste zomer, als een herinnering die voorgoed was uitgewist door de elektroshock.

Het leek bijna alsof ik die zomer als een film zag, waarin ik over het erf naar de cirkel van Zads bloed liep of in mijn donkere kamer lag, zwaar verdoofd door de medicijnen. Maar het waren vooral de geuren die ik me herinnerde. Een muffe lucht, metaalachtige vloeistoffen, zuur zweet, Neals vettige lotion als hij zijn wang tegen mijn gezicht drukte, of de verschaalde lucht van zijn haarwater. Nog vaker dan de herinnering aan de manier waarop hij mijn benen uit elkaar dwong of hoe zijn vingers blauwe plekken achterlieten op mijn armen, kwamen die geuren terug en overvielen me.

Ik zou graag naar hem terug zijn gegaan, of in elk geval naar de man die ik dacht dat hij was toen ik met hem trouwde. Ik zou graag hebben gedaan wat hij wilde en ons verhaal tot het laatste hoofdstuk hebben afgemaakt. Maar ik kon die twee mensen van vroeger niet meer vinden – dat hoopvolle, voorzichtige meisje en de jongeman die naar haar verlangde. En zolang dat niet ging, had ik alleen maar dit. De vrouw die was geslagen en de man die haar opnieuw zou slaan, al was het maar om haar eraan te herinneren dat ze stil moest liggen om hem te behagen.

Hoe waren we van geliefden op dit punt aangekomen? Ik had geen flauw idee. Met duizend kleine scheurtjes, zoveel dat ik me de meeste niet meer kon herinneren. Maar hoe moest ik herstellen wat zo ernstig ontrafeld was geraakt? Die opgave was te zwaar en stond te ver van me af. Dat ik nog Neals vrouw was, leek een vreemde gedachte, net zo vreemd en onbegrijpelijk als theorieën over alchemie of God.

Dus voelde ik me als Eva, zonder jeugd en geconfronteerd met een onbekende man. Maar dit was de Hof van Eden niet en het einde van de wereld leek nog eerder te zijn gekomen dan het begin. Toch had Oz een grijs veulen gevonden dat was gefokt door een oude vriendin van Grace, die zo rijk was dat ze een goede eigenaar belangrijker vond dan een goede prijs.

Hij had me het hele verhaal verteld. Dat de zoon van mevrouw Bader bankier was en geen verstand van paarden

247

had, en dat ze nu met een grijs veulen zat dat een kleindochter was van de merrie die ze van al haar paarden de liefste vond, zoals ik van Zad had gehouden. Maar ze kon het veulen niet meer goed trainen vanwege haar leeftijd en haar moeilijke been, dat na een val van drie jaar geleden niet goed was genezen. Ze had altijd groot respect gehad voor Grace en ze wilde graag dat het veulen terecht zou komen bij iemand die er goed voor kon zorgen. Daarom had Ozzie net zo lang gezeurd tot ze bereid was mij het veulen te geven, op voorwaarde dat ik het nooit zou verkopen, dat ik ermee zou fokken volgens de lijnen van mevrouw Bader en dat ik haar veulens alleen maar zou verkopen aan mensen die goed met hun dieren omgingen. Het geld van die verkopen zou ik dan aan mevrouw Bader terugbetalen zodra ik zelf uit de rode cijfers was.

Hoewel Oz nog steeds kwaad was om wat er vorige week was gebeurd, vertrokken we toch met de pick-up naar de veerpont bij Grafton. Op weg naar haar boerderij in Illinois reden we door het vlakke land dat door de overstroming was verwoest.

Het meeste water was nu eindelijk verdwenen, zodat de hemel niet langer in de modder weerspiegelde alsof hij in de grond zat opgesloten. Overal stonden kleine schoven met warrig stro, als slap, vies haar. Een maïsbak was in elkaar geklapt, tegenover een ingestorte tractorloods. Het was een koude, heldere januarimaand. Oz tuurde tegen de zon in en stak zijn hand uit om de verwarming hoger te zetten. Hij reed snel en het land gleed voorbij achter zijn profiel. De donkere haarlok over zijn voorhoofd begon al grijs te worden.

Ik voelde me als uit het niets hier neergezet, maar steeds zong het in mijn hoofd: *We krijgen een paard. Een grijze merrie, net zo mooi als Zad. Ik ben met Ozzie en we zijn volwassen. Het lijkt maar een droom wat er is gebeurd in die twintig jaar sinds we voor het laatst hebben gevreeën. We krijgen een paard, een rookgrijs veulen, geboren uit de wind.*

Maar ook dat leek onwerkelijk, vooral toen Ozzie afremde en een rotsachtig zandpad insloeg.

'Kijk daar', zei hij en hij wees met zijn kin naar een huis, of wat er van over was. 'Ik heb een familie gekend die daar woonde.'

'Wie dan?' vroeg ik.

'Een vrouw. Jij kende haar niet en ze heeft er niet lang gezeten. Ze woonde er met haar kinderen toen ze niets beters kon betalen. Ze redde het niet toen haar man was weggelopen zonder haar een cent te geven. Ten slotte is ze maar teruggegaan naar haar familie in Arkansas.'

Het interesseerde me niet erg, totdat het tot me doordrong dat de vrouw een vriendin van Ozzie was geweest. Stom om me geschokt te voelen. Natuurlijk had hij vriendinnen gehad, al die jaren als man alleen.

Nu werd ik ook nieuwsgierig naar het huis, alsof ik er nog sporen zou kunnen vinden van wat er tussen hen was gebeurd, of hun vage spookgestalten nog zou kunnen zien terwijl ze zaten te eten of te praten of lagen te vrijen.

Het huis was gebouwd in de stijl van een ranch. Ik zag de hoogwaterlijn halverwege de muren. De ramen waren kapotgedrukt door de kracht van de overstroming en de tuin was kaal en lag vol rommel. Toen we naar binnen keken, zagen we op de vloer een laag modder van een paar centimeter dik. Er stonden wat kisten en een paar meubels die kapot waren geslagen tegen de muur. Het stonk er zo naar rot en schimmel dat ik mijn hand tegen mijn neus hield om de eau-de-cologne op mijn huid in te ademen.

'Troosteloos en verlaten', zei Ozzie.

'Ze woonde er toch niet meer toen de rivier overstroomde?'

'Nee, ze was een paar maanden eerder al vertrokken. Toen ik de eerste keer bij jou kwam werken.'

Hij stapte naar binnen en liep naar het midden van de kamer. Daar bleef hij staan en keek om zich heen, met zijn handen op zijn heupen en zijn rug naar me toe. Ik vroeg me af wat hij zich van haar herinnerde en ik was jaloers dat hij zich een geliefde kon voorstellen in deze puinhoop. Kleinzielig om jaloers te zijn. Ik had hem kunnen krijgen als ik dat had gewild en ik had nauwelijks aan hem gedacht in al die jaren dat we elkaar niet hadden gezien. Ik was bang geweest om aan hem te denken, en aan wat ik had opgegeven. Maar nu was ik kwaad dat ik niets wist van zijn leven zonder mij en dat hij niet genoeg van me had gehouden om andere vrouwen te negeren.

'Heb jij hier ook gewoond?' Ik schraapte mijn keel.

'Met drie kleine kinderen die door het huis renden en herrie schopten?' Hij grijnsde en rolde met zijn ogen. 'Nee. Ik bleef weleens slapen, zo nu en dan.'

'Hoe heette ze?'

'Carol. Berrigan.'

'Was ze aardig?'

'Ja. Ze deed alles om het me naar de zin te maken. Overdreven, zelfs. Als ik de kinderen een middagje had meegenomen of iets in huis had gerepareerd, deed ze van alles om me terug te betalen.'

Ik stapte voorzichtig de kamer in, over de ingedroogde laag modder.

'Zoals?'

Oz keek over zijn schouder naar me terwijl hij een strook behang van de betengeling scheurde.

'O, koken, verstellen, noem maar op. Maar voornamelijk toch in bed. Daar behandelde ze me als een vorst. Massages, alles wat je maar kunt verzinnen. Hoewel ik haar steeds vroeg wat zíj nou wilde.'

Hij kwam naar me toe en bleef naast me staan. Hij wilde me niet aanraken of zelfs maar aankijken zonder die harde blik in zijn ogen en ik vroeg me af of hij me dit vertelde om me te kwetsen.

'Ze zei dat ze alles prima vond als ik maar gelukkig was.'

Hij liep naar een raam en staarde over de kale tuin.

'Daar werd ik zenuwachtig van.' Hij draaide zich om en keek om zich heen. 'Alsof ze zelf helemaal leegliep, tot ze niets meer over had. Ik probeerde haar te veranderen, niet omdat ik een toekomst voor ons zag, maar omdat ik vond dat ze ook voor zichzelf moest opkomen. Maar ze was net als water, begrijp je? Ze spoelde helemaal over me heen en liep dan weg naar alle kanten. Alsof ze zelf geen vorm had. Ik dacht steeds dat ze mij probeerde te vullen, dat ze mij als een huls wilde gebruiken om zelf vorm te krijgen.

Ik verzette me daartegen, maar daar werd ze kwaad om en ten slotte is ze naar haar familie teruggegaan. Ze zei dat ik haar niet de kans gaf om van mij te houden.'

Hij stond zo dicht bij me dat ik maar een kleine stap hoefde te doen om hem aan te raken. Dit was het moment om te herstellen wat ik kapot had gemaakt, maar ik kon me er niet toe brengen.

In plaats daarvan vroeg ik: 'Waren er ook anderen?'

Hij haalde zijn schouders op. 'Wat bedoel je? Anderen met wie ik heb geslapen of een biertje gedronken of wat?'

'Anderen van wie je hebt gehouden', zei ik.

'Niet echt.'

'Ook je vrouw niet?'

'We waren nog zo jong en het heeft maar zes maanden geduurd. Ik weet niet wat ik daar achteraf van moet denken. Maar voor zover ik weet, heb ik nooit echt van ze gehouden, niet zoals jij het bedoelt. Aan de andere kant hield ik van allemaal, al was het maar omdat ze zo dapper met het leven worstelden.'

Hij keek me scherp aan en draaide zich weer om.

'Klaar?' vroeg hij.

Toen we verder reden, keek ik nog eens om naar het huis – vuile gele muren met de ramen als grillige ogen en de tuin en de vloer één grote moddervlakte. Ooit hadden hier kinderen geslapen terwijl Ozzie Kline met hun moeder vrijde, onder dekens die in de winter te warm werden of voor een ventilator die in juli te hete nachtlucht over hen heen blies.

Nu was het ten dode opgeschreven. Ik was niet meer op het kerkhof geweest sinds Simons begrafenis en ik wilde niets zien wat er op leek – stil, troosteloos en vervallen. Ik staarde naar de velden die voorbij gleden. De weg sneed het winterlandschap in tweeën en wij haastten ons naar de horizon. Als dit een schilderij was en de lijnen van de weg in één punt samenkwamen, zouden we letterlijk uit het gezicht verdwijnen en over de rand van het doek vallen zoals die oude zeelui.

'Hoe zag ze eruit?'

Oz schudde verbaasd zijn hoofd.

'Hoezo?' vroeg hij.

'Ik wil het gewoon weten.'

'Het heeft geen zin om je een signalement te geven. Je stelt je haar toch op je eigen manier voor.'

'Probeer het maar.'

'Nou, haar haar was licht... lichtbruin', zei hij. 'Ik plaagde haar weleens dat het vuilblond was, en dan werd ze boos.'

In gedachten zag ik dat hij een haarlok van haar pakte en er verstrooid naar keek.

'Het was heel kort en krullend en ze borstelde het honderd keer per dag, anders ging het klitten.'

'Haar ogen?'

Ozzie legde één hand losjes over de bovenkant van het stuur en lachte.

'Blauw? Groen? Grijs? Ik weet het niet. Misschien alles tegelijk.'

'Postuur?'

'Kledingmaat? Lengte? Gewicht?'

'Allemaal, bij benadering.'

'Veertien hand hoog.'

'Als een paard?'

'Ja', zei hij. 'Ik kon recht over haar hoofd heen kijken, net als over de rug van een merrie.'

'Figuur?'

'Niet dik.'

'Mollig?'

Hij stopte midden op de weg en bleef daar staan, met draaiende motor. 'Wat doe je?' vroeg hij.

'Wat doe jíj?' vroeg ik. 'Dit is Highway 94 en we staan midden op de weg.'

'Kijk eens om je heen, Nora? Zie jij andere auto's?'

De hele vlakte was verlaten, afgezien van een trekker die hooi naar een schuur in de verte bracht.

'Toch is het gevaarlijk.'

Hij haalde zijn voet van de rem en de pick-up reed zo langzaam door dat Oz maar zo nu en dan naar de weg hoefde te kijken om op koers te blijven. Hij keek me weer aan.

'Waarom wil je dat allemaal weten?' vroeg hij.

'Daarom.'

'Jij was toen nog getrouwd.'

'Dat ben ik nog steeds', wees ik hem terecht.

Hij gaf gas en we schoten vooruit. De felle zon en rijen geploegde velden vlogen voorbij. Ozzie trok op naar honderdtwintig en zijn woede maakte me nerveus.

'Rustig aan', zei ik tegen hem. 'Je gedraagt je alsof je zestien bent.'

'Jij dan niet?' vroeg Oz.

'Je doet precies wat mijn vader al had voorspeld.' Meteen had ik spijt. Ik haalde adem en begon overnieuw.

'Ik vroeg alleen naar haar om meer over jóu te weten te komen.'

'Wat dan, Nora?'

'Wat je deed voordat je bij ons kwam werken. Wat je in haar zag.'

Hij remde af tot een normale snelheid en reed door alsof er niets gebeurd was. We zwegen weer, totdat hij op het erf van de vrouw met het veulen stopte. Oz rukte de sleuteltje uit het contact en duwde het portier open. Vlak voordat hij uitstapte en het met een klap achter zich dichttrok, boog hij zich naar me toe.

'Wat ik in haar zag?' vroeg hij. 'Ik dacht heel even dat ik jou zag.'

Toen liep hij naar de bak en leunde tegen het hek om naar de paarden te kijken. Ik kwam achter hem aan, me bewust van mijn houding, alsof hij ogen in zijn achterhoofd had. Ik bleef op een afstandje staan en keek zonder echt iets te zien. Ik was meer in hem geïnteresseerd.

'Zie je haar?' vroeg hij eindelijk. Even dacht ik dat hij de vrouw bedoelde die in het ondergestroomde huis had gewoond.

Toen gooide het veulen haar hoofd over de rug van een ander. Met haar mooie wigvormige hoofd, haar ver uit elkaar geplaatste ogen, haar kleine oren en haar donkere, brede neus-

253

gaten was ze een schoonheid onder de andere paarden, waar toch prachtige Arabieren bij waren. Ozzie ging zo in het veulen op dat hij zijn woede vergat en me bij mijn arm meetrok naar waar hij stond, alsof dat de enige goede plaats was om haar te bekijken.

'Kijk dan', zei hij.

Ik zag niets anders meer. En meteen werd ik weer woedend op Neal, die me zoveel geld afhandig had gemaakt dat ik maar net het hoofd boven water kon houden. Het eten, de verwarming, de belastingen en de verzekeringen kon ik nog betalen, maar verder was ik alles kwijt. De prijs van de liefde. En ik was kwaad op Oz omdat hij me hierheen had gesleept met de onzinnige fantasie dat we dit paard echt mee naar huis zouden kunnen nemen.

'Daar heb ik geen geld voor', zei ik.

'We hebben niet eens geld voor een oude dikke pony, die vals is geworden omdat er te veel schoppende kinderen op zijn rug hebben gezeten', zei Oz. 'Maar dat veulen wordt niet verkocht voor geld alleen en dit is het gesprek waarin jij moet bewijzen dat je haar prijs waard bent.'

Mevrouw Bader klom van de veranda, tree voor tree. Ze wuifde en riep hallo. Ze liep met een stok, een knoestige tak met grillige bochten, zoals de zuilen van Bernini in de Sint Pieter. Een van haar zwarte schoenen – van die veterschoenen met stevige hakken die alle oude vrouwen schenen te moeten dragen – was verhoogd met een extra hak. Oz zwaaide en draaide zich weer om naar de paarden.

'Moeten we haar niet tegemoet lopen?' vroeg ik.

'Nee, want dan geef je haar het gevoel dat ze invalide is', zei hij.

Dus wachtte ik een eeuwigheid tot ze het erf was overgestoken en nog een paar jaar totdat ze haar stok van haar rechter- naar haar linkerhand had overgebracht.

'Nora Rhymer', zei ze toen en schudde me krachtig mijn hand. 'Toen ik je voor het laatst zag, was je nog maar een kind.'

Ik schrok van de klank van mijn meisjesnaam, alsof ze tegen een dode sprak. Ik was Nora Rhymer en alles waar ze voor stond bijna vergeten, maar nu dook ze weer op, als een dochter.

'Grace had je een keer meegenomen op de terugweg van een reis naar familie in Quincey. Goh, wat is dat alweer lang geleden. Je was nog maar een snibbig ding van twaalf.'

Ik opende mijn mond en sloot hem weer, opnieuw geschrokken, nu van deze beschrijving.

'Het enige wat je leuk vond waren paarden. Weet je dat nog?' ging ze verder. 'Ik heb die vos voor je gezadeld en je hebt twee uur door die bak daar gereden.' Ze wees met haar stok. 'Zo gelukkig als een hond met een kluif. Als je maar op een paard kon zitten.'

Ik herinnerde me haar vaag als een vrouw die met Grace over de fokregisters gebogen zat, zo druk met paarden bezig dat ze weinig interesse had in mij of andere mensen.

'Dat oude paard heeft ook nog wat van je geleerd. Als hij geen martingaal had, gooide hij zijn hoofd in zijn nek en als je daar niet op verdacht was en juist naar voren boog om de teugels bij te stellen, gooide hij je zowat uit het zadel. Maar nadat jij op hem had gereden heeft hij dat wekenlang niet meer gedaan.'

Langzaam kwam het weer bij me boven, zoals je je bij stukjes en beetjes een dronken nacht herinnert. Er was iets vreemds geweest met dat paard, maar ik wist niet meer wat.

'Nou?' vroeg ze. 'Wat heb je met hem gedaan?'

Ik haalde mijn schouders op en mevrouw Bader keek me aan alsof ze dacht dat ik waardevolle informatie wilde achterhouden.

'Nou ja, laat maar zitten.' Ze wuifde met haar hand. 'Oz, haal dat paard eens hier, dan kunnen we haar bekijken.'

Ozzie stapte de bak in en liep naar haar toe met een touw in lussen. De paarden stonden nu in een groepje aan de andere kant. Oz naderde voorzichtig en maakte klanken die andere mensen tegen baby's gebruiken, terwijl hij het gewicht van het touw in zijn handen testte. Het veulen keek over de rug van de bruine merrie naast haar, alsof ze wist dat hij haar moest hebben. Ze keek hem aan met haar grote grijze ogen, hinnikte even en steigerde een beetje, voldoende om de merrie te verjagen, zodat Oz de lijn over haar hoofd kon gooien. Ze kwam naar ons toe met gebogen hals en wapperende manen. Op het laatste moment danste ze opzij, een beetje koket en verlegen. Maar ze was prachtig effen grijs, als ochtendmist boven een rivier.

Oz bracht haar naar mevrouw Bader, die een hand om de neus van het veulen legde en toen haar voorhoofd streelde. 'De Arabieren dachten dat een veulen zoals dit een teken was van Allah's goedgunstigheid.'

Het veulen hinnikte weer en stak haar neus naar voren, als een poes die geaaid wil worden.

'De Arabieren denken dat het mensen zijn', zei mevrouw Bader. 'Al die eeuwen dat ze in bedoeïenententen hebben gewoond en kamelenmelk kregen in plaats van water. Verwende krengen. Die paarden werden net zo goed behandeld als de kinderen en beter dan de vrouwen. Dat zit in hun bloed, en als je ze maar half de kans geeft, springen ze bij je op schoot als een baby.'

Oz streek met zijn hand over de schoften en de borst van het paard, langs de tengere benen tot aan de brede hoeven.

'Geloof je me niet dat ze gezond is?' vroeg mevrouw Bader. Oz grijnsde.

'Ik wilde haar alleen maar aanraken. Kijk eens.' Hij gleed met zijn hand over de zwelling van het voorbeen en de knie naar de vetlok. 'Er is niets mooiers dan het been van een Arabier.'

'Afgezien van hun grote voeten', zei mevrouw Bader. 'Maar die vind ik juist leuk. Daardoor zakken ze niet in het zand weg. Anders zouden ze verdrinken in de Sahara. Hun hoeven doen me denken aan Minnie Mouse met haar magere benen en die grote voeten op hoge hakken.'

Ze streelde de wang van het veulen alsof het dier zelf verantwoordelijk was voor haar grappige grote voeten.

'Nou', zei mevrouw Bader. 'Genoeg van deze schoonheidswedstrijd. Probeer haar maar. Ze is nog lastig, ik waarschuw je, dus blijf maar in de bak. Ze is nauwelijks oud genoeg om op te rijden en ik ben zelf zo krakkemikkig dat ik niet met haar kan oefenen. Ik hoopte dat het beter zou gaan als ik zou rusten, maar dat helpt niet meer met mijn oude botten.'

Oz nam het veulen mee. Ik wilde iets intelligents zeggen om indruk te maken op mevrouw Bader, maar ik kwam niet verder dan clichés en de allesoverheersende gedachte *dat ik dit paard wilde!* Ik wou dat ik haar nooit gezien had, nooit van haar bestaan had gehoord, nooit geweten dat ze te koop was, nooit had gehoopt dat ik zo'n prachtig dier zelf zou kunnen bezitten.

Mevrouw Bader hield de teugels vast en Oz gaf me een opstapje. Voor zo'n jong paard dat nog niet alles wist, bewoog het veulen zo gladjes als water. Ze hield haar oren gespitst alsof ze wachtte op instructies en ze tilde haar benen goed op. Ik keek naar het ritme van haar schouders en volgde de lijn van haar manen over de richel van haar nek. Ze viel in een rustige draf en ik had uren op haar kunnen rijden, veel langer dan op die vos toen ik twaalf was. Ik had haar met liefde willen trainen tot we er allebei bij neervielen. Ik wilde niet stoppen, met de kans dat ik haar misschien nooit meer zou kunnen berijden. Maar ik wilde ook mevrouw Bader niet tegen de haren instrijken, daarom kwam ik redelijk gauw terug en zorgde ervoor dat ik mijn gezicht in de plooi hield en niet te veel enthousiasme liet blijken. Ik kon me niet eens een oude kreupele pony veroorloven, laat staan dit wonder. Dus gaf ik de teugels weer aan Oz en zei tegen mevrouw Bader: 'Ze is inderdaad een prachtig dier.'

De oude vrouw keek me aan alsof ze me niet vertrouwde. 'Beviel ze niet?' vroeg ze.

Ik mompelde nog wat over het potentieel van het veulen, haar natuurlijke gang en haar zachte mond. Mevrouw Bader zei 'Hmm', liep weer terug naar het huis en riep over haar schouder: 'Kom nog een kop koffie drinken als je tijd hebt.'

Even later zaten we in een keuken die sterk naar kruiden en gist rook, vermengd met de vage geur van leer en mest. Zij en Oz roddelden over plaatselijke paarden, maar ik luisterde nauwelijks, omdat ik in gedachten nog helemaal bij die rit was.

Opeens boog mevrouw Bader zich over de tafel naar me toe. 'Je hebt niet eens haar naam gevraagd', zei ze, wijzend met haar vinger naar een punt ergens voor mijn neus.

Ik haalde mijn schouders op. Het was dom om het nu nog te vragen.

'Ze heet Malaak. Dat is Arabisch voor engel. Niet van die weke wezentjes met harpen, maar de engelen die over de aarde hebben gelopen om de mensen te leren wat ze moeten doen.'

Ik knikte en lachte geforceerd. Wat ik ook zei, het zou toch onnozel klinken. Ik had natuurlijk naar die naam moeten vragen.

Mevrouw Bader trok een wenkbrauw op. 'Voel je je wel goed?'

'Ja, natuurlijk', zei ik.

'Je bent niet ziek?'

'Nee, hoor. Ik voel me prima.'

'Als kind leek je me gezonder. Meer pit.'

Toen we opstonden om te vertrekken, hinkte mevrouw Bader naar me toe. 'Je grootmoeder en ik hebben jaren gecorrespondeerd en ze moedigde me altijd aan om door te gaan met wat ik graag deed, hoeveel moeite dat ook kostte. Ik heb haar nooit verteld hoe ik tegen haar opkeek. Ik dacht dat ik het een beetje goed kon maken door dat nu tegen jóu te zeggen, maar ik geloof dat ik me heb vergist.'

Ze wees naar de deur.

'De trap is me te zwaar om nog een keer af te dalen. Jullie vinden de weg wel naar de auto?'

Ik bleef door de achterruit naar het veulen kijken totdat de weg een bocht maakte en ze uit het gezicht verdween. Zodra we de hoofdweg hadden bereikt en snelheid maakten, gaf Oz een klap tegen het stuur.

'Waarom deed je zo?' vroeg hij.

'Hoe?'

'Alsof ze je niet beviel.'

Ik staarde naar het gedeukte handschoenenkastje. De blazers produceerden koude lucht die zich rond mijn voeten verzamelde.

'Wat maakt het uit?' vroeg ik hem en begon te huilen, hoewel dat mijn bedoeling niet was. 'Het maakt geen ene moer verschil of ze me beviel of niet.'

De tranen brandden in mijn ogen en mijn hoofd bonsde toen we steeds verder wegreden van dat paard dat nu verdwenen was in die grote leegte die ook al Simon en Grace en Clea en Zad had opgeslokt, en alles wat me dierbaar was. Het leek of het leven alleen nog uit verlies bestond en dat het geen enkele zin had om nog te houden van mensen of dieren die voor me verboden bleven, me werden afgenomen of te duur voor me waren.

Oz reed hobbelend de berm in, schoof naar me toe en sloeg zijn armen om me heen. Ik leunde tegen hem aan, blij dat hij me vasthield. Maar het enige wat ik kon denken was *Ik wil...* En de muil van het universum waardoor ik naar beneden leek te vallen was slechts de mond van een monsterachtige baby die zijn honger wilde stillen. *Ik wil mijn kinderen en mijn leven en deze man om van me te houden en dat grijze paard.*

Toen spoelde het besef over me heen dat ik niets van dat alles had en ook niet wist hoe ik het moest krijgen. Ik begon nog harder te huilen, van pure ellende.

'Ssst', zei hij.

'Het heeft toch geen zin', snikte ik. 'Wat geeft het nog allemaal?'

'Nora', fluisterde hij en streek een lok haar weg die nat van de tranen tegen mijn slaap kleefde. 'Je hebt medelijden met jezelf.'

'En waarom zou ik niet?' Ik duwde hem weg.

'Je had dat veulen kunnen krijgen als je niet zo'n stommeling was geweest.'

'Hoe dan?' vroeg ik.

'Dat zei ik je toch? Ze wil haar laten adopteren, zodat ze zich geen zorgen over haar hoeft te maken als ze sterft of door haar zoon in een verzorgingshuis wordt gezet.'

Oz greep me bij mijn schouders en schudde me door elkaar bij elk nieuw argument.

'Ze wilde dat je net zo van het veulen zou houden als zijzelf, en jij deed alsof je niet geïnteresseerd was.'

Ik begon weer te huilen, nog harder nu. Oz duwde me van

zich af, beschreef een U-bocht midden op de weg en reed met brullende motor terug. Toen we weer op het erf van mevrouw Bader stonden, trok hij me uit de auto en nam me mee naar de voordeur. Ik huilde nog steeds. Door de vitrage zagen we haar langzaam de gang door komen. Voorzichtig zette ze haar stok neer bij iedere stap. Ik had willen schreeuwen dat ze op moest schieten. Toen ze eindelijk de grendel had teruggeschoven en de deur opendeed, wachtte Oz niet eens tot ze zou vragen wat we wilden. Hij gaf me een ruk aan mijn arm en zei: 'Zeg het dan!'

Ik stond te snotteren en bewoog mijn mond als een marionet, maar er kwamen alleen onverstaanbare dierlijke geluiden uit. Ozzie rukte nog eens aan mijn arm, nu zo hard dat ik het balhoofd in de kom en de botten van mijn elleboog voelde.

'Zeg het dan, verdomme!'

Ik haalde diep adem en gooide het er allemaal uit, hoe onsamenhangend ook. Dat het zo'n prachtig veulen was, zo harmonieus, met alles op de juiste plaats, en dat ik graag een arm of een been of welk ander lichaamsdeel zou geven om haar te bezitten of haar alleen maar te mogen trainen en berijden. Ik voelde me als een idioot, zoals ik daar stond te hakkelen, met een betraand gezicht en een maag die aanvoelde als een uitgewrongen dweil. Toen ik klaar was, staarde mevrouw Bader me aan met bruine ogen die net zo rond en donker waren als die van Bandit. Ze keek alsof Ozzie Kline haar een gestoord kind had gebracht dat alle koppen van de goudsbloemen had afgesneden.

'Voor de nagedachtenis van Grace', zei ze ten slotte. 'Kom dinsdag maar met de trailer.'

Toen liet ze ons binnen, gaf me een glas water en wees me de kraan zodat ik koud water over mijn gezicht kon plenzen. Mijn hoofd stond in brand en alle energie leek eruit weggeschraapt. Maar op een trillerige manier voelde ik me ook heel sterk, en gezegend en herboren.

Daarna sloop ik wekenlang elke nacht een paar keer met een zaklantaarn naar de stal om te kijken hoe ze het maakte. Onzinnig, natuurlijk, om mijn schoenen aan te trekken en met een dikke jas over mijn pyjama het koude, winderige erf over te steken. Maar het was net als toen de kinderen nog klein waren en ik op mijn tenen hun kamertjes binnenkwam, met de ijskoude vloer onder mijn blote voeten. Soms sliepen ze zo diep dat ze morsdood leken en voelde ik mijn hart in mijn keel bonzen totdat ze zich bewogen of een geluidje maakten of wat dieper zuchtten dan de onzichtbare ademhaling waarvan ik zo was geschrokken.

Op dezelfde manier ging ik nu naar het veulen kijken, om me te verwonderen over haar bestaan en me ervan te vergewissen dat ze nog leefde. Wat zou Simon haar prachtig hebben gevonden, dacht ik. Dat maakte haar nog dierbaarder voor mij. Voorzichtig deed ik de staldeur achter me dicht, tegen de kille wind, en sloop als een kat naar haar box. Het licht van de zaklantaarn viel eerst op het fluwelen grijs van haar schoften, voordat ze wakker werd en haar hoofd draaide om te zien wat ik kwam doen.

Dan sloeg ik mijn armen om haar hals en voelde de warmte tussen ons oprijzen. Ik trok een handschoen uit, hield mijn blote vingers onder haar neus, voelde haar adem en blies zelf een wolkje uit, dat zich met het hare vermengde. Ik sloot mijn ogen en streelde haar, over de curve van haar schoften, haar vlakke rug en de volgende curve van haar achterhand. Ik zong slaapliedjes en psalmen voor haar en we leunden tegen elkaar aan.

Als ik door de kou terugliep naar het huis, dacht ik vaak aan Kerstmis, de gespannen afwachting totdat mijn ouders sliepen en ik voorzichtig de trap afliep naar de huiskamer, waar mijn pakjes en speelgoed al onder de kerstboom lagen. Ik wist niet waarom ik dat elk jaar moest doen, voordat ik kon slapen, zoals ik ook niet wist waarom ik steeds naar de stal ging. Maar ik deed het nu eenmaal en niets maakte me zo gelukkig als wanneer het veulen zich in het donker omdraaide en naar me keek.

'Ik ben er nog', scheen ze te zeggen. 'Ik ben hier. En in deze box, in dit kleine wereldje, is alles honderd procent in orde.'

's Ochtends nam Oz haar als eerste mee naar buiten en zag

261

ik ze samen, als een vader met zijn dochter. Als ik moest kiezen wat ik van de hele wereld het liefst 's ochtends vroeg zou willen zien, zou ik dat beeld hebben gekozen, van Oz die naast het veulen rende en tegen haar praatte alsof ze elk woord verstond. Toen, voor het eerst sinds Simons dood, zag ik het begin van wat erna zou komen, hoe mijn leven er in de toekomst uit zou zien. Eindelijk wist ik zuiver en helder wat ik nodig had voor mezelf, en vroeg ik me af hoe ik het ooit zonder had kunnen stellen.

Het grijze veulen en Oz, altijd in mijn buurt.

HOOFDSTUK 20

Maggie Rhymer

Tot dan toe was ik nooit zo'n geweldige moeder geweest. Ik was altijd te bang dat Nora iets zou overkomen of dat Frank kritiek zou hebben op iedere kleinigheid. Met die moderne babyvoeding, zei hij, was het helemaal niet nodig dat vrouwen nog rondliepen als indecente koeien. Hoewel ik de verbondenheid wel miste, was ik blij dat hij me had behoed voor die genante momenten of, erger nog, voor de ontdekking dat ik niet genoeg melk zou hebben.

Tegen de tijd dat ik uit het kraambed kwam, had Grace haar al in een mandenwieg naast haar eigen bed en schommelde haar heen en weer om haar aan het lachen te maken. Grace droeg Nora op haar heup en praatte voortdurend tegen haar, zodat ze de wereld leerde zien door Graces ogen.

Dat ongelukkige begin maakte op de lange duur niet veel verschil. Zodra Nora's eigen persoonlijkheid zich openbaarde, bleek dat ze veel meer op Grace en Frank leek dan op mij. Ze hechtte zich aan de paarden zoals andere kinderen aan hun speelgoed en ze genoot van hun verzorging, terwijl ik dat juist zo'n saaie verplichting vond. Als ik een uitstapje met haar maakte, zelfs als we met de trein naar vrienden gingen of ergens in een hotel bleven slapen, was ze beleefd maar verveeld en blij als ze weer terug kon naar haar dieren.

Ze volgde Grace en Frank als een hondje en tegen de tijd dat zij elkaar haar aandacht gingen betwisten, trok ik me opgelucht terug uit een strijd die ik toch nooit had kunnen winnen. Ik begreep mijn dochter niet en al heel vroeg accepteerde ik het feit dat ze mij niet nodig had. Maar op deze boerderij, die ik ooit was ontvlucht om mijn gebreken te ontlopen, ontdekte ik tot mijn verbazing dat ik verborgen krachten bezat.

Ik moest eerst lachen om dat idee, maar helaas was er niemand anders om Neal tegen te houden, Nora te beschermen of Clea te troosten. Dus begon ik alsnog met de lessen die ik als jonge vrouw nooit had geleerd.

Vanaf het moment dat ik bij de begrafenis mijn arm om Clea heen had geslagen, begon ik mezelf te zien in haar. Zij was de buitenstaander in het gezin, de vreemde die geen binding had met wat er gebeurde. Eerst deed ik niets, omdat ik Clea niet mijn verantwoordelijkheid vond. Maar na een tijdje besefte ik dat ze groot gevaar liep, net als Nora met die schokbehandelingen. En ik was de enige die iets kon doen.

Grace had me altijd gezegd dat het geen zin had dat Nora zich in alle bochten wrong om Frank te behagen. Die opmerking had ik toen afgedaan als jaloezie, maar nu zag ik dat Clea hetzelfde deed om haar vader in te palmen en wraak te nemen op haar moeder. Daarom wilde ik met haar goedmaken wat ik met Nora fout had gedaan. Ik hielp Clea om contact te houden met haar Tommy en in ruil daarvoor was ze bereid naar me te luisteren, ook als ik dingen zei die ze niet wilde horen.

Ik hoopte dat die adviezen beter waren dan een diep stilzwijgen, maar net als Nora leek Clea op een weegschaal te balanceren en haar gewicht naar de andere kant te gooien. Ze zei dat ze geen afscheid kon nemen van haar vader, die haar nodig had, zoals Nora de scheiding uitstelde met het excuus dat ze het financieel niet zou redden.

Ik vroeg haar waarom Ozzie zo plotseling uit de hut aan de rivier was vertrokken. Ze stond aardappels te schillen aan het aanrecht en veegde met de rug van haar hand het haar uit haar ogen.

'Het werd er 's nachts te koud', antwoordde ze, maar toen ik het aan Oz vroeg, zei hij dat hij liever ergens anders was gaan slapen.

Ze waren kortaf tegen elkaar als ze werkten. In huis leek het wel of ze een afspraak hadden gemaakt om niet samen een gesprek met mij te hebben. Maar ik zag hen naar elkaar kijken als ze dachten dat de ander het niet zag, en ik dacht terug aan wat Grace tegen me had gezegd voordat Nora trouwde.

'Ouders', zei ze, 'kijken of hun kinderen de veilige weg volgen of risico's nemen om te krijgen wat ze willen. Meestal zijn we opgelucht als ze voor veiligheid kiezen, maar dat kan ook gevaarlijk zijn en we kunnen de gevolgen niet altijd overzien. Dit lijkt me niet de juiste keus voor Nora, maar ik leg me erbij neer, zoals ik dat ook heb gedaan toen jij ging trouwen.'

Daarna vroeg ze me een draad door een naald te steken voor haar, omdat ze zo slecht zag. En lachend klaagde ze dat haar arm te kort was geworden om mee te naaien.

Ik vroeg haar wat ze tegen Neal had.

'Ik vertrouw nooit een man die niet van paarden houdt.'

'Je mocht Frank ook niet, en die was dol op paarden.'

'Frank?' vroeg ze. 'Die hield niet van vrouwen.'

Ik wilde haar tegenspreken, zoals altijd als mijn moeder cynisch en cryptisch werd. Maar nu, na de grote leegte van Simons dood, vulde de ruimte zich met Graces adem en zei ik wat zij ook zou hebben gezegd. Toen Neal beweerde dat hij alleen Nora's geluk op het oog had, zei ik dat hij zwetste. Toen hij zei dat hij het goed bedoelde, vroeg ik waarom hij het dan niet goed dééd. Ik stookte Clea op en zette Nora onder druk.

'Als die scheiding twee jaar gaat duren, waar wacht je dan nog op?' vroeg ik. 'Zet de zaak in beweging. Je kunt je altijd nog bedenken als het weer beter zou gaan tussen jullie.'

Ze zei dat ze nog niet sterk genoeg was om het tegen Neal op te nemen, en ik vreesde half dat ze gelijk had. Toen ik Ozzie vroeg om eens met haar te praten, keek hij op van de hoef die hij stond te vijlen en zei dat ik iedere dag meer op Grace begon te lijken. Ik wist het, ik hoorde het zelf – dat deel van haar waar ik altijd zo bang voor was geweest en voor was weggelopen. Nu pas begreep ik hoe ze in elkaar zat.

Niemand van ons zou mogen weten hoe onze kinderen zullen sterven, zoals Grace en Nora. Of de kinderen van onze kinderen, zoals ik. Maar hun dood dwong me ertoe om te behouden wat nog te redden viel, zeker omdat niemand in mijn buurt daartoe bereid of in staat leek.

Ik ging terug naar de advocaat om te zien of we iets konden doen om Clea terug te krijgen zonder een bloedig gevecht. 'Omdat ze nog steeds getrouwd zijn, zal een rechter de keus waarschijnlijk aan de dochter overlaten, maar als puntje bij paaltje komt, legt de mening van de moeder misschien het meeste gewicht in de schaal.'

Hij speelde met zijn pen terwijl hij zijn aantekeningen doorlas.

'Maar dan wordt het een onplezierige situatie. Als ze vrijwillig samen komen, zou dat de beste oplossing zijn. Dan kan de dochter haar eigen beslissing nemen, zonder tussenkomst van de rechter.'

'Speelt geestelijke wreedheid nog een rol?' vroeg ik.

'O zeker, maar dat is heel moeilijk te bewijzen tegenover Neal Mahler, want hij heeft een goede reputatie.'

'En wat hij met dat paard heeft gedaan?'

'Wat dan? Ik hoorde dat het dood was neergevallen. Dat heeft Neal aan iedereen verteld. Die schok werd zijn vrouw te veel, na wat er al was gebeurd.' Hij schudde zijn hoofd. 'Ik had zo met haar te doen toen ik dat hoorde.'

'Maar als hij het zelf heeft doodgeschoten?'

De advocaat keek me aan en knipperde verbaasd met zijn ogen.

'Was het ziek of had het een been gebroken of zo?'

'Nee, ik bedoel, stel dat hij het zomaar heeft gedood?'

'Dan zou ik de verzachtende omstandigheden moeten kennen, maar dat zou ongetwijfeld een ander licht op de zaak werpen.'

De rest van het gesprek kon ik nauwelijks stil blijven zitten en na afloop reed ik meteen naar huis en belde Neal. Maar ik hing op voordat hij kon opnemen, omdat ik bang was dat hij me zou overtuigen dat ik me had vergist wat Zad betrof.

Ik wachtte de hele dag op Oz, en daarna tot Nora met een van de pensionpaarden was gaan rijden, zodat ik hem alleen kon spreken in de stal. Hij was bezig een kompres om het voorbeen van de Shetland te leggen en keek over zijn schouder toen ik binnenkwam – mijn oude zelf, de vrouw die toch de bevestiging van een man nodig had, hoewel ik het zeker wist.

'Oz, wat is er precies met Zad gebeurd?' Ik hurkte naast hem neer.

'Die klootzak heeft haar doodgeschoten. Dat wist je al.'

'Weet je het zeker?'

'Dacht je dat ik geen dood dier zou herkennen met haar halve hoofd verbrijzeld?'

'Heb je dat zelf gezien?'

'Ik heb het hem niet zien doen, maar ik hoorde het schot en ik heb het paard begraven.'

'Ben je daar zeker van en zou je dat willen getuigen?'

'Waarom vraag je dat, Maggie?' Hij hield op met zijn werk en keek me aan.

Ik vertelde hem wat de advocaat had gezegd.

'Het is zijn woord tegen het mijne, wat in deze stad geen eerlijke strijd is, maar oké, ik zou kunnen getuigen. Maar eerst zul je Nora moeten overreden.'

'Ze denkt erover na.'

'Ze denkt er altijd over na. Vertel mij wat.'

Hij bracht nog een kompres aan en hield het op zijn plaats, met zijn hand stevig om het been van de pony geklemd. Ik ging naar binnen en draaide opnieuw Neals nummer. Eerst klonk hij vriendelijk, alsof hij dacht dat ik zijn partij wilde kiezen, en vertelde me dat Clea en hij over twee weken weer langs zouden komen. Maar zodra ik zei dat hij had gelogen over Zad, ontkende hij dat.

'Je hebt tegen iedereen gezegd dat ze dood was neergevallen.'

'Daar hadden ze niets mee te maken en het was veel te moeilijk uit te leggen. Ik wilde Nora beschermen tegen pijnlijke verhalen die haar opnieuw van streek zouden maken.'

'O ja?'

'Hoor eens, Maggie, ik weet niet wat je dwarszit, maar volgens mij heb je het op mij voorzien omdat je een hekel had aan je eigen man. Om de een of andere reden was je ongelukkig en daarom probeer je Nora en mij nu uit elkaar te drijven. Laat haar toch met rust. Niemand houdt van een bemoeizieke schoonmoeder.'

Ik vond het jammer dat hij niet voor me stond, dan had ik het telefoonsnoer om zijn nek kunnen wikkelen en hem met de hoorn buiten westen kunnen slaan. Maar nog kwader was ik om mijn eigen onmacht om hem zo'n afstraffing te geven of iets anders te doen dat enig verschil maakte.

'Luister eens goed, Neal Mahler. Als je Nora niet laat gaan, zal ik dat paard opgraven en door Main Street slepen. En daarna laat ik je arresteren omdat je het eigendom van mijn dochter hebt vernietigd. Vraag het maar aan haar advocaat.'

Ik hing op en stond nog een tijdje te beven. Ik wist niet eens of zelfs het logische deel van mijn dreigement uitvoerbaar was en bovendien schaamde ik me voor mijn kinderachtige uitbarsting. Maar als Neal Mahler érgens bang voor was, dan was het dat iemand zou aantonen wat hij had gedaan en er daarna over had gelogen.

Ik dacht aan een reis naar India die ik een paar jaar eerder had gemaakt. Ik reisde over het platteland, waar toeristen maar zelden komen, en stopte in een stadje dat zo klein was dat ik me niet eens de naam kan herinneren – als het een naam had. De kinderen en de honden waren broodmager en je kon hun ribben tellen. Het was er smerig en het stonk er naar een open riool. Toen ik aankwam, hadden de volwassenen zich verzameld in geagiteerde groepjes. Mijn gids, die vloeiend Engels sprak en een vorm van het plaatselijke dialect, ging vragen of we groente konden kopen die ik kon wassen en koken in flessenwater. Toen hij terugkwam, vertelde hij me dat al die opwinding te maken had met een vrouw uit een naburig dorp die *suttee* had gepleegd.

Dat was natuurlijk al jaren geleden verboden door de Raj, zei hij en knikte instemmend met zijn hoofd. Maar in de primitievere streken kwam het nog weleens voor dat een vrouw zich op de brandstapel van haar overleden echtgenoot wierp. Ik kon me niet voorstellen waarom iemand dat zou doen, maar volgens hem was het een vrome daad die garandeerde dat de vrouw als godin in de herinnering zou voortleven. Bovendien waren de mannelijke familieleden van de man verantwoordelijk voor het onderhoud van de weduwe zolang ze leefde, en de druk om hen niet zo zwaar te belasten was groot.

Als ik de rest van die reis rook boven een dorpje zag uitstijgen, moest ik weer denken aan die vrouwen die zichzelf vernietigden om niemand tot last te zijn. Nu, terwijl ik aan het telefoonsnoer zat te plukken, bedacht ik hoe sterk Neal me aan Frank deed denken. Dezelfde arrogantie en sluwheid om een discussie op een zijspoor te brengen. Misschien probeerde ik inderdaad Neal te straffen voor wat Frank had gedaan.

Toen Nora binnenkwam, liet ze zich op de bank vallen en staarde uit het raam naar de loodgrijze winterlucht. Het ging wat beter met haar sinds zij en Oz het veulen hadden gehaald, maar de laatste dagen leek ze weer terug te zakken in haar oude sombere stemming.

'Ik heb weer met de advocaat gesproken', zei ik.

'Waarom?'

'Omdat ik er niet tegen kan je zo te zien.'

'Hoe?'

'Zo.' Ik wees naar haar.

'Ik voel me prima. Maar Ozzie heeft van die buien. Het ene moment is alles in orde en het volgende moment gedraagt hij zich alsof hij het hier niet uithoudt.'

'Jij doet net zo tegen hem.'

'Het zit wel goed tussen ons', zei ze.

'Met mij gaat het goed, met jou gaat het goed, met hem gaat het goed.'

Ik stond op en liep de kamer uit. Ik had er genoeg van om steeds te herhalen wat ze zelf best wist maar niet *wilde* weten. Het leidde nergens toe. Het was haar leven en niet mijn zaak, precies zoals Neal had gezegd.

Maar als Neal het had gezegd, deugde het dus niet. Ik liep weer terug en bleef voor haar staan.

'Wat denk je dat er zal gebeuren als je daar blijft zitten? Dat alles vanzelf goed komt? Als je niet met Neal getrouwd wilt blijven, moet je van hem scheiden. Als je met Oz wilt zijn, zeg hem dat dan. Ga met Clea praten en vraag of ze bij jou wil wonen. Dóe iets, Nora, anders verlies je alles wat je nog over hebt.'

Ze keek op, somber en gekwetst.

'Ik weet niet hoe.'

Nu ik haar zo zag, volkomen uitgeput en niet in staat iets te doen, behalve in heel kleine stappen, was ik bang dat ik haar kwijt zou raken, alleen omdat ze zelf geen initiatief meer nam.

'Ik zal je wel helpen', zei ik, al wist ik toen nog niet hoe.

De rest van de dag ontweken we elkaar. De volgende morgen werd ik wakker alsof ik in mijn droom een antwoord van Grace had gekregen. Ik haalde alle oude belastingformulieren en de hele boekhouding tevoorschijn, blij dat Neal iemand was die ieder bedrag noteerde. Ik rekende en rekende, en rukte aan de arm van de telmachine alsof ik hem uit het apparaat wilde trekken. Ik vroeg aan Ozzie hoeveel geld we voor ieder pension-paard ontvingen, hoeveel we er konden hebben en wat we konden rekenen voor de training. Ik liep weer terug naar het huis, telde alles bij elkaar op en kwam ten slotte op een bedrag waarvan we zouden kunnen leven. Daar telde ik nog vijftig dollar bij.

De cijfers stonden netjes op het papier, als de roos van een schietschijf. De ontbrekende getallen waarvan Nora altijd had geroepen dat ze die niet wist. De enige argumenten die we konden gebruiken als Neal Mahler weer eens een discussie probeerde te manipuleren.

Ik legde de cijfers op Nora's bed met een briefje waarin ik mijn plan uitlegde. Ik weet niet waarom ik het opschreef, misschien om er een contract van te maken waar ze niet onderuit kon.

'Dit is exact wat we nodig hebben. Dit is redelijk. Ik wil best met Clea of Neal of Ozzie praten, voor jou. Ik kan zelfs helpen met de paarden, als je me weer opnieuw wilt leren paardrijden.'

Toen deed ik de deur achter me dicht en leunde er tegenaan. Met de vurige hoop dat zij de rest zou doen.

HOOFDSTUK 21

Neal
Mahler

De wanden van het advocatenkantoor in de Loop waren met hout betimmerd en de stoel en de bank met donkerrood leer bekleed. Het oosterse tapijt, de passepartouts om de foto's, de gordijnen en zelfs de stropdas van de man hadden allemaal dezelfde wijnrode kleur. Ik voelde me rustig toen hij aantekeningen maakte voor mijn dossier in een schone bruine map, net als bij de begrafenisondernemer toen ik daar was om alles te regelen voor Simon. Een geruststellend gevoel, in zekere zin, alsof hij me een glas had aangeboden en gezegd dat alles zonder probleem voor elkaar zou komen.

'Ze overweegt een scheiding', zei ik tegen hem. 'Haar moeder, in elk geval. Ik heb geen idee hoe serieus het is, maar ik wil weten hoe ik ervoor sta.'

De advocaat was vroegtijdig grijs. Op zijn bureau stond een foto van zijn vrouw achter hun twee kinderen, met haar handen op hun schouders. Hij zei dat ik beter een advocaat bij mij in de buurt kon nemen, maar ik wilde het discreet houden. Bovendien was ik katholiek en mocht ik niet scheiden van mijn geloof. De Kerk kon alleen een ontbinding van het huwelijk toestaan, wat het Vaticaan niet gauw zou doen, en wat ik zelf ook niet wilde. Maar sinds de dood van haar vader deed Nora niets meer aan haar geloof en ik wilde weten hoe ik een eind kon maken aan haar dreigementen. Een wortel voor de ezel, als het ware, en een stok voor de hond.

'Natuurlijk', zei hij, terwijl hij achterover leunde en zijn vingertoppen tegen elkaar legde. 'Er zijn verschillende manieren om dit te benaderen.'

Hij vertelde me hetzelfde als Maggie. Als ik haar nog steeds als mijn vrouw wilde en ontkende dat het huwelijk duurzaam was ontwricht, zou geen enkele rechter binnen de twee jaar een scheiding toestaan. En zolang ze geen pijnlijke juridische procedure begon om me te dwarsbomen, had ik alle recht als Clea's vader om haar mee te nemen waar ik maar wilde.

'Het beste is om haar voortdurend met problemen te bestoken – plannen voor de verdeling van het bezit, overbruggende ondersteuning, dat soort dingen. Door die onderhandelingen zal ze zo vermoeid raken dat ze binnen die twee jaar de moed wel opgeeft.'

Verlating, zei hij maar steeds. De vrouw heeft haar huwelijk en haar gezin verlaten. Toen hij even zweeg, met zijn pen boven zijn bureau, zei ik: 'Vergeet niet dat ze een schokbehandeling heeft gehad, naast de medicijnen en het verblijf in het ziekenhuis.'

De advocaat schudde zijn hoofd.

'Ach, wat een ellende.'

Hij leunde weer achterover en tikte met zijn vingers tegen de zijkant van zijn gele schrijfblok. 'Zijn er nog andere omstandigheden waar ik rekening mee moet houden? Overspel of zelfs maar het vermoeden daarvan, aan een van beide kanten? Dat kunt u me beter meteen vertellen, om onprettige verrassingen te voorkomen.'

Natuurlijk niet, zei ik. Hij raadde me aan om Clea bij me te houden en nog meer te beknibbelen op Nora's toelage – om haar uit te hongeren, als het ware.

Toen ik naar huis reed, dacht ik aan de advertentie die ik in de krant van LaCote moest zetten: *Ik ben niet langer verantwoordelijk voor schulden aangegaan door mijn vrouw, Nora Mahler.* Niet langer verantwoordelijk voor haar onzinnige gedrag.

Het was spitsuur en er stond een file in North Shore Drive, langs het Field Museum, het Shed Aquarium en de dure appartementen langs de oever van het meer. Ik passeerde twee dienstmeisjes met witte uniformen onder hun korte jasjes, hun hoofd tegen de wind in gebogen, met een poedel en een cocker spaniel aan een lijn. Een paar kinderen hokten bij elkaar op het strand en toen ik naar het noorden reed, op weg naar Evanston, zag ik in mijn spiegeltje de witte koplampen van de file als een dubbel snoer van diamanten tegen de rode achterlichten die naar het zuiden verdwenen, als een collier om de hals van de stad. Nora zou dat een mooi beeld hebben gevonden. Maar zo nu en dan speelde de vraag van de advocaat weer door mijn gedachten.

Hoewel ik mezelf voorhield dat ze me zoiets nooit zou aandoen, zag ik toch steeds meer flitsen uit het verleden. Hoe ze met Kline door de velden had gereden, zo dicht naast hem dat hun benen elkaar bijna raakten. De keren dat ik na het werk was thuisgekomen en hen in de stal had aangetroffen, in druk gesprek. Of Kline die over het hek hing en keek hoe ze reed, alsof een vrouw die kringetjes draaide zo interessant kon zijn.

Maar vooral hoe hij zich had gedragen na Simons dood. Hij had geweigerd de pensionpaarden terug te brengen of onze eigen paarden naar de veiling te rijden – op een moment dat ieder normaal mens zou hebben gedaan wat ik vroeg, enkel om me te sparen. Hij was er tussenuit geknepen om dat vervloekte paard te begraven, hoewel ik hem dat duidelijk had verboden, en daarna had hij nors zijn spullen gepakt en was vertrokken, zo haastig dat zijn pick-up woest over het pad slingerde. Bovendien had hij de hond gestolen. Daarvoor had ik de sheriff moeten bellen, maar op dat moment was ik blij dat ik ze allebei kwijt was.

Nu begon ik steeds meer te twijfelen toen ik door de brede lanen reed, langs de huizen en appartementen, die stilletjes achter hun gazons stonden als vrouwen die rustig wachtten op de thuiskomst van hun gezin. Ik probeerde me Nora en Kline in bed voor te stellen.

Ik kon nog steeds niet geloven dat Nora dat zou doen, maar de mogelijkheid bleef aan mijn gemoedsrust knagen. Ik dacht aan die keren, nog voordat we getrouwd waren, dat ze om mijn nek hing en haar heupen tegen me aan duwde. Soms namen we afscheid onder de lamp van de veranda, terwijl haar moeder misschien nog wakker was, of op de parkeerplaats van een danszaal waar iedereen zomaar voorbij kon lopen, en veranderden haar kussen opeens in iets heel anders. Ik liet haar altijd wat langer doorgaan dan verstandig was, voordat ik haar bij haar polsen greep en haar van me af duwde, zodat ze mijn erectie niet zou voelen. Ik zei haar dat ze moest wachten tot we getrouwd waren. We mochten onze gevoelens niet uit de hand laten lopen en dingen doen waar we spijt van zouden krijgen.

Elke week biechtte ik aan de pastoor dat zelfs de gedachte aan haar een fysieke reactie bij me teweegbracht, maar ik zei hem niet dat ik me afvroeg of ze al actief was geweest met andere mannen. Ten slotte vroeg ik haar of er ooit iemand vóór mij was geweest. Ze keek me recht aan en zei: 'Nooit iemand zoals jij.'

Ik zei haar dat onze liefde juist zo bijzonder was omdat we konden wachten, en ik droomde ervan om Nora diep onder het satijn en het kant van haar trouwjurk te betasten. Om haar te nemen met alle passie die ik zo lang had opgekropt, terwijl zij roerloos onder me lag in haar prachtige jurk, met de sluier als een besneeuwd veld op het kussen.

Maar in onze huwelijksnacht was ze zenuwachtig en rusteloos. Ze wilde niet eten, hoewel ik biefstuk had besteld in ons vakantiehotel. Opeens liepen er tranen over haar wangen en zat iedereen naar haar te kijken omdat ze huilde op de mooiste avond van haar leven. Ik vroeg maar steeds of het wel goed ging. Als ze echt ziek werd, moesten we maar wachten tot ze beter was.

Toen we terug waren op onze kamer, deed ik het licht uit en wachtte onder het laken tot ze uit de badkamer zou komen. Eerst was ze heel verkrampt, maar toen we kusten, kwam ze een beetje los. Haar nachtpon was net zo hoog gesloten als haar deftige strapless jurk, maar zonder alle versierselen leek het toch bijna obsceen hoe dicht we tegen elkaar aan lagen, met alleen dat dunne laagje zij tussen ons in. Ik masseerde haar nek en streelde haar huid tussen haar schouderbladen. Ik fluister-

274

de dat ze zich moest ontspannen en dat ze me kon vertrouwen. Dit was het moment waarop we allebei hadden gewacht, en niets kon meer verkeerd gaan.

Maar voordat ik mijn houding had bepaald en bedacht hoe ik haar zou benaderen, stak ze opeens haar hand uit, greep me door mijn pyjamabroek – en daar bleef het niet bij. Ik was zo geschokt dat ik me omdraaide, waardoor ze me los moest laten. We lagen daar in het donker en ik staarde naar het licht dat door de gordijnen viel. Ze vroeg of er iets mis was. In plaats van te antwoorden, kroop ik op haar en maakte het snel af. Ik sloot mijn ogen en ging door tot het eind, alsof ze er niet bij was. Daarna viel ik in slaap om niet met haar te hoeven praten.

De volgende morgen sloeg ik het laken terug en zocht naar het bloed dat er hoorde te zijn, zoals me was verteld. Toen ik ging douchen, bekeek ik de achterkant van haar négligé dat aan de deur hing, om te zien of ze er misschien op gelegen had. Ik stelde mezelf gerust dat ze eerder op een baby had geleken die naar een stuk speelgoed graaide, dan op een ervaren vrouw. Maar de volgende twee dagen zorgde ik dat we het druk hadden. Er was een zwembad en we konden sjoelen en golfen. Ik bood zelfs aan om met haar te gaan paardrijden, maar ze keek op van haar grapefruit alsof ik gek geworden was.

'Die beesten hier kunnen alleen paadjes lopen', zei ze, alsof dat alles verklaarde.

Ten slotte nam ik haar mee voor een ritje door de omgeving. Na een uurtje vroeg ik haar naar het bloed en of dat betekende dat ze haar maagdenvlies nog had.

'Veel meisjes die paardrijden raken het kwijt.'

'Hoe weet je dat?' vroeg ik.

'Dat staat in een boek dat ik van mijn moeder heb gekregen. Een roze boek van Modess. Wil je het lezen?'

Daarna praatten we er niet meer over en pasten ons aan. Niet dat ze excuses verzon. Ze had geen 'hoofdpijn', zoals andere vrouwen, en ze stond me ook niet op te wachten met een deegroller, zoals in de cartoons. Ze bleef afstandelijk en beleefd, en als ik op haar lag, leek het vaak of ze ergens anders was en alleen haar lichaam voor mij had achtergelaten.

Ik liet het maar zo, hoewel ik haar een keer vroeg waar haar enthousiasme gebleven was. Het duurde maanden voordat ik mijn moed bij elkaar had geschraapt en het goede moment had gevonden. Maar ze keek me aan alsof ik Grieks sprak.

'Je weet wel', zei ik. 'Toen we nog verkering hadden, deed je soms weleens anders.'

Ze legde het boek dat ze zat te lezen open op haar schoot.

'Soms ben ik mezelf, soms niet', zei ze. 'Jij schijnt het prettiger te vinden als ik dat niet ben.'

'Wat een onzin', vond ik.

'Je weet best wat ik bedoel', zei ze.

Ik vond het zo belachelijk dat ik wegliep en de deur met een klap achter me dichttrok, zodat ze wist dat ik kwaad was. Ik bleef nog laat op kantoor, totdat ik zeker wist dat ze naar bed was, en kwam toen binnen zonder boven het licht aan te doen. De schijnwerper op de schuur wierp genoeg licht naar binnen om nog iets te zien in onze slaapkamer. Ik trok de lakens een beetje terug en schoof zo voorzichtig in bed dat ze niet wakker werd. Toen keek ik hoe ze sliep, met haar handen op haar borst gevouwen, als Kleine Bloem.

Die lieve Nora, met haar haar in de war en haar profiel als die camee van mijn moeder, een melkwit gezichtje tegen een diepblauwe steen. Ik zou willen dat die Nora van me hield zoals ik het had gedroomd, zonder dat ze nog aan iets anders zou kunnen denken. Dat ze haar hele dag zou organiseren rondom ons gezin en daar net zo hard aan zou werken als ik voor ons deed.

Ik schoof tegen haar aan. Ze was warm van de slaap en stil als een klein meisje. Zo lag ik langer dan een uur, tevreden met haar nabijheid maar ook een beetje droevig, want als ze wakker was, kon ik haar niet aanraken zonder dat ze zich meteen verzette. Ik begreep niet waarom ik door andere mensen werd gewaardeerd, terwijl deze vrouw, die ik meer liefhad en begeerde dan alle anderen, me links liet liggen. Ik kon er met mijn verstand niet bij.

Onwillekeurig sloot ik mijn hand om haar arm, drukte mijn heup stevig tegen de hare en legde mijn been over haar dij, heel innig, zoals het altijd zou moeten zijn. Ze werd wakker en keek me door haar wimpers slaperig aan.

'Wat doe je?' vroeg ze.

'Ik lig hier gewoon.'

'Waarom?'

'Omdat ik het wil, meer niet', zei ik.

'Me aanraken?'

'Wat is daar verkeerd aan?'

'Het is geniepig', zei ze, half mompelend, zodat ik haar nauwelijks kon verstaan. 'De manier waarop jij me aanraakt.' Toen duwde ze mijn arm weg en draaide zich om. De volgende morgen deed ze of er niets gebeurd was, en ik beschouwde haar woorden als slaperige onzin.

Maar na die nacht zag ik haar op een andere manier en begreep ik wat me al die tijd was ontgaan. O, ze was beleefd genoeg. Ze deed haar werk en leek soms zelfs tevreden, maar er was geen genie voor nodig om te zien dat het grotendeels oppervlakkig was. In haar ogen – altijd haar ogen – zag ik andere gedachten, zoals bij een hond die in een hoek is gedreven en doodstil blijft liggen, maar met zijn ogen naar een uitweg zoekt.

Als ik haar vroeg wat er mis was, zei ze altijd: 'Niets.' En het stond wel vast dat we bij elkaar zouden blijven, vanwege de kinderen en zo. Er was mij altijd geleerd dat ik het beste van iedere situatie moest maken, maar na die nacht had ik alle hoop opgegeven.

Wat we hadden, was goed genoeg en ik probeerde zo min mogelijk aan de rest te denken, totdat die advocaat het weer aanroerde. Als Nora mij niet wilde, dan wilde ze niemand, had ik vroeger altijd gedacht. Maar nu vroeg ik me af waar die hete bliksem was gebleven die ze ooit geweest was. Dat deel van haar was niet zomaar verdwenen, en misschien was ik zo goed van vertrouwen dat ik niet had gezien wat zich recht onder mijn neus afspeelde. Al die tijd alleen met Kline. Hij was al een jaar bij ons in dienst toen ik er pas achterkwam dat hij en Nora iets hadden gehad toen ze nog jonger waren. Na een avondje van de Kiwana's, de zakenclub, hadden we met een paar kerels nog een afzakkertje genomen in Earl's Bar. De serveerster was een ex-vriendinnetje van een van de jongens en hij vertelde hoe knap ze was geweest als jonge meid. Dat was het sein voor het hele stel om herinneringen op te halen. Ze kwamen allemaal uit de buurt, behalve ik, en ze hadden samen op school gezeten. Hoe meer ze dronken, des te meer ze begonnen te zeuren over de goeie ouwe tijd.

Een van hen, Lowell, zei dat het zo vreemd was dat hij zich de dingen uit zijn jeugd nog zo goed herinnerde, terwijl hij niet eens meer wist wat hij vandaag allemaal had gedaan.

'Het lijkt wel of we alleen maar echt leven en kleuren kunnen zien als we jong zijn, en daar de rest van ons leven in zwart-wit aan terug blijven denken.'

Toen draaide hij zich naar mij toe.

'Verdomme', zei hij, 'ik kan me Nora op die leeftijd zelfs beter voor de geest halen dan mezelf een week geleden.'

Hij vertelde hoe mooi en intelligent ze was geweest en zo ver boven de anderen verheven dat de meeste jongens haar niet eens mee uit durfden te vragen. Ik wist dat hij gelijk had, want een van de redenen waarom ik met haar was getrouwd was dat ik haar kon krijgen terwijl het gros van die kerels geen enkele kans had. Hij herinnerde zich nog een dansavond na een basketbalwedstrijd, zei hij. De gymzaal rook warm en zweterig en de lichten waren bijna uit. Lowell en een stel vrienden zaten op de harde bankjes van de tribune en keken hoe de anderen dansten, vooral Nora met Ozzie Kline.

'Ze waren allebei knap', zei Lowell, 'en zoals ze die avond naar elkaar keken, wist ik zeker dat ze een stelletje zouden worden, maar er is niks van gekomen. Toch herinner ik me dat moment nog, ik weet niet waarom. Misschien omdat het zo mooi en lief was.'

Toen zweeg hij abrupt, alsof hij te veel had gezegd, en de andere jongens pestten me dat ik geluk had gehad om Nora Rhymer te verschalken, terwijl Kline al blij mocht zijn dat ze een keer met hem had gedanst.

'Ja', zei Lowell, 'de rest van ons moest zich tevreden stellen met sterfelijke meisjes voor gewone jongens.'

Hij knipoogde. Ik vroeg me af waarom Nora me nooit iets had verteld over Kline. Waarschijnlijk omdat het niet belangrijk was. Ze zou zich die dans niet eens kunnen herinneren, zoals ik ook de meeste meisjes was vergeten met wie ik vroeger was uitgegaan. Ik dacht er nauwelijks meer aan, totdat die advocaat erover begon. Die avond ijsbeerde ik door het appartement terwijl Clea naar de bibliotheek was. De gordijnen waren open en het was een bewolkte avond. Ik kon bij de appartementen aan de overkant naar binnen kijken en zag echtparen de krant lezen of aan de eettafel zitten, alsof het gebouw één muur miste, net als Clea's oude poppenhuis. Ik zag mijn spiegelbeeld in mijn eigen ramen, een donker silhouet in een kamer met één felle lamp. Ik dacht aan Nora, met haar rug naar me toe en haar armen om haar kussen alsof het een reddingsboei was. Of onder me, starend over mijn schouder in het donker.

Ik zag andere mensen ook bij mij naar binnen kijken en liep de kamers door om de gordijnen dicht te doen. Zelfs als Nora en ik op deze manier met elkaar verdergingen, koud en afstandelijk, zou dat nog beter zijn dan als het Kline was die ons uit elkaar had gedreven. Ze mochten in LaCote niet het idee krijgen dat ik de deur uit was gezet, zeker niet door zo'n nietsnut, of dat ik niet mans genoeg was om haar te houden.

Dus reed ik er nog vaker heen, met de smoes dat ik de kantoren in het district bezocht, of ik kwam Clea brengen of ik haalde spullen op die nog verhuisd moesten worden. Ik zorgde ervoor dat ik zoveel mogelijk oude kennissen sprak, met wie ik bij Earl's wat ging drinken om hun het laatste nieuws te vertellen.

Dat mijn vrouw mij en haar enig overgebleven kind had verlaten.

'Wat kan ik doen?' vroeg ik, en spreidde machteloos mijn handen. 'Ik heb mijn best gedaan met haar.'

En de mannen zeiden dat het mijn schuld niet was. Dat ik alles in het werk had gesteld. Dat vrouwen soms vreemd werden en dat ik daarvoor niet de prijs hoefde te betalen. 'Ze heeft het zelf gewild', zeiden ze. 'Nu moet ze ook maar de gevolgen dragen.'

Toen voelde ik me weer veilig, alsof ik ongehinderd het thuishonk had bereikt. Ik ging langs bij oude cliënten, vooral bij vrouwen die zo weinig op Nora leken dat ze zeker mijn kant zouden kiezen. Ik bezocht mijn pastoor in de pastorie en een van mijn oude docenten die nu rector was van de universiteit. Ik noteerde namen in het kleine opschrijfboekje dat ik altijd in mijn borstzak had en als ik bij die mensen kwam, verkocht ik mijn verhaal alsof het een levensverzekering was. *Denk eens aan wat er kan gebeuren als u dit niet koopt.* Ze knikten instemmend en hun geloof ondersteunde mijn versie van de waarheid. Dat stemde me tevreden, net als toen ik zandzakken had gevuld tijdens de laatste overstroming of schadeclaims had afgewikkeld na de ravage van een wervelstorm.

Maar als ik Nora zag, was die rust weer verdwenen. Als zij me niet wilde, dacht ik, wilde ik haar zeker niet. Wanneer ik naar haar toe ging om haar een cheque te brengen of over Clea te praten, of ergens anders over, was ik bang dat mijn haar verkeerd zat of dat ze om mijn stropdas zou lachen. Ik kon mijn stem niet onder controle houden of een natuurlijke houding vinden, vooral niet als Kline in mijn stoel zat en koffie dronk alsof hij daar hoorde.

Ik wilde haar vergeven. Ik wilde haar terug om opnieuw te beginnen alsof er niets gebeurd was. Nee, meer. Ik wilde kleine veranderingen, zodat we gelukkiger konden zijn. Ik wilde haar zoals ze door de keuken liep, de vertrouwde manier waarop ze de kopjes afspoelde en in het afdruiprek zette, of de koffie afpaste en een eierschaal in de drab liet vallen. Ik miste haar vreselijk. Als ze met één heup tegen het aanrecht stond geleund, een duim in de zak van haar jeans gehaakt, of haar wenkbrauwen optrok om iets wat ik had gezegd, had ik er alles voor over om van mijn ontbijttafel of mijn krant te kunnen opkijken en haar om me heen te zien bewegen in een eeuwige baan. Ze was van mij geweest, net als dit huis, en nu was dat voorbij. Ik wist dat ik te weinig rekening had gehouden met haar wensen, maar dat zou allemaal anders worden als ze naar Chicago verhuisde. Dat wilde ik haar ook zeggen.

Soms bracht ze me naar de deur en wachtte tot ik naar buiten stapte. Dan overwoog ik om haar in mijn armen te nemen terwijl we alleen in de gang stonden en haar zo vurig te kussen dat ze niets meer zou kunnen zeggen. Dan zou ik haar naar boven dragen om haar te nemen terwijl ik achter haar lag op de sprei van het bed. Zo diep in haar, dat ze nooit meer bij me weg zou willen.

Toen ik de vorige keer vertrok, citeerde ik het boek Ruth, bij wijze van afscheid, in de hoop dat ze zich aangesproken zou voelen door die woorden die mij zo ontroerden.

'Weet je nog in de bijbel?' vroeg ik. 'Die tekst over "waar gij gaat, zal ik gaan"?'

'"En uw volk zal mijn volk zijn"?'

'Ja', zei ik en ik deed een stap naar haar toe. 'Wat iedere echtgenoot wil horen.'

Ze stapte opzij, achter de hoek van de deur.

'Lees dat nog maar eens na', zei ze, terwijl ze me met de deur opzij schoof. 'Dat zei de ene vrouw tegen de andere toen allebei hun echtgenoten dood waren.'

En ze begon te lachen, voor het eerst sinds Simons dood. Alsof ik haar een goede mop had verteld. Haar lach galmde zo luid over de velden dat een van de grazende paarden zijn hoofd ophief.

Ik stampte de trap af en reed weg, pas tevreden toen ik de kracht van al die acht cilinders voelde en de Buick met volle snelheid het pad af stormde. Mijn woede, zuiver en sterk, werd tot dezelfde snelheid opgezweept als de auto. Ik had alle recht haar te haten. Ergens in mijn achterhoofd hoorde ik de belerende stemmen van alle nonnen en priesters die ik ooit had gekend. *De andere wang toekeren... Mijn enige mantel in tweeën snijden... Liefde en mededogen zonder te vragen...*

Maar Nora was een uitzondering. Wat zou er gebeuren als ik haar terugnam alsof dit alles nooit was gebeurd? Nee, sterker nog, als ik weer zou terugkeren naar de boerderij waar zij zich had verschanst als een stompzinnige soldaat die zijn vernielde vesting niet wil verlaten? Nee, als ik dit over mijn kant liet gaan, was het eind zoek. Voordat we verder konden, moest ik eerst orde op zaken stellen. Dat stond vast.

Toen ik naar de stad reed, tussen de wintertarwe door, die heldergroen aan weerskanten voorbij suisde, nam ik een besluit en trapte op de rem. De auto slipte en kwam dwars op de weg tot stilstand. Ik bleef daar even zitten, een beetje versuft, en staarde naar het stof dat in het zonlicht opsteeg, waardoor elk afzonderlijk deeltje zichtbaar was. Daarna reed ik achteruit tot de kofferbak boven de greppel hing, en maakte een U-bocht terug naar de boerderij.

Het grind kletterde als pistoolschoten tegen de onderkant van de wagen toen ik het erf opreed. Klines pick-up was verdwenen. Ik stapte de veranda op en dacht: *Waarom zou ik bij mijn eigen huis moeten aankloppen?* Beneden was niemand. Een stoel was teruggeschoven bij de keukentafel en er stond nog een leeg koffiekopje. Op de bank in de huiskamer lagen een opgevouwen plaid en een opengeslagen boek. Ik liep de trap op, met twee treden tegelijk, juist op het moment dat Nora uit haar kamer kwam, de gang door. Ze bleef als aan de grond genageld staan toen ze me zag, alsof ik een inbreker was. Haar adem stokte, zo luid dat ik het kon horen.

'We moeten praten', zei ik tegen haar.

'Wat valt er te zeggen?' Ze stapte achteruit naar de muur en haar schouder raakte een van de zwartwitfoto's die in een dubbele rij door de hele gang hingen: alle paarden die haar familie ooit had bezeten.

Ik kwam naar haar toe. Over haar schouder zag ik een zwart paard dat het wit van zijn ogen liet zien. Hij had een gebogen nek en een geborstelde vacht, die glom als een doffe spiegel. De Tennessee Walker, het dressuurpaard dat Maggie had verkocht voordat Frank nog koud onder de grond lag. Nora deinsde terug en raakte de foto, die scheef opzij gleed.

'Je hebt niet geluisterd naar wat ik te zeggen had', zei ik.

Ze keek op met die grote ogen van haar en likte haar onderlip met het puntje van haar tong.

'Ik weet niet hoe ik met je verder kan leven', zei ze.

'Ik hou van je', zei ik tegen haar, maar ze probeerde haar arm los te rukken.

'Ik wil hier blijven wonen, Neal. Waarom maak je het me zo moeilijk?'

'Als je verhuist, zal het anders tussen ons worden.' Ik greep haar nog steviger vast. 'Je zult het zien.'

Ik hield haar tussen mezelf en de muur en voelde haar stevige borsten en heupen. Ik wilde met haar praten, maar meer nog verlangde ik naar haar aanraking. Ik kuste haar, zodat ik haar adem in mijn mond voelde en drukte me tegen haar aan, zo dicht dat het onmogelijk was dat we ooit nog van elkaar gescheiden zouden worden.

Ze sloeg met haar hoofd naar achteren en het glas van de foto barstte als een spinnenweb. Ik wilde mijn hand naar haar hoofd brengen om te voelen of ze bloedde, maar steeds als ik mijn greep liet verslappen, probeerde ze zich los te wringen, zette haar schouder tegen mijn borst of trok haar knie op tegen mijn kruis. Ik schreeuwde dat ze stil moest blijven staan en luisteren. Ik zei nog een paar keer dat ik van haar hield.

Maar ze werd steeds wilder, dus moest ik haar wel tegen de muur klemmen. De cilinder van haar luchtpijp paste precies in de V tussen mijn duim en mijn hand, als een ver verwijderd doelwit in het vizier aan het eind van een geweerloop.

Hoe meer ze zich verzette, des te meer kracht ik uitoefende op haar keel. Ik wilde haar nemen, daar in die hoek, rechtop tegen de muur, met dezelfde kracht als waarmee ik haar in bedwang hield, zodat ze zou weten hoeveel ik van haar hield. Dit moest het keerpunt worden. Eindelijk konden onze meningsverschillen voorgoed worden opgelost.

Toen kwam Maggie de trap op. Ze bleef staan en keek zwijgend toe. Zodra Nora zich rustig hield, liet ik haar los en gooide haar naar achteren als een dier dat zou bijten zodra het de kans kreeg. Ze deinsde terug naar de tegenoverliggende muur, zo ver mogelijk bij me vandaan.

'Waarom wil je mij, verdomme, als ik jóu helemaal niet wil?' huilde ze. Daarna vluchtte ze haar kamer in en ik hoorde haar morrelen met de sleutel.

Ik probeerde haar niet tegen te houden. Ik schaamde me opeens dat ze me zo had gezien. Ik was verbaasd dat ik me door haar had laten manipuleren, alsof ze als water en lucht door mijn armen was geglipt.

Maar ik had ook een andere laag in mezelf ontdekt, een diepere laag, de smerige driften van een hitsige reu. Ik wilde nooit meer met haar alleen zijn, uit angst dat die laag zich weer zou openbaren. Ik moest hier weg, weg uit die gang met foto's van dode paarden waarvan ze meer scheen te houden dan van mij. Ik wrong me langs Maggie heen en liet de voordeur open, zodat de hitte kon ontsnappen. Trillend startte ik de auto en reed het pad af. De ventilator blies koude lucht over mijn voeten, maar ik huiverde vooral van woede.

Ik stelde me voor dat ze die nacht niet zou kunnen slapen. Dat ze op blote voeten over de koude vloer zou ijsberen, nu ze wist dat het onherroepelijk was. Ik hoopte dat ze zich alleen zou voelen, voorgoed alleen, en dat ze bittere spijt zou hebben van alles wat ze had opgegeven en alles wat ik haar nog kon afnemen.

Toen gaf ik gas en reed bij dat huis vandaan, zo hard dat ik door de snelheid werd meegesleept en vergat wat er een paar minuten geleden was gebeurd. Ik stopte nergens. Ik reed dwars door LaCote naar Highway 94 aan de andere kant, helemaal tot aan Wildon Spring en Valley Park, zo hard als ik kon. De snelheid van de motor vloeide in mij terug. Het was afgelopen, het was voorbij. Als een sterfgeval, hoewel ik niet wist wát er gestorven was, omdat ik dat nog niet kon zien of benoemen.

De snelheid van de auto leidde mijn gedachten af en het was allang donker toen ik terugreed naar mijn motelkamer en de Missouri overstak, met de lichtjes van LaCote golvend en spiegelend in het water.

HOOFDSTUK 22

Nora
Mahler

De volgende morgen belde ik Neal in het motel waar hij logeerde als hij in LaCote was.

'Je kunt terugkomen op de boerderij of we kunnen scheiden, hoe lang dat ook duurt, maar er moet iets gebeuren.'

'Katholieken kunnen niet scheiden. Dat weet je, Nora.'

'Blijf jij dan maar getrouwd, dan vraag ik scheiding aan', zei ik hem.

'Je praat je moeder na', zei hij. 'Dat meen je niet echt.'

'O jawel', zei ik. Maar het klonk een beetje als kinderen op een schoolplein: *Welles, nietes, welles, nietes*. Meer een reflex. Maar toen ik het eenmaal had gezegd, bleven de woorden in de lucht hangen en uit Neals zwijgen begreep ik dat hij me half geloofde. Ik liet het zo.

Daarna belden Neal en zijn advocaat me twintig keer per week om te bewijzen dat ze de zaak twee jaar konden ophouden, zoals ze hadden gedreigd. Eerst eiste Neal alles op: Clea, vrijwaring van alimentatie en de helft van de boerderij. Ik kwam in de verleiding om toe te geven, enkel om er vanaf te zijn. Maar Maggie herhaalde het bedrag dat ze had uitgerekend en zei: 'Neal probeert er zoveel mogelijk uit te slepen, dat is alles.'

'Maar ik weet niet wat redelijk is', zei ik.

'Je vraagt niet meer dan hij.'

Maar ik vond niet dat ik daar recht op had.

Toen zei ze: 'Wat zou je vragen als je alles kon krijgen? Doe dat maar en kijk wat er gebeurt.'

Dus eiste ik Clea, behalve op Thanksgiving en één weekend per maand. Ik vroeg de boerderij, op haar naam, zodat alles intact zou blijven zonder dat Neal kon beweren dat ik zijn aandeel wilde stelen. En ik noemde hem het bedrag aan alimentatie dat Maggie had berekend.

Neal en zijn advocaat waarschuwden me dat ik al mijn zekerheid zou riskeren in een pijnlijke rechtszaak. Ze wezen op de explosie van huwelijken na de oorlog, al die jonge bruidjes in de *Post-Dispatch* op zondag.

'De hele wereld trouwt. Waarom ben jij de enige die wil scheiden?'

Terwijl ik de hoorn vasthield waaruit hun stemmen als slangen de kamer in kronkelden, vroeg ik me af waar ik al die moeite voor deed. Een paar hectaren van Missouri, waarvan de helft verdronken land. Moest ik daar zo fanatiek voor vechten omdat mijn grootmoeder had gezegd dat je nooit mocht opgeven wat je het dierbaarst was?

'Wil je je gezin inruilen voor een boerderij, waar je niet eens meer iets mee doet?' vroeg Neal. 'Hoe kun je ons dat aandoen, Nora?'

Neal en zijn advocaat brachten de discussie terug tot een simpele rekensom. Een plus een. Nora tegen Neal. Bezit of geen bezit, dat was de vraag. Ze zeiden dat er in Chicago ook paarden waren, alsof ik dat niet wist. Maneges, ruiterpaden en stallen buiten de stad waar je een paard in pension kon doen. Je kon daar paardrijden tot je een houten kont had, zei Neal.

Toen ik mijn standpunt probeerde te verdedigen met redelijke argumenten, logica en bewijzen, waar zij zoveel prijs op stelden, zwegen ze opeens, alsof ik Swahili sprak.

'Neal kan ook verzekeringen afsluiten in LaCote, maar ik kan mijn land niet verhuizen naar Chicago', zei ik. De enige reactie was een verbaasde stilte, alsof ik gek geworden was.

Op die momenten dacht ik dat ook, omdat ze zulke voor de hand liggende argumenten niet schenen te begrijpen, en vergat ik waar de ruzie over ging. Neal kon nooit hebben gedaan wat ik me meende te herinneren. Hij was gewoon van streek. Hij hield van me, dat had hij vaak genoeg gezegd. Dus hoe kon hij zich zo hebben gedragen als hij van me hield? En was dat wel reden genoeg voor een echtscheiding?

Ik zei dat ik er nog eens over zou denken voordat ik de definitieve papieren tekende. Maar hij herinnerde me eraan dat de kosten iedere dag opliepen en dat elk telefoontje op de rekening werd gezet. Maar voor mezelf had ik nog niets besloten en ik wist nog altijd niet wat ik werkelijk wilde. Clea, natuurlijk. En de boerderij en de paarden. En nog iets anders, dat ik niet kon omschrijven, een soort bevrijding. Maar op alles wat ik zei, antwoordde Neal: 'Je bent niet eerlijk tegenover je gezin.'

Na een dag in februari toen hij drie keer had gebeld, iedere keer een heel uur op me in had gepraat en twee keer nijdig had opgehangen, werd ik 's nachts wakker en liep op mijn blote voeten door de ijskoude gang. Ik bleef in Clea's kamer staan, waar het winterse maanlicht in schuine vlakken over de sprei viel. Ik miste haar en ik vroeg me af wanneer ik haar terug zou krijgen, niet alleen in huis, maar ook in ons gezin. De argumenten die Neal tegen me gebruikte waren als een kluwen touw waarvan ik het beginpunt niet kon vinden om hem te ontrafelen.

Deserteur. Zo noemde hij me nu. Ik proefde het woord op mijn tong om eraan te wennen. Iemand die een dessert eet? Ja, een dessert eet – dat leek net zo logisch of onzinnig.

Ik wilde hem kwijt. Ik wilde baas zijn over mijn eigen tijd, niet alleen de uurtjes waarin hij me niet nodig had. Ik wilde eten als het míj uitkwam. Zwijgen als ík dat wilde. Schuin over het hele bed slapen, met alle kussens om me heen.

Beter nog. Als hij uit mijn leven was, zou ik zelf de energie kunnen gebruiken die ik altijd nodig had gehad om te bedenken wat hij wilde.

Eindelijk hield ik eens vast aan de gedachte dat ik evenveel waard was als hij, hoewel dat net zo beangstigend was als wanneer hij me gestoord of egoïstisch noemde. Opeens begreep ik waarom bevrijde slaven hun plantages niet verlieten, of vluchtelingen hun kamp of boeren hun dorp als de vijand naderde in een oorlog.

Ik wilde dat Oz me zou meenemen, naar dit huis waar ik nu stond, maar dan zonder problemen, zoals dingen in je droom vaak hetzelfde zijn maar toch anders. Ik wilde dat hij me vast zou houden, even maar. Maar ik stond nog steeds in Clea's kamer, trillend op mijn benen, me bewust van de kou die als glas tegen mijn huid drukte. Stel dat zij liever bij Neal zou blijven? Ik voelde de tranen komen, maar wat schoot ik ermee op? Zwaaiend op mijn benen, met mijn armen los langs mijn lichaam, begon ik toch te huilen, om mijn misbruikte liefde en al die jaren van mijn leven die ik uit handen had gegeven in het volle vertrouwen dat ons huwelijk die ruil wel waard zou zijn.

In elk geval kon Neal genoeg van me houden om zachtjes tegen me te praten, zoals ik deed tegen een paard of een hond die ik moest afschieten. Maar het ene moment dreigde hij me met de diepste armoede, dan deed hij weer onhandige seksuele toenaderingspogingen, of siste hij dingen als: 'Je zult nog grote spijt krijgen als je hiermee doorgaat.'

De weken daarna belde ik Clea om de andere dag, maar ik kon nooit de moed opbrengen om belangrijke onderwerpen aan te roeren. Ik nam de boekhouding door om te controleren of Maggies berekeningen klopten. Ik bezuinigde door nauwelijks genoeg eten te kopen om een muis te voeden, en dan nog van slechte kwaliteit – boterhamworst, waterige spaghettisaus en verlepte groente, alsof de centen die ik nu bespaarde ons later zouden kunnen redden. Ten slotte deed mijn moeder maar de boodschappen en zei dat ik mezelf niet moest straffen.

Ik verlangde te veel naar mijn vroegere intimiteit met Oz: het recht om ongevraagd tegen hem aan te leunen, zodat hij een deel van mijn gewicht kon dragen. Steeds als ik hem in de keuken zag, met opgerolde mouwen en die diagonale spieren van zijn polsen naar zijn ellebogen, dacht ik er weer aan hoe hij me vroeger in zijn armen nam. Als hij door de stal liep, sloeg ik mijn armen om de steunbalk. Maar ik durfde hem niet om troost te vragen uit angst dat hij me zou afwijzen. De kans dat ik hem ook zou verliezen kon ik niet onder ogen zien.

Op een middag, toen ik alle klusjes had gedaan, reed ik in een opwelling over River Road naar de oude steengroeve van Kurtz, die al jaren geleden was uitgegraven en sindsdien was volgelopen met grond- en regenwater. Daar ging iedereen altijd zwemmen voordat het grote zwembad in het park werd aangelegd, na de oorlog. Grace had me al meegenomen toen ik nauwelijks een kleuter van vijf was, en had me eerst de schoolslag en toen de borstcrawl geleerd, tussen de luidruchtig plenzende schooljeugd die daar op zomermiddagen altijd kwam.

Ik bleef aan de oever staan en keek neer op de grijze steen van de uitgehakte wanden en het lichtere grijs van het water, rimpelend in de koude wind en de vreemde stilte van het jaargetij. Vanaf het eerste begin had ik Grace gesmeekt of ik van de rand mocht springen, zes meter boven het water, zoals ik de oudere jongens had zien doen. Maar ze wachtte tot ik de hele plas over kon zwemmen, en weer terug.

Daarna was ik ongeveer op deze plaats gaan staan en had vanaf mijn hoge positie neergekeken op de oudere kinderen en op haar, met hun lachende gezichten naar me opgeheven. Zonder aarzelen had ik de sprong gewaagd en me overgegeven aan de gewichtloosheid van de val. Hoe hard ik ook in het water terechtkwam en hoe ver ik weer naar de oppervlakte moest stijgen, ik had die dag nog twee keer gesprongen voordat we naar huis waren gegaan.

Als ik daarna ging zwemmen, sprong ik minstens één keer, hoewel ik toen niet meer wist waar ik de moed vandaan had gehaald. De oudere kinderen riepen tegen hun vriendjes: 'Moet je die kleine zien! Die springt alsof het niks is!'

Met Simon was het precies zo gegaan toen hij voor het eerst hier kwam. Hij klom en hij sprong, achter elkaar, totdat ik niet eens meer keek. Clea had het nooit willen proberen, totdat ze negen was en Simon steeds tegen haar zei hoe heerlijk het was om door de lucht te vliegen. Half augustus mocht hij eindelijk haar hand pakken en haar mee naar boven nemen. Daar liet hij haar zien hoe ze haar tenen moest richten en haar handen boven haar hoofd moest houden om soepel het water in te glijden. Toen gaf hij haar een pakkerd. Zomaar.

Ik wist niet waar hij had geleerd om zo lief en zorgzaam met mensen om te gaan. Maar hij bleef lachen en praten tot ze de sprong waagde. Hij sprong achter haar aan en kwam lachend weer boven, vlak naast haar, in het midden van de plas. Ze straalden allebei omdat Clea het had aangedurfd.

Ik bleef nog een tijdje staan. Ik miste de warmte van de zomer, de stemmen en het tumult van de andere zwemmers. Ik miste Grace en het kind dat ik zelf geweest was, het kind dat door de lucht in het water was gesprongen. Maar ik moest me losmaken van het beeld van Simon die op de rand van de rots stond, zijn zwembroek laag om zijn heupen en zijn huid glinsterend van het water. Simon die riep: 'Mam, kijk eens wat Clea al kan!'

Ik reed naar huis onder een grijs, laag wolkendek. De sneeuwvlokken dansten bij de voorruit vandaan alsof ze zich nog te licht voelden voor een landing.

HOOFDSTUK 23

Ozzie Kline

Soms, in een bepaald licht, draaide Malaak haar hoofd op zo'n manier dat ik even dacht dat ze Zad was. De uitdrukking was hetzelfde, net als de kleur, en als ik de stal binnenkwam had ik het vreemde gevoel dat alles een droom was geweest en dat ik nog steeds kon herstellen wat er fout was gegaan. Dat ik Zad en Simon nog in leven zou kunnen houden en Nora zou kunnen beschermen zonder weer verliefd te worden zonder enige hoop.

Maar Malaak was niet Zad. Ze was kleiner en lichter, met andere proporties, en haar ogen stonden verder uit elkaar. Ze hield haar hoofd scheef en danste schuin opzij als ze opgewonden was. Ze had een minder gelijkmatig humeur, het ene moment wild en agressief, dan weer verlegen, als ze zich achter me verschool alsof ze bang was voor de andere paarden.

Mensen die dieren niet kennen, denken dat ze er allemaal hetzelfde uitzien. Toen ik een kind was, hadden we twee katten, allebei cypers, en mijn vader vroeg altijd hoe ik ze uit elkaar kon houden. 'Om te beginnen is die grijze groter dan de bruine', zei ik tegen hem. De meeste jongens in mijn peloton dachten ook dat alle nazi's er hetzelfde uitzagen, hoewel ik in detail de gezichten kon beschrijven van de Duitsers die ik van dichtbij had gezien en gedood.

En omdat ik die verschillen zag, was ik zo verbonden met Nora op een manier die me helemaal niet beviel. Ik wist hoe ze

291

zich bewoog en hoe haar gezicht stond. Ik had haar te goed bekeken en te scherp naar haar geluisterd. Haar herinneringen waren net zo levendig en vast in me verankerd als mijn eigen herinneringen, waar ze ook al zo'n belangrijke rol in speelde. Als ik haar werkelijk hardhandig uit mijn leven zou verbannen, zou ik daarmee ook een deel van mezelf afstoten.

En dat wilde ik niet. Dat was net zoiets als die jongens die zichzelf in hun voet schoten om van het front naar huis te worden gestuurd. Daarom bleef ik zoveel mogelijk uit haar buurt. Als ze van Neal Mahler wilde scheiden, moest ze dat zelf maar doen. Zolang en tot die tijd was ik gewoon haar paardenknecht en praatten we alleen over zakelijke dingen. Maar soms deed ze toch een beroep op me en móest ik haar wel eerlijk antwoord geven.

Toen ik de vorige week het pad afreed, stond ze op het erf tussen het huis en de stal en draaide ze langzaam om haar as. Zodra ze de auto hoorde, sloeg ze haar armen om zich heen. Ik stapte uit en ze lachte over haar schouder tegen me.

'Kijk, Oz', zei ze, 'je kan zien waar de windt eindigt.'

Ik had geen idee wat ze bedoelde en had ook geen zin om erover na te denken, maar ze riep me opnieuw.

'Kijk, daar gaat hij weer. Je kunt de randen zien.'

Ik dacht dat ze een tik van de molen had gekregen, maar bleef toch staan en keek waar ze wees. De bladeren van de moerbeiboom boven haar hoofd hingen stil, maar de boomtoppen aan de rand van de heuvel begonnen om de beurt te zwiepen als de vreemde wind erlangs streek en vervolgens de bomen aan de andere kant van het huis bereikte. Zo draaide hij rond tot hij weer bij de eerste bomen kwam en de cirkel voltooide, met een geluid als van een ruisende branding.

Ik draaide met haar mee om de bomen te zien bewegen. Ze bleef over haar schouder naar me lachen.

'Toen ik een kind was', zei ik, zonder te weten waar die gedachte opeens vandaan kwam, 'was ik een keer buiten aan het spelen toen het begon te regenen. De ene helft van de stoep werd nat en de andere niet.'

'Ja, dat heb ik ook eens meegemaakt', zei ze en ze stak haar hand naar me uit. 'Alsof je precies onder de rand van de regenwolk staat.'

Heel even voelde ik me weer met Nora verbonden op zo'n vreemde, krankzinnige manier. Omdat ons dezelfde dingen opvielen en we plezier hadden in onnozele ontdekkingen. Ik schaamde me dood. Daar stond ik dan, in de wind, terwijl we ronddraaiden als twee kinderen die zichzelf zo duizelig probeerden te maken dat ze omvielen. En ik was kwaad op mezelf dat ze me toch weer had meegelokt in een spelletje dat ik niet meer wilde spelen.

Toen ik zei dat ik naar binnen ging om koffie te drinken, stak ze haar handen diep in de zakken van haar jas en trok haar schouders op.

'Ozzie?' zei ze.

'Ja?'

'Ik kan er niet tegen als je akelig tegen me doet.'

'Waar heb je het over?'

'Dat verwachtte ik wel van Neal en ik ben er zelfs aan gewend geraakt. Maar bij jou kan ik er niet tegen.'

'Waarom kon je er bij hem wel tegen en bij mij niet?'

Ze haalde haar schouders op.

'Bij jou ligt het gewoon anders, dat is alles.'

Ik wilde haar zeggen dat dat voor mij ook gold, maar toen bedacht ik hoe diep dat bij me zat en hoe kwetsbaar ik me zou maken als ik haar dat vertelde.

'Ik zei dat ik koffie ging drinken, oké?'

Ze hield haar hoofd schuin en ik dacht even dat ze zou gaan huilen, maar toch draaide ik me om. Ik had werk te doen. Dat was het enige wat ik haar had beloofd.

Ik liet de koffie maar zitten, legde Malaak een halster om en nam haar mee naar de bak, niet alleen voor een paar rondjes, maar ook om mezelf tijd te geven om na te denken. Het veulen was onhandelbaar en hing tegen me aan zoals een hond je kan laten struikelen als hij niet weet wat 'Naast!' betekent. Maar op een bepaalde manier was het ook wel prettig om haar gewicht tegen me aan te voelen.

Mevrouw Bader had me gewaarschuwd dat ze me zou uitproberen om mijn zwakke plekken te vinden.

'Je moet een Jakob zijn om met deze engel te kunnen worstelen.'

Toen ik haar met twee handen een flinke zet gaf, keek Malaak me van opzij verwijtend aan.

'Gedraag je een beetje, verdorie, anders krijgen we dit gedonder elke dag.'

We bleven staan. Het enige wat bewoog waren haar oren die zich naar voren draaiden. Het was zo stil dat ik mijn hart hoorde bonzen. Ik had mijn hand om haar neus gelegd en voelde haar warme adem op mijn vingers.

'Vooruit, dame. Doe niet zo moeilijk.' Ik legde mijn armen over haar rug en leunde met mijn gewicht tegen haar aàn, zodat ze me goed leerde voelen en kennen. Terwijl ik zo stond, vroeg ik me af of Nora en ik ooit ook op die manier aan elkaar zouden kunnen wennen.

Toen ik het huis binnenkwam voor het avondeten, keken Nora en Maggie even op maar gingen weer verder met hun gesprek. Ik waste mijn handen en zag de zeep grijs worden van het vuil.

'Jij doet alsof dit allemaal niet gebeurt', hoorde ik Maggie zeggen. 'Je bent nog erger dan een hele familie struisvogels.'

'Wat een onzin', zei Nora.

'Bij jou is het altijd *mañana*.'

Nora haalde haar schouders op. 'Ik ben er nog niet aan toe.'

'Je kunt je niet eeuwig blijven verstoppen.'

'Ik verstop me niet.'

'Zeg jij eens wat, Ozzie. Ik schijn niet tot haar door te dringen. Ze moet met een advocaat gaan praten om de alimentatie te regelen en Clea terug te krijgen.'

'Ze wil niet mee.'

'O jawel, als ze maar niet de herinnering aan haar vader hoeft te trotseren.'

Ik droogde langzaam mijn handen en peuterde met mijn ene nagel het vuil onder een andere vandaan. Ik wilde zeggen dat ik alleen maar de paardenknecht was en dat ik niets te maken had met Neal Mahlers huwelijk of wat dan ook, behalve de paarden in de stal. Maggie sloeg met haar vlakke hand op de tafel en stond op om in een pan hachee op het gas te roeren. Ze smeerde een paar boterhammen, legde die op de borden, schepte de hachee er overheen en zette ze op tafel.

'Weet je', zei ze toen ze ging zitten en haar servet openvouwde op haar schoot, 'het volgende dat je kwijtraakt is dat paard.'

'Nee', zei Nora.

'Ja', zei Maggie. 'O jawel.'

We aten in stilte. Nora roerde in de hachee alsof ze er een gouden ring in was verloren en Maggie sloeg bij iedere hap met haar lepel tegen haar bord. Een winterkeuken met zwarte ramen en kamers die in het niets verdwenen buiten de cirkel van het licht. Ik nam nog een stuk brood om de hachee mee op te deppen, met de laatste blauwe uienringen op mijn bord.

'Waarom ga je niet weer op reis?' vroeg Nora ten slotte.

'Waar moet ik heen zonder geld?' vroeg Maggie.

'Wat zou je leuk vinden?'

'De andere kant van de wereld. Ik zou graag een schop pakken en in dat perk met zinnia's gaan graven om te zien of je werkelijk in China uitkomt. Ik zou willen spitten, spitten en spitten tot ik alles was vergeten tegen de tijd dat ik daar aangekomen was.'

Toen stond ze op, zette haar bord met een klap op het aanrecht en liep de keuken uit. Nora en ik hoorden haar boven stommelen. Haar voetstappen, een deur die dichtsloeg en het bed dat kraakte. Ik kwam overeind en ruimde de tafel af. Met mijn rug naar Nora begin ik aan de afwas.

'Wat moet ik doen, Oz?'

'Wat wil je zelf?'

'Ik wou dat dit achter de rug was. Dat ik hier pas hoefde terug te komen als alles voorbij was.'

Ik hield de pan onder de kraan, twee keer zo lang als nodig was om hem af te wassen.

'Weet je wat ik tegen nieuwe kerels zei die als vervanging naar het front werden gestuurd? Dat we allemaal twee drijfveren hebben: wat we willen en waar we bang voor zijn. Eigenlijk

295

kun je beter doen wat je wilt, maar in de praktijk laten we ons meestal leiden door onze angst. In een veldslag wilde ik altijd ergens anders heen, maar ik was banger om laf te zijn dan om te sneuvelen, dus deed ik wat me werd opgedragen. Dat werkte, en meer kun je niet verwachten als dat de mogelijkheden zijn.'

'Vind je dat ik naar Chicago moet verhuizen?' vroeg ze.

'Ik heb daar geen mening over, Nora.'

Ik zette de pan omgekeerd in het afdruiprek en liep de keuken uit zonder de rest van de afwas te doen. Toen ik het erf overstak, was ik blij met de snerpend koude wind, waardoor mijn ballen zich in mijn onderbuik terugtrokken. Blij met het ongemak dat me eraan herinnerde hoe de wereld werkelijk in elkaar zat.

Ik rommelde wat in de stal, hing zadels recht die al recht hingen en leunde ten slotte tegen Malaaks box om naar haar te kijken. Nora kwam binnen met een vlaag koude lucht. Ze kruiste haar armen over de deur van de box en steunde haar kin erop. Haar zilvergouden haar viel over de mouwen van haar jas. Ze stond stil als een kind en staarde me zo lang aan dat ik mijn ogen neersloeg en weer naar het paard keek.

'Wat ik wil', zei ze eindelijk, 'is dat wij hier altijd kunnen blijven wonen, met Clea en Maggie, als ze wil, en dat we Malaaks kinderen in de wei zullen zien lopen en dat jij elke nacht met je arm om me heen zult slapen. Dat is alles. Ik weet alleen niet of dat kan, of hoe ik dat zou moeten bereiken.'

Er viel een schaduw diagonaal over haar gezicht, waardoor de ene helft donker was en de andere helft rozerood, met één schitterend blauwgroen oog.

'Je wilt me alleen als een geschikte plaatsvervanger voor Neal', zei ik.

'Oz', zei ze, 'je bent de meest ongeschikte man die ik ken. Je kunt me niet onderhouden, je wilt niet voor me vechten, en als het echt moeilijk wordt, neem je onverwachts de benen. Maar je bent wel de enige bij wie ik mezelf kan zijn.'

'We zijn altijd onszelf bij elkaar. Meestal een beetje te veel.'

Ze verplaatste haar gewicht naar haar andere voet. Malaak

ook, alsof ze Nora nadeed. Haar hoeven sloegen als houten klokken tegen de vloer van de box en ze zwaaide drie keer met haar staart.

'Nee', zei Nora.

'Wat nee?'

'Ik kan het niet goed uitleggen. Bij jou voel ik me van binnen opengaan en groter worden. Bij Neal voel ik me juist krimpen.'

'Je bent gek', zei ik, omdat ik niet wilde horen wat ze tegen me zei.

Ze schudde even met haar hoofd, alsof ze gestoken was, maar toen rechtte ze haar rug en stak haar vuisten diep in haar zakken.

'Ik was opzettelijk vergeten hoe anders ik was met jou. Nu weet ik dat weer. En ik weet ook hoe ik je heb gemist.'

'We zijn allemaal hetzelfde', zei ik tegen haar.

'Nee!' zei ze, veel heftiger nu.

'Je bent gek', zei ik nog eens en liep haastig naar de pick-up. De motor sloeg niet meteen aan en ik was bang dat ze achter me aan zou komen en haar handen plat tegen de voorruit zou drukken. Ik schaamde me een beetje dat ik haar 'gek' had genoemd, maar ik had de ruimte nodig die dat woord tussen ons schiep.

Maar toen ik het pad afreed en de afstand snel groter werd, voelde ik een steek in mijn hart omdat ze niet achter me aan rende en zelfs niet in de deuropening van de stal kwam staan om me na te kijken.

Die nacht kon ik niet slapen. Windvlagen loeiden onder de vloer van de stacaravan door, alsof ze hem omver wilden werpen. Alle ramen tochtten en het wrakke ding stond te schudden in de storm. Ik lag op mijn rug met de dekens tot aan mijn kin, als een sardientje in blik. Ik probeerde nergens aan te denken en de klok te negeren, omdat ik wist dat ik de volgende morgen geen stuiver waard zou zijn. Maar steeds hoorde ik Nora's woorden weer. *Ik wil...* Ze wíst helemaal niet wat ze wilde, behalve een soort sprookje dat ze had verzonnen om niet te hoeven bedenken wat ze met Neal moest doen.

297

Die truc kende ik toch ook? Twintig jaar lang had ik geteerd op mijn herinneringen aan haar en met haar naakte geest in mijn armen geslapen. Als ik eenzaam was, stelde ik me voor dat we samen waren – dat ze vroeg hoe mijn dag was geweest, dat ze haar armen om mijn hals sloeg en tegenover me aan tafel zat en antwoord gaf op wat ik zei. De Nora uit mijn dromen, de denkbeeldige vrouw met wie ik mijn leven deelde, had een heel eigen karakter gekregen. Maar ze was slechts een truc van de wind om me gezelschap te houden. Ze had even weinig te maken met mij en met de werkelijke Nora, met liefde en samenzijn, als een spiegelbeeld met degene die voor de spiegel staat.

Uit ervaring wist ik wat Nora's blinde vlekken waren. En hoe gemakkelijk het was om een ideale verhouding te hebben met een spiegelbeeld. Hoeveel fouten je maakte en hoeveel verdriet je aanrichtte als je met een vrouw hetzelfde probeerde.

Ik stapte uit bed, stak een sigaret op en bleef op blote voeten in de deuropening staan. Ik kreeg kippenvel van de kou en de wind blies de rook in mijn gezicht. De eerste sneeuwvlokken daalden neer in steeds strakkere spiralen, zoals een groep vogels soms lijkt neer te storten en dan weer opstijgt in een nieuwe vlucht. Ik had gelijk, dat wist ik. Hoe we ook naar elkaar verlangden, ik zou het met haar niet beter doen – en misschien zelfs slechter – dan met anderen van wie ik lang zoveel niet had gehouden.

Toen mijn voeten zo koud waren dat ik de botten kon voelen, deed ik de deur dicht en trok twee paar sokken en een dikke ochtendjas aan. Daarna bleef ik nog een tijdje voor het raam van de deur staan en keek hoe het eerste witte laagje zich vormde in de kuilen en tussen de groeven in de bast van de bomen. Ik scheen de laatste mens te zijn die nog wakker was in de storm, en nu pas leek het veilig om zonder tegenwerpingen toe te geven hoe ik van Nora hield en hoe eenzaam ik was zonder haar. Dat besef sloeg me in het gezicht als een stormvlaag, zo hevig dat ik naar adem snakte. Langer dan een seconde hield ik het niet vol.

De volgende morgen was aan Nora niet te merken hoe ze de

vorige avond haar hart had uitgestort. Ze kwam de stal in met een lijstje voorraden die ze in de stad ging halen en vroeg me of ik nog iets nodig had. Ze hield het lijstje met twee vingers omhoog zodat ik het kon lezen. Het trilde nogal, maar ik pakte het niet van haar aan. Daarna vertrok ze in Maggies Ford. De sneeuw was nog half bevroren en dwarrelde nauwelijks op achter de wielen.

Een paar minuten later verscheen Maggie. Ze stampte met haar voeten en sloeg met haar armen om warm te worden. Toen bestudeerde ze haar witte adem, alsof ze niet kon geloven dat die uit haar eigen mond kwam.

'Hoe hou je het hier uit?' vroeg ze.

'Je went eraan', antwoordde ik.

'Het is hier kouder dat een heksentiet.'

Ze bleef achter de deur staan, met haar armen over elkaar geslagen.

'Wat is er gisteravond tussen jullie gebeurd?'

'Gebeurd?' vroeg ik. 'Niets.'

'Wat heb je in vredesnaam tegen haar gezegd dat ze er zo vreselijk om moest huilen?'

'Nora huilt niet.'

'O nee? Dat dacht je.'

Ik haalde het zwarte veulen uit haar box om haar te borstelen en Maggie slaakte een vermoeide zucht die als damp om haar heen bleef hangen.

'Hou je niet van haar?' vroeg ze. 'Ik dacht van wel. Als je zelf eens iets zou doen, zou zij misschien ook in beweging komen.'

'Bemoei je er niet mee.'

Ze deed een stap naar me toe.

'Dat heb ik geprobeerd. Maar als ik me er niet mee bemoei, zie ik dat Nora en Neal en Clea en jij elkaar de grootste ellende aandoen.'

Ze haalde diep adem en haar stem klonk geknepen, alsof ze op het punt stond in huilen uit te barsten.

'We hebben harde lessen geleerd sinds april, Ozzie Kline. En ik maakte de misère nog groter door niet in te grijpen, omdat ik dacht dat iedereen wel wist wat hij deed. Dat heb ik mijn

299

hele leven gedacht, maar dat gaat nu veranderen.'

Ik gaf geen antwoord. Ze sloeg met haar hand tegen haar been.

'Je bent niet wijs, Ozzie Kline. Of je liegt, of je bent een lafaard of gewoon doof, stom en blind.'

'Waarschijnlijk een beetje van alles', zei ik, terwijl ik de roskam over de rug van het veulen haalde en het resultaat bekeek. Ten slotte stampte ze met haar voet en verdween. Ze liet de deur open staan en ik moest achter haar aan lopen om hem dicht te doen. Waarom bemoeide ze zich niet met haar eigen zaken? Twintig jaar geleden was zíj doof, stom en blind geweest, omdat ze geen ruzie wilde met Frank Rhymer. Toen had ze Nora en mij nog kunnen helpen, maar nu was het te laat. Nee, dank u.

Maar toen Nora terugkwam en ik haar hielp met het uitladen van de zakken haver en de blokken zout, hield ik haar onwillekeurig toch uit een ooghoek in de gaten. Ze had een rode neus en rode wangen van de kou. Ik wilde mijn handschoen uittrekken om haar huid te strelen. Zo dicht bij haar zijn dat we elkaars warmte konden voelen.

Ik miste de manier waarop we elkaar altijd hadden aangeraakt. Niet alleen als we vreeën, maar ook als ze dicht bij me zat en haar hand op mijn dijbeen had, haar vingers door de mijne strengelde of gewoon tegen me aan leunde. Ik vond het fijn om mijn arm over haar schouder te leggen, haar nek te masseren of gewoon naar haar te kijken vanaf de andere kant van de kamer. Alsof ik haar altijd bij me had. Nu ik bewust afstand van haar nam, voelde ik me gestraft en tekortgedaan. Ik vervloekte Maggie omdat ze me een schuldgevoel had opgedrongen over wat er de vorige avond was gebeurd – me de waarheid in mijn gezicht geslingerd had, want dat kon ik niet ontkennen.

Nora sprong uit de laadbak en liep naar de stal alsof ik niet bestond. Ze wankelde half onder het gewicht van de haver, en de sneeuw knerpte onder haar ongelijke stappen. Maar toen ik de zak van haar wilde overnemen, draaide ze me haar schouder toe en liep door. Ieder geluid klonk als brekende takken.

De wind schuurde mijn longen en het was koud. Als de rest van mijn leven er zo uit zou zien, hoefde het voor mij niet meer.

Toen Nora weer naar buiten kwam voor de volgende zak, keek ze op. Haar ogen traanden van de kou.

'Ben je in staking?' vroeg ze.

'Ik rust even uit', zei ik.

'Ik wil liever opschieten, dan kunnen we de warmte opzoeken.'

'Ik doe de rest wel.'

'Alleen je eigen deel, oké?'

Ik slingerde een zak van de truck en droeg hem te snel naar binnen. Ik kon er niets aan doen.

Toen alles was uitgeladen, stonden we even op adem te komen bij de stapel. Ik zweette van de inspanning en knoopte mijn jack los. Ik stak een sigaret op en bood haar er ook een aan. We leunden tegen de zakken en staarden naar de rook die voor ons uit kringelde, nauwelijks te onderscheiden van onze adem.

Ik voelde haar kilte al van een halve meter afstand, net als het metaal van de truck. Op dat moment dacht ik dat het voorgoed afgelopen was tussen ons, en nog nooit was ik zo bang geweest.

Ik hoorde Maggies woorden weer. Ik vroeg me af of er werkelijk een kans was en of ik verstandig genoeg zou zijn om er iets van te maken.

'Ben je kwaad op me?' vroeg ik.

'Waarom zou ik kwaad zijn?' zei ze.

'Waarom doe je dan zo?'

Ze trok een wenkbrauw op en keek me vragend aan. 'Dat heb ik van jou geleerd.'

'Ik vind het niet leuk.'

'Ik ook niet.'

Ik ademde met kleine schokjes uit, totdat ik zeker wist dat het lucht was en geen rook.

'Wat had je dan gedacht?' vroeg ik. 'Eerst doe je net als vroeger, dan begin je te jammeren dat je nog getrouwd bent en ten slotte zeg je dat je elke nacht met mijn arm om je heen wilt slapen. Wat moet ik daar nou van denken, in vredesnaam?'

Ze drukte de peuk uit onder haar hak.

'Ik ben gewoon bang.' Ze sloeg haar armen over elkaar en leunde weer tegen de zakken. 'En ik ben kwaad op mezelf omdat ik zo'n lafaard ben.'

Ik ontweek haar blik, beschaamd dat ik een nog grotere lafaard was. We staarden door de open deur naar de heuvel.

'En als je nou niet alleen was?' Ik kon de woorden bijna niet over mijn lippen krijgen.

Ze tilde snel haar hoofd op en keek naar me uit haar ooghoek. 'Wat bedoel je?'

'Precies wat ik zeg.'

'Je bedoelt als wij samen zouden zijn?'

Maar ik kon niet verdergaan, omdat Nora nu echt naast me stond, heel anders dan de Nora uit mijn dromen, die me nooit vroeg om iets uit te leggen of iets te doen. Toch had ik nu een voorstel gedaan, min of meer. In plaats van bang te zijn dat het allemaal maar spel was, vreesde ik nu dat het dat níet zou zijn.

'Denk er maar over na', zei ik, 'dan praten we er morgen nog wel over.'

Haastig draaide ik me om en liep naar mijn pick-up. Ik hoorde haar nog roepen: 'Verdomme, Ozzie, *waar* moet ik dan over nadenken?'

Toen ik terugreed naar de stacaravan, half slippend door de sneeuw, herhaalde ik steeds bij mezelf dat we eindelijk samen konden zijn, dat het deze keer moest lukken. Maar weer lag ik de hele nacht wakker, zo rusteloos dat ik drie keer opstond om de deken op te rapen die ik van het bed had geschopt. Ik probeerde te bedenken hoe ik voor haar zou moeten zorgen. Hoe we genoeg geld konden verdienen om te overleven. Zelfs als ik even in slaap viel, lag ik zo te woelen dat ik in de lakens verstrikt raakte als in een spinnenweb en droomde ik dat ze teleurgesteld naar me toe kwam omdat ik zelfs in de simpelste dingen nog tekortschoot.

Maar ik droomde ook dat ik Nora in mijn armen hield, met haar huid tegen de mijne, en dat we elkaar overal konden aanraken, wanneer en waar we ook wilden, en dat niets ons nog tegenhield, zelfs ons eigen lichaam niet, om volledig in elkaar op te gaan.

Nu waren het niet de oude fantasieën die me jarenlang hadden herinnerd aan het moment dat ik zo dicht bij het geluk was geweest. Nu was het de blije maar toch ook angstige verwachting om werkelijk met haar samen te zijn.

HOOFDSTUK 24

Nora
Mahler

De hele avond bleef ik rusteloos. Ik vroeg me af of Ozzie werkelijk had bedoeld wat ik dacht dat hij bedoelde. Ik kon bijna niet geloven dat we voor het eerst in ons leven op hetzelfde moment tot dezelfde vraag waren gekomen. Ik viel half in slaap maar schrok kort na middernacht weer wakker. Ik ijsbeerde door het huis, net als toen ik zwanger was geweest van Simon en ik de eerste pijn van de weeën had gevoeld, laag en zwaar in mijn rug. Ik had Neal wakker gemaakt, die zei dat ik hem maar moest waarschuwen als ik klaar was om naar het ziekenhuis te gaan. Maar ik voelde me te ongemakkelijk om te gaan liggen, dus liep ik alle kamers door, met de gedachte dat ik binnenkort moeder zou zijn, met een nieuw leven in mijn armen.

Ik had het heerlijk gevonden om Simon te voeden en te wiegen, alleen wij tweetjes in de nacht. Die herinnering riep een diep verlangen in me wakker. De pijn van het gemis was zo hevig dat ik bijna dubbelklapte. En daarna werd ik misselijk van angst. Ik kleedde me aan, met alles wat ik zo gauw in het donker kon vinden – hemden en sweaters – en ging naar buiten. Het kostte me drie pogingen om de oude motor aan de praat te krijgen, maar even later reed ik over de verlaten wegen. Ik durfde niet te bedenken waar ik naartoe ging, maar toch reed ik erheen, als een schicht.

Ik stopte bij het kerkhof, stapte over de ketting van de ingang en liep langs de grafstenen, die wit oplichtten als de maan even achter de jagende wolken te voorschijn kwam. Ik was er niet meer geweest sinds Simons begrafenis en kon zijn graf eerst niet eens vinden. De namen die ik in het voorbijgaan las, waren vertrouwd: de ouders en grootouders van schoolvrienden en -vriendinnetjes, jongens die in de oorlog waren gesneuveld, baby's van een dag oud en een kind van elf dat de vorige zomer aan polio was overleden.

Ik herkende de familieleden aan moeders- en vaderskant van de mensen uit de buurt. Volgens het plaatselijke gebruik werd de vrouw soms nog met haar meisjesnaam aangeduid, zoals Maggie een Hartson was geweest en ik een Rhymer. Ik dacht aan die hele stad onder mijn voeten, niet ergens in de hemel boven ons, maar in kisten in de aarde. Voorzichtig liep ik over de smalle paadjes tussen de grafheuveltjes door en bijna miste ik de steen met de naam *Simon Mahler*.

Ik kon het haast niet geloven dat Simon hier lag. Het graf was te stil, te rustig en te klein. Ik knielde en traceerde de data met mijn vingers. Door ze aan te raken hoopte ik het beter te begrijpen. Ik legde mijn handen plat tegen de grond, onder de sneeuw, alsof ik zijn vorm zou kunnen voelen door de aarde heen. Ik praatte tegen hem, of dat deel van hem dat hier nog lag, en zei hem hoe ik hem miste, hoewel ik niet wist of ik tegen de hemel, de aarde of een ruimte in mezelf moest spreken. Toen begon ik te huilen omdat ik hem niet bij me had kunnen houden.

Ik bleef totdat de hemel licht werd en ik zo verdoofd was door de kou dat ik nauwelijks meer kon staan. Ik begreep niet beter waarom hij was gestorven of hoe ik daar minder verdrietig om kon zijn. Alleen dat er niets te doen was aan zijn dood en dat ik sindsdien ook niets meer had gedaan.

Tegen de tijd dat ik thuiskwam was ik daar nog steeds woedend over. Oz was in de bak met Malaak. Hij stond met zijn arm over haar rug en zag me aankomen.

'Waar ben jij zo vroeg geweest?'

'Weg.'

Hij haalde zijn schouders op en tilde het zadel van de bovenste rail van het hek.

'Wil jij vandaag op haar rijden?' vroeg hij. 'Ik geloof dat ze er klaar voor is.'

'Vanochtend?'

'Ja, waarom niet?' Hij maakte de singel vast en Malaak schraapte met haar hoeven in de sneeuw. Ik kwam dichterbij en hij stak me de teugels toe.

'Doe jij het maar', zei ik, er nu van overtuigd dat ik zijn vraag van de vorige avond verkeerd begrepen had en dat hij het over Malaak had gehad.

'Waarom? Ze is jouw paard.'

'Ons paard', zei ik. Opeens voelde ik de gemeenschappelijke band met het paard tussen ons en was ik verdrietig dat hij en ik, ook al hadden we afstand genomen, in veel opzichten nog zo dicht bij elkaar stonden, wat ik met Neal nooit had gehad.

'Vooruit, Nora', grijnsde hij en gooide me de teugels toe, zodat ik ze in een reflex opving. 'Waar wacht je nou op, verdomme?'

Ik haalde mijn schouders op. Hij kortte de stijgbeugels in, waarbij zijn armen en borst langs mijn benen streken, en trok ruw aan de hak van mijn laars om hem goed te krijgen.

'Oz', zei ik, terwijl hij zijn hand langs de hele teugel liet glijden om te controleren dat hij nergens in de knoop zat, 'over gisteravond?'

'Eerst dit.' Hij gaf Malaak een klapje op haar flank. 'Veel plezier.'

In het begin was ik nog wat wazig van vermoeidheid en duizelig omdat ik opeens zo hoog boven de wei zat, die onder ons voorbij gleed met de plukjes gras die door de sneeuw heen staken. Ik deed het heel rustig aan, deze eerste keer dat we ons samen buiten de bak waagden, maar toen ik haar ritme eenmaal te pakken had, vergat ik alles behalve de rit. Ze reageerde snel op wat ik haar vroeg en was zo gretig dat ik nauwelijks de snelheid en richting hoefde aan te geven voordat ze het al begreep. Ik doorliep de gangen en bracht haar toen in galop. Met haar manen wapperend tegen mijn handen zag ik tussen haar oren de grond onder me voorbij suizen en hoorde ik weer Maggies woorden: *Wat wil je verder nog kwijtraken?* En ik wist dat ik dit nooit zou kunnen opgeven.

Toen Oz haar teugels greep en ik me van het paard liet glijden, had ik het liefst mijn armen om zijn hals geslagen om hem te bedanken dat hij me dit gegeven had – haar voor me had gevonden, haar zo goed had getraind en al die tijd bij me was gebleven.

'Nou?' vroeg hij.

Ik grijnsde van oor tot oor en hield nog steeds haar manen vast. Hij liep om haar heen, prutste aan het hoofdstel, keek me over haar rug doordringend aan en schuifelde met zijn voeten.

'Je weet niet hoe ik ben. Hoe het met mij zou zijn', zei hij.

'Ik ben al met je.'

'We hebben dit wel goed gedaan, samen. Vind je niet?' Hij knikte naar het paard.

Alle kracht die ik had gevoeld toen ik terugreed van het kerkhof, kwam weer bij me boven. Hoewel er dingen waren die buiten mijn macht lagen, had ik er genoeg van om alles willoos te laten gebeuren, met onnozele excuses, door laksheid en stompzinnigheid. Had ik er genoeg van om vanuit mijn angst te handelen en niet omdat ik het wilde.

'Ja', zei ik. 'Ja, dit hebben we zelfs heel goed gedaan.'

Hij keek me onderzoekend aan, alsof hij probeerde te bepalen of ik wel de hele waarheid zei.

'Ik heb nog wat te regelen', zei ik opeens. 'Wacht je tot ik terug ben?'

Ik draaide me om en ging terug naar het huis. Maggie zat de ochtendkrant te lezen en keek op toen ik binnenkwam, maar ik liep naar de telefoon in de gang. Toen Neal opnam, haalde ik diep adem.

'Je kunt doen wat je wilt en deze ellendige toestand zo lang rekken als je kunt, maar zodra het kantoor van mijn advocaat vanochtend opengaat, dien ik officieel een eis tot echtscheiding in.'

'Nora', zei hij, 'begin je nou weer?'

Ik hing op en liep de trap op. In mijn kamer bleef ik op de rand van mijn bed zitten, trillend als een dier dat te lang in de kou en de regen heeft gelopen. Maar op de een of andere manier voelde dit toch beter, deze pijn die ergens toe zou leiden, in plaats van die vicieuze cirkel van de afgelopen tijd. Veel beter, ook al was ik er nog lang niet klaar mee en had ik geen idee wat voor trucs Neal nog uit zijn hoge hoed zou toveren. Om tien uur stond ik bij mijn advocaat op de stoep en om elf uur was ik klaar. Daarna belde ik Clea's school en zei tegen de directeur dat het een noodgeval was en dat ik haar moest spreken. Buiten adem kwam ze aan de telefoon.

'Wat is er gebeurd? Is er iemand dood?'

'Nee, integendeel. Ik wil dat je deze zomer naar huis komt.'

Het bleef een hele tijd stil.

'Waarom bel je daar nu over?'

'Wil jij het ook? Ik zal alles regelen en je kunt je vader zien wanneer je maar wilt, maar ik vraag je om terug te komen.'

Ze gaf geen antwoord.

'Clea? Ik mis je.'

Ze schraapte haar keel. 'Ik jou ook.'

'Is het oké? Of wil je meer tijd om na te denken?'

'Nee. Het is wel goed, geloof ik.'

Daarna liep ik naar de stal. Oz was bezig een box uit te mesten. Hij richtte zich op, hield zijn hoofd schuin en keek me scherp aan.

'Neem je me mee naar St. Louis voor een film en een etentje?'

'Alles goed?'

'Ik wil er alleen even uit', zei ik.

'Ik ook', zei hij.

Om vier uur stapte hij de keuken binnen, glad geschoren en met een luchtje van Old Spice. Toen we de Missouri overstaken en over Rock Road reden, praatte hij honderduit. Hij vertelde me dat Malaak liever een wortel uit zijn achterzak stal dan er een uit zijn hand te eten en hem in zijn billen beet als hij geen wortel bij zich had. Dat ze haar hoofd boog als de paarden van Delacroix, met hun sjeiks in rode gewaden. Dat ze hem overal volgde en zijn vingers likte als hij bleef staan om haar te aaien.

Hij praatte meer dan de afgelopen zes weken bij elkaar. We volgden dezelfde route als Neal toen hij me naar Arsenal Street had gebracht, langs de winkels, de parkeerterreinen, de banken en de restaurants die ik nu pas duidelijk zag, alsof die dag in juni was blijven steken in de tijd en had gewacht tot ik weer zou terugkomen. Toen we langs de wasserette reden waar hij was gestopt omdat hij dacht dat ik moest kotsen, verwachtte ik bijna dezelfde vrouw te zien die met haar was sleepte en haar kinderen sloeg, in een eeuwige, afmattende strijd. In plaats daarvan zaten er twee oudere vrouwen op klapstoeltjes, met krulspelden in hun haar, tegenover hun wasgoed dat vredig achter de ruiten van de wasdrogers draaide.

Maar ik herinnerde me die rit met Neal precies, alsof hij naast me in de andere baan reed en ik half tegen het portier leunde. Ik zat doodstil, bang dat die herinnering op de een of andere manier de nieuwe, tedere Nora zou kunnen vergiftigen. Ik had een gevoel alsof mijn huid als doek over een skelet van balsahout was gespannen. Ik wreef over mijn handen en traceerde de omtrekken, zoals kinderen dat doen op papier.

Ik was me ook bewust van Oz, als van het trillen van de motor. Hij keek steeds opzij, maar ik tuurde voor me uit totdat mijn ogen pijn deden van het staren naar het asfalt dat onder de motorkap verdween. Toen hij vlak bij het Fox Theater parkeerde, vroeg hij nog eens: 'Gaat het?'

'Ik geloof het wel.'

Hij hielp me over de sneeuwhopen op de stoep en ik keek naar onze weerspiegeling in een etalage met piramiden van chocolaatjes op kransjes van wit papier. De avondschemer was blauwgekleurd. De schaduwen, de hemel, de lucht, alles was blauw en ik had het gevoel dat ik plotseling wakker was geworden in deze straat, zonder enig idee hoe ik hier gekomen was.

'Toe nou, wat is er gebeurd?' vroeg hij. 'Je bent anders.'

Dat hij dat had gemerkt was net zo vreemd als dat de sneeuw een neonschijnsel verspreidde op plaatsen waar de straatlantaarns ontbraken, met dezelfde griezelige glinstering als van rozenkransen of kruisen die opgloeiden in het donker. Een blauw licht. Prachtig blauw, nu Oz naast me liep.

Hij pakte mijn arm, niet zoals Neal – die meestal mijn elleboog greep als het roer van een boot – maar met een lichte druk om me niet kwijt te raken. De gebouwen, de straatlantaarns, de voorbijgangers, de auto's en de straat die zich naar de horizon uitstrekte, overweldigden me alsof ik de afgelopen maanden de wetten van diepte en volume was vergeten. Ik stak mijn handen in de mouwen van mijn jas om de ronding van mijn armen te voelen, en leunde tegen hem aan.

Terwijl Oz de kaartjes kocht, keek ik omhoog naar de kale lampjes van het markies, en toen weer de straat door, zodat het leek alsof ze boven Grand Avenue zweefden. Ik kon mijn ogen niet afhouden van alles wat ik zo lang had gemist. De koplampen van de auto's die als ogen op me toekwamen, de lichten in de kamers boven de winkels, het heldere schijnsel van etalages en kantoren. Stelletjes die de straat door liepen, de mannen met hoeden schuin op het hoofd en wapperende jassen over donkere wollen vesten, de vrouwen in korte hoekige bontjassen. Een blinde die potloden verkocht, twee armoedige zwervers, een winkelmeisje met te veel rouge. Hun bewegingen, in scherp contrast met het immense blauw dat over al die drukte heen lag.

Ik voelde een steek in mijn hart dat dit de eerste winter was die Simon had gemist, de eerste sneeuw die zonder hem was gevallen. Zoveel mensen die hun besognes hadden op deze winteravond, terwijl mijn zoon niet meer op de wereld was om de koude, schone lucht te voelen als hij naar buiten stapte, of de warmte als hij weer naar binnen ging. Ik kon me Simon niet voorstellen in zijn nieuwe toestand, maar op dat moment zag ik hem als een deel van het winterse blauw dat langs mijn hand streek.

Hetzelfde blauw lag over de boerderij, vloeibaar in de rivier en gestold in de paarden. Andere lucht dan die Neal graag inademde. Ik wist nog steeds niet hoe hij me een rad voor ogen had gedraaid en heel even hoorde ik zijn beschuldigingen – slechte moeder, slechte echtgenote, *deserteur* – tot ik er weer vrede mee had dat ik niet was zoals hij wilde.

Toch was de rit naar Arsenal Street reëel genoeg geweest, door echte straten met echte mensen. Vanavond was ik niet verdoofd en niet uitzinnig van verdriet, en de herinnering had me uit mijn apathie geschud en me over een grens getrokken. Neal had alles gedaan wat ik me meende te herinneren, dat wist ik zeker. En nu ik hier met Oz in de drukke stad stond, voelde ik me niet langer mezelf, of het monster waar Neal zo tegen tekeer was gegaan, of wie dan ook. Eindelijk was ik schoon en leeg, waardoor weer alles mogelijk was – zwevend als de blauwe winterlucht, nieuw en vreemd in het schijnsel van de lampen.

Achter Oz beklom ik de treden van de bioscoop, met mijn hand op de koperen leuning, als een dikke gouden anaconda, langs de oranjeverlichte vrouwenbeelden die het gewelf van de ingang op hun hoofden torsten. We waren de eersten in de zaal, met al het marmer en verguldsel, als een heidense tempel, en de rijen stoelen als rode riviertjes van rood pluche, stromend naar het doek. Oz vouwde mijn jas op en ging zwaar in zijn stoel zitten, met zijn lange benen gespreid, zodat zijn knie de mijne raakte. Ozzie, Ozzie... Ik wilde voor hem zingen omdat hij voor me had gezorgd en vanavond met me mee was gegaan zonder iets te vragen.

'Ik heb de papieren getekend', zei ik.

Oz keek op naar de gouden leeuwenkoppen aan de muren en de zes Krisjna's in hun nissen.

'Mooi zo', zei hij.

Hij legde zijn arm tegen de mijne, op de stoelleuning.

'Ik weet niet of ik het doorzet', zei ik een beetje wanhopig. 'Of ik het wel volhoud tot het eind.'

We staarden allebei naar het rode doek voor het hoge scherm.

'Het is net als wanneer je bevel krijgt om een open vlakte over te steken terwijl je met mortieren en machinegeweren wordt beschoten', zei hij. 'De eerste seconde voel je je verlamd, maar als je eenmaal op gang bent gekomen, is het ergste voorbij.'

Hij legde zijn vingers over de mijne. 'Je redt het wel.'

Als ik niet had gewild wat er daarna gebeurde, had ik gewoon mijn hand kunnen terugtrekken, maar de lichten doofden en in het moment van verblinding voordat mijn ogen zich aan de schemering hadden aangepast, voelde ik enkel nog zijn aanraking. Vreemd dat ik zoveel belang hechtte aan zo'n klein gebaar, alsof we weer zeventien waren en ons leven ervan afhing.

Ik hoorde de waarschuwende stem van mijn vader: *Doe geen domme dingen, Nora.* Maar het kon me niet schelen wat hij zei. Eindelijk sloeg Oz zijn arm om me heen en na een tijdje schoof ik naar hem toe en liet mijn hoofd op zijn schouder rusten. En meteen was ik weer terug in de tijd dat ik had gelogen en hem stiekem had ontmoet op het balkon van het Strand Theater in Second Street, waar we hadden gevreeën zonder maar drie seconden van de film te zien, hoewel er toen twee films achter elkaar draaiden, compleet met cartoons en reclame. Maar wij waren ons nergens van bewust, behalve van de zoete, pijnlijke last van ons verlangen.

Ik hoorde mijn vader zeggen dat Kline een waardeloze figuur was en dat een kalverliefde niets voorstelde. En mijn eigen stem die riep: *Nee, dat zal ik zelf wel bepalen. Niet jij, oude man.* Ik wilde een jongen die met zijn huid de mijne in vuur en vlam kon zetten en mij met zijn handen wijder opende dan een rivier. De enige man die ooit het goede in mij had ontdekt, waarvan ik zelf het bestaan niet eens wist. Die me vertelde hoe diep en wonderbaarlijk ik was, met onderaardse grotten, gevuld met water dat blauw was als de winterschemering.

Ik ging tegen mijn vader tekeer. *Je bent dood, oude man, en ik heb dit verdiend, zelfs als het tegen alle logica en reden indruist en ik daardoor mijn belofte breek om altijd een trouwe echtgenote te zijn. Ik had dus toch gelijk, die allereerste keer.* Ik gedachten zag ik Neals mond open en dicht gaan als van een goudvis, nu ik me definitief uit zijn greep – en die van mijn vader – had losgemaakt.

Ik keek steeds naar Oz in het flikkerende licht, verbaasd dat ik niet langer alleen was. Zijn vingertoppen trokken cirkeltjes over mijn arm, die ik bleef voelen alsof het tatoeages waren. Ik kon mijn ogen niet van hem afhouden. Ik zag zijn onregelmatige neus, die in vechtpartijen was gebroken, zijn haar dat was geplet door zijn pet, zijn gelaatstrekken, zo vertrouwd en toch zo anders. Alsof ik een wandelende blinde was geweest die hem nooit had gezien zoals hij werkelijk was. Al die maanden dat hij bij me was gebleven, zoals hij soms ook dagen bij een veulen zat dat hij moest africhten.

We stapten de bioscoop weer uit en onze schouders raakten elkaar alsof we altijd al een stel waren geweest. Wat later zaten we op het balkon op de eerste verdieping van Garavelli's, in zo'n zwarte houten nis, als een kist die juist was opengemaakt in het vochtige, veel te hete restaurant. Oz riep de ober – onbeschoft, zoals alle obers daar – en bestelde rosbief. Mager, niet vet, zei hij erbij. Ik had liever niet dat hij dat zei, bang dat ze ons het slechtste vlees zouden geven en een perfecte avond zouden bederven. Maar de ober bracht roze vlees met een heel dun randje parelend vet. De lappen waren zo groot dat ze over de rand van het bord hingen, en hij serveerde ze met knapperig brood dat bij elke hap uiteenspatte in een mondvol kruimels. We aten tot we genoeg hadden voor de rest van de winter, terwijl we praatten en praatten, alsof de laatste twintig jaar en al onze fouten tegenover elkaar niet meer bestonden.

Toen stapten we weer de donkere avond in, waar sneeuwvlokken als sterren op ons neerdaalden en de straat, de stoep en de geparkeerde auto's bedekten met een dun wit laagje dat nog nauwelijks door bandensporen werd verstoord. De kou droogde mijn zweet na de warmte van het restaurant. Ik maakte een sneeuwbal en trof Oz recht tegen zijn borst. Hij keek naar de witte afdruk op zijn trui en zette de achtervolging in. Zijn sneeuwballen waren hard als ijs en raakten met een klap mijn rug. De missers vormden kraters in de sneeuwlaag voor me uit.

De kou striemde mijn longen, mijn wangen en mijn tanden, omlijnde de botten van mijn gezicht, vulde mijn oogkassen, gaf mijn huid glans en mijn haar een dun, hard laagje. De kou was springlevend, net als Oz en ik. Maar van het rennen werd ik warm. Toen we bij zijn auto kwamen, gooide ik mijn armen om zijn hals, heel even maar, zodat het ook een teken van enthousiasme had kunnen zijn. Maar hij trok me tegen zich aan en onze ademhaling klonk als de branding in de ruimte tussen ons in.

Hij kuste me hard, en alles wat ik krampachtig had onderdrukt, vloeide nu als warme olie uit mezelf. Toch was ik in werkelijkheid nog niet zo zeker van dit gevoel als van het verlangen ernaar. Ik wist niet of ik al iets nieuws kon beginnen voordat het vorige was afgesloten.

Maar onze oude heftigheid tilde me buiten het bereik van Neal en uit de diepe put van Simons dood en de kleinere verliezen van het afgelopen jaar die ik had toegelaten of waar ik geen keus in had gehad. Ik reisde weer terug naar een tijd toen er nog geen echte pijn, geen echt verlies, had bestaan. En daar te mogen zijn, hoe kort misschien ook, maakte alle verschil.

Ik legde mijn voorhoofd tegen het zijne, zo dicht bij hem dat we elkaars gedachten bijna konden lezen. Ik verlangde naar hem alsof we in het komende uur alle gemiste intimiteit van de afgelopen jaren moesten goedmaken. Ik stak mijn armen onder zijn jas en we zweefden als de sneeuw, zo mooi en helderwit in de donkere nacht. Oz, zoals hij altijd was geweest, maar toch veel meer zichzelf, met liefde en hoop en troost, zo teder als de hartslag van een baby.

'Wat wil je van me, Nora?' fluisterde hij.

'Dit.' Hoewel ik zelf niet had geweten hoe hevig.

'Weet je het zeker?'

Ik knikte, te bang om nog iets te zeggen.

We reden door de sneeuw in een voorzichtige parade met andere auto's en een paar vrachtwagens, op weg naar de brug over de Missouri, langs de vlakke velden die steeds witter werden. De koplampen beschenen de onstuitbaar vallende vlokken en de wielen slipten opzij alsof de weg ons wilde afschudden. Toen we eindelijk het pad naar de boerderij opreden, in de laagste versnelling, met moeite door de opgewaaide sneeuwhopen heen, parkeerde Oz de wagen naast de stal en zei: 'Laten we even bij de paarden gaan kijken.'

De klank van zijn stem verbaasde me, alsof we uren geleden al het punt waren gepasseerd waarop spreken niet meer nodig was. Ik liep achter hem aan toen hij de deur openschoof en

Bandit terugduwde, zodat hij niet mee naar binnen kon. In het vage licht van de schijnwerper dat door het raam naar binnen viel, zag ik niet meer dan de omtrekken van de paarden die hun hoofd over de deur van hun box staken, terwijl Oz naar de zadelkamer verdween. De geur van stro, mest en paarden vormde een zalige, vertrouwde mengeling en ik liep naar Malaak toe om haar neus te aaien en haar adem op mijn hand te voelen. Ze duwde haar hoofd tegen mijn jas, op zoek naar klontjes of wortels, en ik voelde me net als toen ik vroeger naar de kinderen ging kijken en een van hen voldoende wakker werd om zich om te draaien en me te omhelzen.

Oz kwam terug met een stapel paardendekens en een petroleumlamp die heldere lichtstralen door de stal zwiepte. Hij hing de lamp aan een haakje, gooide vers stro in een lege box en legde de dekens neer.

'Wat doe je?' Ik streelde de wang van het veulen.

'Ik maak ons bed op.' Hij pakte mijn hand en trok me mee. 'Hier?'

'Ja, op ons eigen plekje.'

Het strobed had andere heuvels en holten dan mijn eigen bed, maar het vormde zich naar mijn lichaam. De dekens waren ruw, maar ook vertrouwd en al gauw heel warm. Oz trok er nog een over ons heen en sloot de deur van de box. Weer dacht ik aan Neal en de behoefte aan veiligheid die hij als wapen tegen me had gebruikt.

'Ozzie, ik ben bang', zei ik.

'Nora', zei hij, steunend op een elleboog, 'als het hele Duitse leger op dit moment op me afstormde, zonder dat ik een wapen had om me te verdedigen, zou ik niet banger kunnen zijn.'

Ik wist niet of ik moest lachen of geroerd moest zijn om zijn tederheid, dus trok ik hem naar me toe en streek vluchtig met mijn lippen langs de zijne. We hielden elkaar vast zoals we ook hadden gedaan toen we zestien waren, diep onder de indruk van dit wonderbaarlijke innige contact. Toen kusten we elkaar, langer en vuriger, en bewogen ons totdat we elkaar overal raakten. Een moment lang wilde ik dat we voor altijd zo konden blijven liggen, gevangen halverwege onze intimiteit en onze

hartstocht, totdat het leek of we zouden breken als we niet verdergingen.

Toen hij zijn hand over mijn ribben en mijn borst liet glijden
en hem daar liet rusten, verstijfde ik, bang hoe mijn lichaam
was veranderd sinds we nog jong waren.

Ik legde mijn hand over de zijne. 'Ik ben niet hetzelfde meer.'

'Ik ook niet, en zo hoort het ook.'

Hij streek met zijn vingers van mijn slaap naar mijn wang en
toen omlaag. Bij Neal zou ik zijn teruggedeinsd, bij hem niet.
Ik streelde hem ook en herinnerde me de vormen van de jongen, die nog steeds vertrouwd leken in de zwaardere gestalte
van de man.

We prutsten aan knoopjes, trokken armen uit mouwen en
hoofden uit sweaters, opeens in grote haast om van onze kleren verlost te zijn. Hij kwam over me heen liggen. Ik strekte
mijn tenen om zijn voeten te bereiken en voelde zijn erectie
tegen mijn buik.

'Ik heb nooit iemand anders zo diep in mijn binnenste toegelaten als jou', zei hij.

Op de een of andere manier had ik dat altijd geweten. En ik
wist ook dat ik nu moest opstaan en naar het huis moest rennen, naakt over het winterse erf, anders zou ik nu al beginnen
aan de volgende stap in mijn leven, nog voordat er een eind
was gekomen aan het verband dat Simon en Neal en Clea en
mezelf bijeen had gehouden. Hoe terecht het ook was dat ik
daar een streep onder zette, toch was ik bedroefd dat de tijd
door mijn vingers glipte en me ontnam wat ik graag had willen
behouden, naast alles wat ik beter kwijt kon zijn.

Ik dacht aan Simon en legde mijn hand op de koude bovenkant van de dekens toen de wind draaide en de sneeuw in dia-
gonalen langs het raam blies.

'Ik mis hem', fluisterde ik en was verbaasd over de tranen die
over mijn voorhoofd naar achteren liepen en mijn haarlijn ver-
koelden.

'Ik ook', zei Oz en legde zijn voorhoofd tegen het mijne. 'Net
zoals ik ons heb gemist.'

Hij steunde op zijn ellebogen om me zijn volle gewicht te

besparen en zo bleven we zwijgend liggen totdat hij zijn hand uitstak en de tranen van mijn slapen veegde. En in die droefheid verlangde ik naar hem, trok zijn mond op de mijne en drukte mijn heupen tegen hem aan.

Want opnieuw, net als zoveel jaar geleden, kon ik het niet verdragen om los van hem te zijn, niet alleen van zijn lichaam maar ook van hemzelf, alsof zelfs de kleinste ruimte tussen ons nog veel te groot was.

'Ozzie', zei ik, 'kom hier en blijf bij me.'

Hij boog zich naar achteren om me aan te kijken. Ik nam zijn hoofd in mijn handen – zijn gezicht met de kraaienpootjes, het schuine litteken over zijn wenkbrauw, en die jongensachtige uitdrukking, met zowel hoop als aarzeling.

'Weet je zeker dat dit is wat je wilt?' vroeg hij.

Ik knikte. 'Meer nog dan de eerste keer.'

'Maar nu kunnen we niet terug, nu niet meer', zei hij.

'Dat weet ik', zei ik. 'En zo wil ik het ook.'

Toen knikte hij en kwam in me, en we drukten ons zo dicht mogelijk tegen elkaar aan. Maar het lichamelijke was slechts een uiting van die andere band tussen ons, zo immens en alles omvattend als de blauwe lucht. We keken elkaar aan, net als vroeger, heel anders dan bij Neal, toen ik altijd mijn ogen had gesloten om bij hem vandaan te zijn.

Ozzies ogen waren net zo blauw als die van Simon, zacht van liefde en verlangen. Hij keek me zo aandachtig aan dat ik, zelfs toen ik mijn ogen sloot bij het orgasme, zijn blik nog kon voelen in die zoete duisternis, diep van binnen. Toen ik weer terugkeerde, glimlachte hij even, blij en voldaan met waar ik in mezelf was geweest. En hij sloot ook zijn ogen, net als ik had gedaan, op het moment dat hij zichzelf verloor in mij.

Ergens aan de rand van mijn bewustzijn had ik spijt dat mijn vorige leven voorbij was, omdat zelfs verdriet geruststellend vertrouwd kan worden en liefde zo onzeker kan zijn als een geboorte. Onwillekeurig ving ik mezelf op, alsof ik dreigde neer te storten in een droom. Hij sloeg zijn armen nog steviger om me heen, drukte zijn gezicht in mijn hals, en ik voelde me opgenomen door de vrede die we altijd bij elkaar hadden gevonden als we ervoor openstonden. Maar nu was er ook de opluchting dat we onszelf weer hadden ontdekt, zoals we ooit waren geweest en opnieuw waren geworden, alleen als we samen konden zijn.

Malaak bewoog zich en verspreidde haar speciale warme geur in de kou. We konden haar in het voorjaar laten dekken, en elk voorjaar daarna. Dan zouden we hier weer liggen, net zoals nu, nadat ze haar veulen had geworpen, om het te vieren. Om de geur van het geboortebloed en de merriemelk in te ademen en diep in onszelf te bewaren.

Ozzie zou dat begrijpen als ik het hem vertelde. Misschien had hij het zelf al bedacht.

Hij kuste mijn voorhoofd en draaide zich op zijn rug.

'Kijk eens', zei hij. 'Zie je haar?'

Malaak had haar hoofd over de zijkant van de box getild en keek naar ons. De lamp wierp haar vergrote schaduw tegen de muur, met haar oren als zwarte bergen aan weerszijden van een ravijn.

'Ooit zal ik Clea leren om op haar te rijden', zei hij.

Dat vond ik een heerlijke gedachte. Ik nestelde me in de holte van zijn arm, met mijn hand vlak en rustig op zijn borst, mijn vingers verstrengeld in het krulhaar daar. We lagen roerloos in het halfdonker, tot we allebei slaperig werden van onze eigen warmte, ondanks de kou. Maar achter die rust voelde ik de verwondering en de spanning van zijn arm om me heen, van mijn been over het zijne. Die simpele dingen, zo moeilijk gevonden, zo lang gezocht.